CRUISEN
OP DE
MIDDELLANDSE ZEE

CRUISEN
• OP DE •
MIDDELLANDSE ZEE

MICHELIN

LANNOO

INHOUD

4

5

VOORWOORD

Een cruise maken op de Middellandse Zee...
Het is een droom die steeds meer mensen verwezenlijken. En ze hebben gelijk. Want er is niets rustgevender, romantischer of verrijkender dan over het water van het ene naar het andere land en van de ene naar de andere stad te varen. Genieten van een zonsondergang vanaf de brug op een schip en bij het krieken van de volgende dag de kust zien opdoemen, waar u Malaga, Venetië, Dubrovnik, Mykonos of Haifa kunt bezoeken...
Het leven aan boord van een cruiseschip bestaat uit een plons nemen in het zwembad en zonnebaden op het dek...
Maar zodra u voet aan land zet, hebt u zonder twijfel een gids nodig die u vertelt wat u niet mag missen tijdens uw korte bezoek aan een stad. Hebt u een halve dag of een hele dag ter beschikking? Dankzij dit boek weet u precies wat u kunt bezoeken in functie van de tijd die u hebt.
U vindt een selectie van de mooiste en interessantste bezienswaardig-heden, maar u krijgt ook tips over het beste strand, het leukste café in de haven, het beste adres om plaatselijke specialiteiten te proeven en leuke shoppingadresjes.
Kortom, dit boek zorgt ervoor dat u niet alleen aan boord, maar ook aan land ontspannen kunt genieten. Bovendien krijgt u nuttige info over open-baar vervoer naar afgelegen bezienswaardigheden, plattegronden en zelfs enkele woorden in de taal die er wordt gesproken.
Bent u klaar om in te schepen voor de meest ontspannen cruise ooit? U zult zich deze vakantie wellicht nog lang herinneren.

Goede reis!

Het beste seizoen

Cruises op de Middellandse Zee zijn het hele jaar door mogelijk. Wilt u mooi weer en hoge temperaturen, geef dan de voorkeur aan een cruise **tussen april en oktober**.
Ook in de **winter** zijn de temperaturen in het Middellandse Zeegebied echter erg aangenaam. Bovendien zijn de prijzen voor een cruise dan aanzienlijk lager. De winter is dan ook de ideale periode als u veel culturele excursies wilt maken.

De ideale koffer

Check enkele dagen voor uw vertrek de **weersvoorspellingen** voor de steden die u zult bezoeken. Tot 6-7 dagen kan het weer redelijk betrouwbaar worden voorspeld. Vermijd te veel bagage, veel maatschappijen laten trouwens maar één koffer per persoon toe.

Aan boord

Overdag

Cruiseschepen zijn uitgerust met airconditioning, houd dus rekening met frisse temperaturen. Bovendien kan het 's avonds op de brug stevig waaien en fris zijn. Neem dus zeker een trui en eventueel een halsdoek mee.
Neem **gemakkelijke schoenen** mee om buiten rond te lopen op het dek en de brug.
Voorzie voldoende **badkleding** (voor het zwembad of de zwembaden aan boord, voor het strand, voor de wellnessruimte...). Handdoeken zijn doorgaans (gratis) voorzien in het solarium, bij de zwembaden en bij de douches van de fitnessruimte. Soms worden ook strandlakens voorzien voor een uitstapje naar het strand. Informeer er vooraf naar.
Neem slippers mee voor de wellness-ruimte. Voorzie ook een **hoed** of pet.

Kledingvoorschriften

Op de meeste cruiseschepen is vrije-tijdskleding toegelaten, behalve op de meest luxueuze schepen. Het dragen van bermuda's is soms niet toegelaten in de restaurants.
Op de meeste cruiseschepen wordt verwacht dat u zich 's avonds chic kleedt, vooral op de cocktail van de kapitein. Afhankelijk van uw cruise kiest u het beste voor een sportief-chique outfit (rok of jurk voor dames, lange broek en hemd, T-shirt of poloshirt voor heren) of een elegante outfit (avond- of cocktailjurk of mantelpak voor dames en maatpak of smoking voor heren).

Tijdens excursies

Kies voor gemakkelijke, praktische kleding en goede wandelschoenen als u een excursie maakt. Neem een hoofddeksel mee om u te beschermen tegen de zon, vooral als u archeologische vindplaatsen bezoekt, waar meestal weinig schaduw is. Bij een bezoek aan een kerk kunnen dames best een omslagdoek om hun blote schouders slaan en wie een moskee of joodse tempel bezoekt, draagt lange mouwen en een lange rok. Mannen dragen maar beter geen korte broek. Wie een bezoek brengt aan de Klaagmuur in Jeruzalem, neemt best een pet (of een keppeltje) mee.

Vermijd onaangename verrassingen

Verkeersbureaus

Cyprus – Keizersgracht 424 II - 1016 GC Amsterdam - ☎ 020 624 43 58 - www.visitcyprus.com
Egypte – Louizalaan 179 - 1050 Brussel - ☎ 02 647 38 58 - http://nl.egypt.travel/
Griekenland – Kerkstraat 61 - 1017 GC Amsterdam - ☎ 0900 202 59 05 - www.visitgreece.gr
Israël – Postbus 63052 - 1005 LB Amsterdam - ☎ 020 616 19 48 - www.goisrael.nl
Italië – Vrijheidsplein 12 - 1000 Brussel - ☎ 02 647 11 54 - www.enit.it
Kroatië – Nijenburg 2F - 1081 GC Amsterdam - ☎ 020 661 64 22 - www.kroatischverkeersbureau.nl
Libanon – www.lebanon-tourism.gov.lb
Malta – Asterweg 20e-3 - 1031 HN Amsterdam - ☎ 020 620 72 23 - www.visitmalta.com/nl
Spanje – Laan van Meerdervoort 8-A - 2517 AJ Den Haag - ☎ 070 346 59 00 - www.spain.info/nl

Tunesië – Louizalaan 162 - 1050 Brussel - www.ontdektunesie.nl
Turkije – Hofweg 1c - 2511 AA Den Haag - ☎ 070 346 99 98 - www.welkominturkije.nl

Gezondheid

Vaccinaties
Voor een cruise op de Middellandse Zee zijn meestal geen vaccinaties nodig. Informeer voor alle zekerheid minstens acht maanden voor uw vertrek bij uw huisarts of vaccinaties aanbevolen zijn voor de landen waar u een excursie zult maken. Afhankelijk van het seizoen kan een griepvaccinatie nuttig zijn.

Geneesmiddelen en recepten
Neem geneesmiddelen die u regelmatig moet nemen, van thuis mee of zorg voor voldoende recepten met daarop de generieke naam van het geneesmiddel, indien mogelijk in het Engels.
Breng de artsen en andere medische hulpverleners aan boord indien nodig op de hoogte van specifieke aandoeningen waaraan u lijdt.

Europese ziekteverzekeringskaart
EU-burgers die onderweg dezelfde medische verzorging wensen als in hun thuisland, moeten in het bezit zijn van een Europese ziekteverzekeringskaart, persoonlijk en op naam, en gedurende een jaar geldig. De kaart geeft je het recht op terugbetaling door een buitenlands ziekenfonds. Neem enkele weken vooraf contact op met uw ziekenfonds.

Reisbijstandsverzekering

Voor u een extra bijstandsverzekering afsluit, moet u goed controleren of u al niet van bijstand geniet via uw creditcard, uw ziekenfonds of uw autoverzekering. Controleer ook vooraf de terugbetaling voor medische bijstand aan boord.

Aan boord

De meeste cruiseschepen zijn uitgerust met een medisch kabinet waar minstens één arts en één verpleger werken, die 24 op 24 uur beschikbaar zijn. Houd er rekening mee dat kosten voor medische bijstand afzonderlijk worden afgerekend en vaak erg duur zijn (tussen € 50 en € 150 voor een consultatie). Informeer vooraf of uw ziekenfonds een terugbetaling voorziet voor dergelijke kosten.

Doorgaans worden tabletten tegen zeeziekte wel gratis ter beschikking gesteld van de gasten. Het medisch personeel spreekt meestal Engels.

Documenten

Inwoners van de Europese Unie

De passagiers moeten in het bezit zijn van een **paspoort** of een **identiteitskaart**. Deze documenten moeten minstens tot het einde van de cruise geldig zijn, maar in sommige landen is zelfs vereist dat ze tot zes maanden na uw verblijf geldig zijn. Het reisagentschap waar u uw cruise boekt, moet u kunnen informeren over de nodige administratieve en medische formaliteiten die nodig zijn voor uw reis. Informeer zelf bij de verkeersbureaus en consulaten of er niets is veranderd.

Cruises met een excursie in Egypte – Een paspoort of een identiteitskaart die nog minstens zes maanden geldig is na afloop van uw cruise.

Cruises met een excursie in Israël – Een paspoort of een identiteitskaart die nog minstens zes maanden geldig is na afloop van uw cruise.

Kinderen – Kinderen moeten beschikken over een eigen identiteitskaart. Kinderen die niet in het gezelschap van hun eigen ouders reizen of die door slechts één ouder worden begeleid, moeten beschikken over een toestemming om hun vaderland te verlaten.

Andere nationaliteiten

Controleer de geldigheid van uw identiteitskaart of paspoort en informeer bij de bevoegde instanties of u een visum nodig hebt.

Geld aan boord

Aan boord van de cruiseschepen is de euro de geldige munteenheid. Om te vermijden dat er veel geld aan boord is, wordt de voorkeur gegeven aan het betalen met een **magneetkaart** die u bij het inschepen wordt overhandigd. U kunt de kaart opladen bij het inschepen of aan de receptie. U kunt dat doen met een creditcard (Visa, American Express, Mastercard) of cash. Er zijn geen geldautomaten aan boord. Houd al uw bonnetjes en facturen bij, zodat u ze op het einde van uw cruise kunt vergelijken met het onkostenoverzicht dat u krijgt.

Wat is inbegrepen in de prijs van een cruise?

De maaltijden zijn inbegrepen. BIJ sommige maatschappijen zijn ook de wijnen inbegrepen. Let op, want in bepaalde themarestaurants moet u extra betalen.

De activiteiten aan boord (sportzaal, videospelletjes, bioscoop, toegang tot het casino aan boord...), de speciale avondactiviteiten (cocktailavonden en speciale diners), de voorstellingen (dansoptredens, cabaretvoorstellingen, karaoke enzovoort) en de toegang tot de discotheken aan boord zijn meestal inbegrepen bij de prijs.

Op de meeste cruiseschepen worden **kinderanimatie** (voor kinderen en jongeren tot 18 jaar), **roomservice** en **sportactiviteiten** aangeboden aan de passagiers.

Wat is niet inbegrepen bij de prijs van een cruise?

De transfers naar de inschepingshaven

U betaalt in de meeste gevallen zelf de kosten voor het vervoer tot aan de inschepingshaven.

Aan boord

Doorgaans zijn de toegang tot de **wellnessruimte** en de behandelingen die u er kunt ondergaan, de toegang tot het **internet** (opgelet, de kosten lopen snel op!) en de **fooien** voor het personeel aan boord niet in de prijs van de cruise begrepen. Bij sommige maatschappijen kunt u voor uw vertrek een forfait betalen voor de fooien voor het personeel.

Excursies

De maatschappijen bieden een waaier aan excursies aan op elke bestemming. Vaak moeten ze vooraf worden gereserveerd en zijn ze niet inbegrepen bij de prijs van uw cruise.

In de prijs voor een excursie is meestal het volgende begrepen: het vervoer, een gids en de toegang tot musea en bezienswaardigheden. Maaltijden en dranken zijn alleen inbegrepen als dit uitdrukkelijk wordt vermeld. Kinderen en jongeren krijgen doorgaans een korting van 10 tot 30% op de prijs voor een excursie.

Reken voor een excursie van een halve dag op € 30-40/volwassene, voor excursies van een hele dag op € 80-120/volwassene.

Bij de georganiseerde excursies wordt ervoor gezorgd dat u altijd tijdig weer bij de haven bent, maar houd er rekening mee dat vaak een bezoekje aan een winkel 'speciaal voor cruispassagiers' is voorzien en dat betekent dat u minder tijd hebt voor interessante bezienswaardigheden.

Fora waar u ideeën kunt uitwisselen met andere cruisereizigers

Wereldwijzer Cruiseforum – www.wereldwijzer.nl/forum/cruise-forum
Cruisetravel – www.cruisetravel.nl/Forum

Amsterdam

Toegang tot de haven

De Passenger Terminal Amsterdam ligt op de zuidelijke IJ-oever (Piet Heinkade 27).
Haven van Amsterdam – ☏ (00 31) 20 509 10 00 - www.ptamsterdam.nl

Met de auto

Verlaat de Ring A10 bij afslag S114 (Centrum, Zeeburg, Artis, IJbrug). Onderaan de afrit slaat u linksaf. Vervolg uw weg en rij bij de eerste en tweede stoplichten rechtdoor. In de Piet Heintunnel houdt u richting 'Centraal Station' aan. Aan het eind van de tunnel rechts voorsorteren en bij het stoplicht rechts afslaan, richting Centraal Station. Vervolg uw weg. Na het tweede stoplicht (bij de spoortunnel aan de linkerkant) neemt u de tweede mogelijkheid naar rechts: PTA, Passenger Terminal Amsterdam.

Vanaf de luchthaven

Openbaar vervoer – Trein – Het treinstation Schiphol ligt onder de luchthaven.
Check de routeplanner van de NS.
www.schiphol.nl
www.ns.nl
Transport van het Centraal Station in Amsterdam naar de Passenger Terminal: zie hieronder.

Taxi – Reken op 25 à 30 minuten voor een rit van de luchthaven naar de Passenger Terminal.
Prijs: ca. € 55.

Vanaf het treinstation

Te voet – De haven ligt op ca. 15 minuten lopen van Amsterdam Centraal Station. Neem de achteruitgang 'Noord', sla rechtsaf en volg de waterkant. Na het passeren van de hoge brug ziet u aan de linkerkant de Passenger Terminal Amsterdam liggen.
Met de tram – Tram 26 vertrekt aan de voorkant van het Centraal Station. Neem richting 'IJburg' en stap uit aan halte 'Muziekgebouw'.
www.GVB.nl
Met de taxi – Een taxi vindt u op het Stationsplein (centrumzijde). Prijs voor een taxirit: tussen € 7,50 en € 12,50.

Taxi's

Telefoonnummers van taxi's in Amsterdam vindt u via telefoonnummer 1888. Websites: www.1888info.nl en www. taxi-noord-holland.startpagina.nl

Parkeren

Piet Hein Garage – onder de Passenger Terminal (Piet Heinkade 59) – 588 parkeerplaatsen
Prijs – € 48,80 max. dagtarief.
Info – open 24 uur per dag, 7 dagen per week - www.parkeren-amsterdam.com

Oosterdokparking – naast het Centraal Station (Oosterdokstraat 150) – op ca. 10 min. wandelen van de Passenger Terminal - 1700 parkeerplaatsen
Prijs – € 15 per dag voor cruisepassagiers.
Info – 24 uur per dag bewaakt, 7 dagen per week - www.oosterdokparking.nl

P+R Zeeburg – aan de ingang van de Piet Heintunnel (Zuiderzeeweg 48a) – op 10 minuten met de tram van & naar de Passenger Terminal (tramticket is inbegrepen in de prijs)
Prijs – € 13 max. dagtarief
Info – open 24 uur per dag, 7 dagen per week - www.parkeren-amsterdam.com

Amsterpark.nl – valet service
U rijdt met de wagen tot naast de Passenger Terminal, waar u de sleutel overhandigt. - www.amsterpark.nl

Overnachten

Naast de Passenger Terminal
Hotel Mövenpick Amsterdam City Centre – Piet Heinkade 11 - ✆ (00 31) 20 519 1200 - www.moevenpick-hotels.com - 408 kamers.
Luxueus hotel. Kamers met schitterend uitzicht op de haven of de historische stad. Speciale Amsterdam Cruise Packages.

Doorsneeprijzen
NH Grand Hotel Krasnapolsky – Dam 9 - ✆ (00 31) 20 554 9111 - www.nh-hotels.nl - 468 kamers.
Historisch hotel uit 1866, met schitterende wintertuin. Een combinatie van traditie en modern comfort.

Goedkoop
Hotel CC – Warmoesstraat 42 - ✆ (00 31) 20 527 00 27 - www.hotelcc.nl - 81 kamers.
Driesterrenhotel. Modern ingerichte kamers, met aandacht voor design. Ook familiekamers beschikbaar.

IJmuiden

Toegang tot de haven

Felison Terminal IJmuiden
Quays nr. 1 en nr. 2
Sluisplein 55, IJmuiden
Haven van IJmuiden – ✆ (00 31) 255 545 440 – www.felisonterminal.nl

Met de auto
Neem op de A9 afslag IJmuiden/Beverwijk (A22). Hou richting 'IJmuiden' aan en sla linksaf bij de stoplichten. Vanaf het Pontplein volgt u de Kanaaldijk langs het Noordzeekanaal. Neem afslag De Geul, onder het viaduct door. Volg de Dokweg en neem bij het Shell station de eerste weg naar rechts. Volg de Halkade naar de haven van IJmuiden en de Felison Terminal.

Met het openbaar vervoer
Neem Connexion lijn 74 vanaf Station Beverwijk of vanaf de Fast Flying Ferry in IJmuiden tot de halte 'Oranjestraat'. Van daar is het nog 5 tot 10 minuten wandelen naar de Felison Terminal.
www.9292ov.nl

Taxi

Taxi's in IJmuiden & omgeving:
Algemene Taxi Kennemerland – ✆ (00 31) 251 206669 - www.taxikennemerland.nl
Taxi Beverwijk – ✆ (00 31) 23 5400500 - www.taxibeverwijk.nl

Rotterdam

Toegang tot de haven

Cruise Port Rotterdam ligt op de Kop van Zuid (Wilhelminakade 699).
Haven van Rotterdam –
☏ (00 31) 10 486 07 24
www.cruiseportrotterdam.com
www.cruiseterminalrotterdam.nl

Met de auto

Neem de Ring Rotterdam, via 'Rinq A16 (oost)' naar 'Exit 24, Feijenoord'. Volg de borden met 'Feijenoord', tot aan het kruispunt bij het voetbalstadion 'De Kuip'. Sla rechtsaf en volg de borden 'Feijenoord/H(ospital) St. Clara', en vervolgens 'Kop van Zuid/Maasbruggen' en uiteindelijk 'Erasmusbrug'.
Volg de Laan op Zuid tot aan de Erasmusbrug. Aan het kruispunt rijdt u rechtdoor (dus niet de brug op). Volg de borden 'Wilhelminapier' en rijd langs het gebouw van KPN Telecom. U bent nu op de Wilhelminakade.
www.bereikbareregiorotterdam.nl

Vanaf de luchthaven

Vanaf Schiphol Amsterdam moet u rekenen op ca. 1 uur reistijd.
Vanaf Rotterdam Airport houdt u best rekening met een transfertijd van ongeveer 20 minuten.

Openbaar vervoer vanaf Schiphol

Trein – Het treinstation Schiphol ligt onder de luchthaven. Reken op 1 uur voor het traject Schiphol-Rotterdam.
Check de routeplanner van de NS. Met de hogesnelheidstrein Fyra is de reisduur slechts 43 minuten.
www.schiphol.nl
www.ns.nl
www.fyra.com
Transport van Rotterdam Centraal Station naar Rotterdam Cruise Port: zie hieronder.
Taxi – Op de luchthaven van Schiphol kunt u een taxi nemen naar Cruise Port Rotterdam.
Prijs: ca. € 130.

Openbaar vervoer vanaf Rotterdam Airport

Bus – Buslijn 33 verbindt de luchthaven met Rotterdam Centraal Station.
www.rotterdamthehagueairport.nl
www.ret.nl
Taxi – De standplaats bevindt zich voor de uitgang van het luchthavengebouw. Reken op ca. 20 minuten voor een taxirit tussen de luchthaven en de Cruise Terminal.
Prijs: € 35
RTC Taxi – ☏ (00 31) 10 462 60 60, www.rtcnv.nl
Rotterdam Airport Taxi –
☏ (00 31) 10 262 04 06,
www.rotterdam-airport-taxi.nl

Vanaf het treinstation

Met de tram – Tram 20 naar Lombardijen, halte 'Wilhelminaplein'. Tram 23 naar Limbrichthoek/Beverwaard, halte 'Wilhelminaplein'. Tram 25 naar Carnisselande, halte 'Wilhelminaplein'.
www.ret.nl

Met de metro – Lijn 'Erasmus', halte 'Wilhelminaplein'.
Met de taxi – Neem een RTC Taxi naar de Cruise Terminal. Reken op ca. 15 minuten.
Prijs: € 15
RTC Taxi – ✆ (00 31) 10 462 60 60, www.rtcnv.nl
Watertaxi Hotel New York –
Afvaarten vanaf Veerhaven (tram 5, Willemplein) / Leuvehaven (metro Churchillplein/Beurs).
www.watertaxirotterdam.nl

Taxi's

RTC Taxi – ✆ (00 31) 10 462 60 60, www.rtcnv.nl

Parkeren

Longtermparking bij SS Rotterdam – vlakbij de Cruise Terminal (3e Katendrechtsehoofd 25)
Prijs – € 13 per 24 uur. Vooraf reserveren is niet mogelijk.
Gratis shuttle van & naar Rotterdam Cruise Terminal.
Parkeergarage World Port Center – in de omgeving van de Cruise Terminal (Wilhelminakade 981)
Prijs – € 25 maximaal dagtarief.
www.p1.nl

Overnachten

In de omgeving
Hotel New York – Koninginnenhoofd 1 -

✆ (00 31) 10 439 0500 - www.hotelnewyork.nl - 72 kamers. Voormalig hoofdkwartier van de Holland Amerika Lijn. Gelegen op de Wilhelminapier, vlak naast de Erasmusbrug. Vertrekplaats van de Watertaxi. Bijzondere kamers (waaronder 2 torenkamers en vroegere directievertrekken). Nostalgische sfeer.

Slapen in een boot
SS Rotterdam – 3e Katendrechtsehoofd 25 - ✆ (00 31) 10 288 66 66 - www.ssrotterdam.nl - 254 kamers. Voormalig schip van de Holland Amerika Lijn. Designsfeer van de jaren '50. Pre- & post-arrangement voor cruisepassagiers. Voorafgaand of na afloop van de cruise overnachten aan boord van de SS Rotterdam voor € 99 per nacht in 2-persoonskamer, inclusief ontbijt (exclusief parkeerkosten).

Budget
Maritime Hotel Rotterdam –
Willemskade 13 - ✆ (00 31) 10 201 09 00 - www.maritimehotel.nl - 165 kamers. Driesterrenhotel aan de Nieuwe Maas, naast de Erasmusbrug.
Ontbijtbuffet is inbegrepen in de kamerprijs.
Ook drie- en vierpersoonskamers beschikbaar.
Gratis WiFi.
In het hele hotel mag er niet worden gerookt.

Barcelona

Toegang tot de haven

De haven ligt aan het einde van La Rambla. Er zijn zeven terminals voor cruiseschepen.
Terminal A, B, C, en D: kade Adossat. Terminal S, N en E: kade World Trade Center (WTC).
Haven van Barcelona – ✆ (00 34) 932 986 000 - www.portdebarcelona.es

Met de auto
Volg de A 9 (via Narbonne en Perpignan) neem de AP 7 aan de Franse grens ter hoogte van La Jonquera. Volg dan de Ronda Litoral B 10, en neem uitrit 21 (Ciutat Vella) naar de haven.

Vanaf de luchthaven
Er is geen rechtstreekse verbinding tussen de luchthaven en de haven.
Taxi – De taxirit duurt ongeveer 25 minuten en kost € 25-30. Voor de bagage moet u mogelijk een toeslag betalen. Vaak wordt ook een toeslag aangerekend voor een vertrek aan de luchthaven en een toeslag voor het stoppen bij een cruiseterminal.
Openbaar vervoer – Neem de Aerobús naar de Plaza de Catalunya (voor Terminal 1, Aerobús A1; voor terminal T2B en T2C, Aerobús A2) - een kaartje kost € 5,30. Neem dan metrolijn 3 van de Plaza de Catalunya naar Drassanes.

Vanaf het treinstation
Het Estació de Barcelona-Sants ligt op 5,5 km van de haven. Een **taxirit** duurt 20 minuten en kost ca. € 10.
Neem **metrolijn** 3 van Sants Estació naar Drassanes.

Taxi's
Radio Taxi Barcelone – ✆ (00 34) 933 033 033. **Servi Taxi** – ✆ (00 34) 933 300 300.

Parkeren

World Trade Center S.A. – Haven van Barcelona - ✆ (00 34) 935 088 062
Prijs – € 12,50/dag/voertuig voor een minimum van 7 dagen.
Info – Openbare parkeerplaats, reserveren niet mogelijk.
Overdekt en bewaakt 24/24u.
Vervoer tot terminal – Ca. 2 km. Taxidienst: ca. € 7/enkele rit, 8 min.

Overnachten

Bij de haven
Hotel Oasis – Pl. del Palau, 17 - Ⓜ Barceloneta - ✆ (00 34) 933 194 396 - www.hoteloasisbarcelona.com - 🖵 - 105 kamers. € 80/101 - ☕ € 8. Heel eenvoudige, maar verzorgde kamers met een ruime badkamer. Vlak bij de haven.

Wat meer luxe
Hotel Gaudí – Nou de la Rambla, 12 - Ⓜ Liceu - ✆ (00 34) 933 179 032 - www.hotelgaudi.es - 🖵 - 73 kamers. € 128 - ☕. Tegenover het Palau Güell. Modernistische inkomhal. Ruime kamers; die op de bovenste verdiepingen beschikken over een terras vanwaar men geniet van een mooi uitzicht over de daken van het paleis.

Marseille

Toegang tot de haven

De passagiers van cruiseschepen schepen in aan de oostelijke haven, aan terminal 5, 6 en 7.

Haven van Marseille – Porte 4 - Chemin du Littoral - ✆ 04 91 39 40 00 - www.marseille-port.fr

Te voet

Porte 4-Cap Janet voor terminal 6 en 7. Porte Fort-Saint-Jean voor terminal 7.

Met de auto

Via de A 7: neem uitrit 3 en volg dan de bordjes 'Gares maritimes'.
Via de A 50: neem de tunnels Carénage, Vieux-Port en Dunkerque, uitrit 'Gares maritimes'.
Via de A 55: uitrit 5 voor terminal 5 en 6, uitrit 3-J4 voor terminal 7.

Vanaf de luchthaven Marseille-Provence

Er is geen rechtstreekse verbinding tussen de luchthaven Marseille-Provence en de cruiseterminals.
Taxi – Met de taxi bereikt u de cruiseterminals het snelst. Een rit kost € 20-35 en duurt 30 minuten.
Openbaar vervoer – www.navettemarseilleaeroport.com. Er rijden pendelbussen naar het station Saint-Charles (5.10-0.10 uur, 25 minuten, om de 20 minuten, € 8,50/pers). Vertrek aan terminal 1 tussen hal 3-4 en 1.

Vanaf Gare Saint-Charles

Taxi – Reken op € 15-20 en 20 min.

Openbaar vervoer – Metrolijn 2 (rood), richting Bougainville tot station Joliette. Neem op de place de la Joliette bus RTM (nr. 35) tot aan de halte Littoral-Gourret.

Taxi's

24/24 uur-7/7 dagen
Taxi Radio Marseille – ✆ 04 91 02 20 20
Les Taxis marseillais – ✆ 04 91 92 92 92

Parkeren

Parking Croisière in de Marseille Provence Cruise Terminal (MPCT) – *In het havengebied (volg de bordjes 'Parking croisière')* - ✆ 04 91 03 01 15.
Prijs – € 13/dag/voertuig. Forfait vanaf 10 dagen per voertuig en per cruise: € 130 all-in.
Info – Betaalmogelijkheden: bankkaart of contant geld aan betaalautomaten.
Vervoer tot terminal – gratis pendelbus.

Overnachten

Bij de haven

B&B Marseille Centre La Joliette – 52 r. Forbin - ✆ 08 92 70 22 18 (€ 0,34/min.) - € 60 - 🛏 € 6,10. Goede prijs-kwaliteitverhouding, vlak bij de haven gelegen.

Wat meer luxe

Hôtel Le Ryad – 16 r. Sénac-de-Meilhan - Ⓜ Réformés, Noailles - ✆ 04 91 47 74 54 - www.leryad.fr - 9 kamers € 95/140 - 🛏 € 12. Dit gezellige en verfijnde hotel zit verscholen achter een gevel in de stijl van Haussmann, die vaak te zien is op La Canebière.

Savona

Toegang tot de haven

Autorità Portuale di Savona –
Via Gramsci, 14 - ☎ (00 39) 019 85541 -
www.porto.sv.it

Met de auto
Wie via Frankrijk van Turijn komt (via
de Mont-Blanc-tunnel, A 5, of de tunnel
van Fréjus, A 32), volgt de A 6 tot aan
de uitrit Savona. Volg daarna de borden
'Savona Centro' en 'Porto/Palacrociere'
tot aan de haven.
Wie van Milaan komt, volgt de A 7 en de
A 26. Neem dan de A 10 naar Savona en
volg de borden 'Porto/Palacrociere' tot
aan de haven.

Vanaf het treinstation
Een taxi brengt u in ongeveer
10 minuten en voor ongeveer € 15
naar de haven.

Vanaf de luchthaven
De dichtstbijzijnde luchthavens zijn
die van Nice (ca. 150 km) en Genua
(Cristoforo Colombo, ca. 45 km). U kunt
een pendelbus of taxi naar de haven van
Savona nemen.

Goed om te weten
Voor een cruise met inscheping in
Savona is het aanbevolen een transfer
te boeken vanaf de luchthaven of het
station van Nice, Milaan of Genua naar
de haven van Savona (vooraf reserveren
verplicht, bij sommige cruises inbegrepen bij de prijs).

Taxi's
Radio Taxi Savona – ☎ 019 808080,
☎ 019 827951, ☎ 337 260026

Parkeren

Consorzio Savona Crociere – Haven
van Savona - ☎ (00 39) 019 8486120 -
www.parkingsavona.com.
Prijs – € 10/dag/voertuig.
Info – U kunt een parkeerplaats
reserveren door een boodschap achter
te laten op het nummer dat hierboven
vermeld wordt of op de webiste.

Overnachten

Vlak bij de haven
NH Savona Darsena – Via A.
Chiodo, 9 - ☎ (00 39) 019 803211 -
nhsavonadarsena@nh-hotels.com -
€ 123/140 🛏. Dit hotel vlak bij de haven
en het centrum van de stad, is ondergebracht in een modern gebouw en biedt
de gasten mooie, eenvoudige kamers.

Wat meer luxe
Hotel Ariston – Via Giordano 11r -
☎ (00 39) 019 805633/4 -
www.hotelaristonsavona.it - € 60/100.
Dit hotel vlak bij het strand biedt lichte,
frisse kamers met een terras vanwaar
men uitziet over de zee.

Genua

Toegang tot de haven

Stazioni Marittime S.P.A. –
Terminal Crociere - Ponte dei Mille -
℘ (0039) 019 85541 -
www.porto.genova.it
Taxistandplaats: Via Marinai d'Italia

Met de auto

Wie van de A 12 komt, neemt uitrit
Genova Est of Genova Nervi.
Wie van de A 10 ('Autostrada dei Fiori'),
de A 7 (Milano-Genova) of de A 26
(Alessandria-Genova) komt, neemt de
uitrit Genova Ovest. Volg de borden
naar de haven.

Vanaf de luchthaven

De luchthaven **Cristoforo Colombo**
(www.airport.genova.it) ligt op ca.
10 km van de haven.
Taxi – Ca. € 25.
Bus – Lijn 100 (elke 30 min., € 4) rijdt tot
het treinstation Porta Principe.

Vanaf het treinstation

Stazione di Genova Brignole – Op
minder dan 1 km van de haven. U kunt
te voet naar de haven, u kunt een taxi
nemen of bus nr. 31 of 19 nemen.
Stazione di Genova Piazza Principe – Op 4 km van de haven. De haven
is bereikbaar per taxi of met bus nr. 19
of 20.

Taxi's

Cooperativa Radio Taxi Genova –
℘ (0039) 010 5966.

Parkeren

Garage Autosiloport S.N.C. – Haven
van Genua - ℘ (0039) 010 2758482 -
www.autosiloport.com
Prijs – € 10/dag/voertuig.
Info – Reserveren verplicht (minstens
een week voor uw vertrek).
Garage Ponte Dei Mille S.N.C – Via
Raffaele Rubattino, 9 - ℘ (0039) 010 24
62 613 - www.garagepontedeimille.it
Prijs – Forfait voor 12 dagen: € 130.
Info – Reserveren mogelijk per telefoon
of op de website.
Vervoer tot terminal – Het personeel
van de parkeergarage neemt uw auto
in ontvangst en begeleidt u naar de
inschepingsterminal.

Overnachten

Vlak bij de haven

Hotel Le Tre Stazioni – Via Fassolo, 1/1 - Via san Benedetto 25 -
℘ (0039) 010 2463601 - www.hotel-letrestazioni.it - 10 kamers - € 70/100.
Praktisch, recht tegenover de haven.

Wat meer luxe

Locanda di Palazzo Cicala –
Piazza San Lorenzo, 16 -
℘ (0039) 010 25 18 824 - www.
palazzocicala.it - 10 kamers - € 149.
Deze 'herberg' werd ondergebracht
in het Palazzo Cicala. Een ouderwetse
stijl werd er gecombineerd met een
moderne inrichting en biedt u een
bijzonder verblijf vlak bij de mooie
kathedraal.

Venetië

Toegang tot de haven

Venezia Terminal Passaggeri –
Terminal Crociere - Terminal Traghetti -
Porto Passeggeri I Marittima - Venezia -
☏ (0039) 041 240 30 00 - www.vtp.it

Met de auto
Wie vanuit het westen (Padua) via de
autosnelweg komt, neemt de uitrit
Venezia-Porto en volgt de borden naar
Venezia-Stazione Marittima-Terminal
Passeggeri.

Vanaf het treinstation
Taxi – Reken op ca. € 20 (20 min.).
Openbaar vervoer– Wandel
(ca. 1 km) of neem de vaporetto naar
de Piazzale Roma, waar een gratis bus
naar de haven vertrekt.

Vanaf de luchthaven Marco-Polo
Taxi – Coopérativa Artigiana Radiotaxi -
☏ (0039) 041 5952080. Reken op € 35
(20 min.).
Watertaxi – Consorzio Motoscafi Ve-
nezia - ☏ (0039) 041 5222303 of Venice
Water Taxi– ☏ (0039) 041 5229040.
Reken op ca. 80.

Parkeren

**Venezia Terminal Passeggeri
S.p.A.** – Haven van Venetië -
☏ (0039) 041 2403033/40 -
www.vtp.it
Prijs – € 95/week/auto, € 10/extra dag.

Info – Raadpleeg de website voor
de tarieven van andere voertuigen.
Reserveren is aanbevolen, minstens een
week voor uw vertrek. In de prijs is ook
de verzekering begrepen.

Overnachten

Vlak bij de haven
Best Western Hotel Olimpia – Fondamenta delle Burchielle 395, Santa
Croce - ☏ (0039) 041 711041 - www.
hotel-olimpia.com - € 150/290. Vooraan
een kanaal, achteraan een mooie tuin
en in de kamers en de gemeenschap-
pelijke ruimten van dit 16de-eeuwse
palazzo een verfijnde inrichting.
Hotel Arlecchino – Fondamenta
Delle Burchielle 390, Santa Croce -
☏ (0039) 041 710723 - www.
hotelarlecchino.com - 25 kamers
- € 160/450. Zowel vanbinnen als
vanbuiten een erg stijlvol en kleurrijk
hotel. Gelegen aan het kruispunt van
twee kanalen.

Wat meer luxe
Pensione La Calcina – Fondamenta
Zattere ai Gesuati, 780 (Dorsoduro) -
Vaporetto Zattere - ☏ (0039) 041 52
06 466 - www.lacalcina.com - 27 kamers
- € 230. Dit is een heel aangenaam adres
dankzij de prachtige ligging aan het
kanaal van Giudecca en het prachtige
licht waarin het gebouw baadt, een heel
uitzonderlijk iets in de smalle straatjes
van Venetië...

FRANKRIJK

Marseille
★★★

Barcelona ★★★

SPANJE

Maó ★★

Palma
de Mallorca ★

Valencia ★★★

BALEAREN

Ibiza ★

Middellandse

Málaga ★

Gibraltar ★

MIDDELLANDSE ZEE

ITALIË

Venetië ★★★

Savona

Genua ★★★

Ravenna ★★★

Nice ★★★

Monaco
Monte-Carlo ★★★

Cannes ★★

Villefranche-
sur-Mer ★

Livorno
CittaVecchia

Ancona ★

CORSICA

Ajaccio ★★

Civitavecchia

La Maddalena ★★

Napels ★★★

Bari ★

Olbia ★

Sorrento ★★

Capri ★★★

SARDINIË

Cagliari ★★★

Zee

Palermo ★★★

Trapani ★

Taormina ★★★

Catania ★★

SICILIË

Tunis ★★★

MALTA

Valletta ★★★

TUNESIË

De provincie Castellón,
tussen Barcelona en Valencia

SPANJE

Van Catalonië tot Andalusië, met een omweg via de Balearen... Het deel van Spanje dat aan de Middellandse Zee grenst, is een mozaïek van streken met een sterke identiteit. Het kustlandschap is erg gevarieerd en is bezaaid met historische steden en een rijk erfgoed. Van Barcelona tot Gibraltar kunt u vele musea, kathedralen en paleizen bezoeken, ongeacht waar u aan land gaat. Als u er geraakt, want zodra u voet aan land zet, proberen de mooie stranden, trendy bars en gezellige terrassen aan de rand van het water en in de oude wijken u te verleiden voor een ontspannende pauze terwijl u geniet van de zon.

Officiële naam: Koninkrijk Spanje
Plaatselijke naam: España
Hoofdstad: Madrid
Officiële talen: Spaans (Castiliaans), Catalaans, Valenciaans
Oppervlakte: 505.182 km^2 met de Balearen en Canarische Eilanden inbegrepen.
Inwoners: 46,7 miljoen
Munteenheid: euro
Telefoneren naar Spanje: Kies 00 + 34 + het nummer van de correspondent.
Tijdsverschil: Er is in Spanje geen tijdsverschil met België en Nederland.

Openingstijden: In Spanje zijn de winkels doorgaans open van 9.30-10.00 u tot 13.30-14.00 u en van 17.00 u tot 20.00-21.00 u, in de grote steden soms tot 22.00 u. Steeds meer winkels (grote winkels of supermarkten) zijn echter doorlopend open. Op zondag zijn de meeste winkels gesloten, sommige winkels zijn ook op zaterdagnamiddag gesloten.
Winkelen/kledingmaten: De Spaanse schoen- en kledingmaten komen overeen met de schoen- en kledingmaten in België en Nederland.

Enkele Spaanse woorden...

Ja **Sí** / Nee **No** / Goedendag **Buenos días** / Goedenavond **Buenas tardes** of **buenas noches** / Hallo **Hola** / Tot ziens **Hasta luego** / Alstublieft **Por favor** / Dank u wel **(muchas) Gracias** / Excuseer **Perdone** / Oké **De acuerdo** / Proost! **¡Salud!** / Eten **Comer** / Drinken **Beber** / Toiletten **Los servicios** / Restaurant **Restaurante** / Dienst voor Toerisme **Oficina de turismo** / Geld **Dinero** / Spreekt u Frans? **¿Habla francés?** / Spreekt u Engels? **¿Habla inglés?**/ Ik begrijp het niet **No entiendo** / Kunt u me helpen? **¿Me puede ayudar?** / Hoeveel kost het? **¿Cuánto cuesta?** / Haven **Puerto** / Boot **Barco** / Strand **Playa**

Barcelona★★★

De hoofdstad van Catalonië ligt tegen de zee gevlijd en is een van de mooiste en meest kosmopolitische steden van Spanje, waar tradities en moderniteit, kunst en geschiedenis, cultuur en dagelijks leven op een zeldzaam eenvoudige wijze hand in hand gaan. Kuier over de bekende Rambla of door de altijd levendige havenwijk, ontdek schitterende musea en prachtige kerken in de gotische wijk en bekijk vol verwondering de modernistische gebouwen van Gaudí.

Excursies van een halve dag

★ Het havengebied

Het havengebied omvat wijken met een heel uiteenlopende sfeer, zoals de oude haven, La Barceloneta, de olympische haven en de stranden van Poblenou. Dat de stad haar mediterrane identiteit heeft hervonden, is onder meer te danken aan de heropwaardering van de wijken die aan de zee grenzen. De bezoeker kan er aangenaam rondkuieren tussen de bezienswaardigheden en er musea en een van de grootste zeedierenparken van Europa bezoeken.

★★ Drassanes A2

De oude scheepswerven, of het 'koninklijke arsenaal', bevinden zich aan het eind van La Rambla, vlak bij het monument van Columbus. Ze zijn de grootste en best bewaarde middeleeuwse scheepswerven ter wereld. Nu is er het **Museu Marítim★** (maritiem museum) in gevestigd, waar u kennismaakt met de geschiedenis van de Catalaanse marine.

★ La Barceloneta B1

Deze wijk ontstond in 1752 en verwelkomde in het begin vooral vissers en zeelieden. Ondanks vele veranderingen bewaarde de wijk zijn erg mediterrane,

volkse karakter met de rechte steegjes die baden in de zon, de restaurants waar vis de hoofdrol speelt, en het strand. De kerk van **Sant Miquel del Port★**, een sierlijk gebouw van 1753, prijkt op de Plaça de la Barceloneta.

★ Vila Olímpica B1

Terwijl La Barceloneta haar traditionele charme heeft bewaard, is de Vila Olímpica (Olympische Stad) een van de modernere delen van Barcelona. De wijk werd opgetrokken in de kustzone van **Poblenou** om in 1992 de 15.000 olympische atleten op te vangen, en bezorgde het hele havengebied een grote dynamiek. Dit stadsdeel met de mooie parken met moderne beeldhouwwerken en de brede lanen lokt op mooie dagen veel mensen naar de vernieuwde stranden, de vele cafés, bars, restaurants en winkels.

Stranden B1

Sinds 1992 zijn er in de buurt van de olympische haven zeven **zandstranden**, die in de zomer worden bewaakt.

★★ De olympische haven B1

De ingenieur Joan Ramon de Clascà ontwierp deze haven en maakte er een van de grootste recreatiegebieden van de stad van. Tot de vele opvallende gebouwen in deze zone behoren ook

DE HAVEN VAN BARCELONA

De wijk rond La Rambla, Plaza Reial
Anna Serrano/hemis. fr

BARCELONA PRAKTISCH

Dienst voor Toerisme – Pl. Catalunya, 17 (op het plein, ondergronds kantoor, aan de kant van het Corte Inglés) - 9.00-21.00 u.

VERVOER

Vanaf de haven bereikt u te voet in enkele minuten de Barri Gòtic, Monjuïc en La Rambla. Met de metro, de trein, de tram of de bus bereikt u elke bestemming in Barcelona.

Vervoerbiljetten – Een kaartje voor de metro is in elk metrostation verkrijgbaar aan een loket of aan een automaat (betaling mogelijk met muntstukken, geldbriefjes of een creditcard).
Een **kaartje senzill** (€ 1,40) geldt voor een enkele reis (eventueel met overstappen) per metro of per bus (het kaartje *senzill* voor bussen is verkrijgbaar op de bus zelf).

Het kaartje **T-Dia** is een dag geldig voor een onbeperkt aantal ritten (van € 5,90 voor 1 zone tot € 16,90 voor 6 zones). Het kaartje **T-10** is geldig voor 10 ritten, die elk maximaal 75 minuten mogen duren (€ 7,85 voor 1 zone).

Metro – ☎ 933 187 074 - www.tmb. cat. Dienstregeling: zo.-do. 5.00-0.00 u; vr.-za. 5.00-2.00 u. Om de 5 à 9 min. afhankelijk van de lijn.

Stadsbussen – ☎ 932 987 000 - www. tmb.cat. Dankzij de vele buslijnen geraakt u gemakkelijk van de ene naar de andere bestemming in de stad. De bussen rijden doorgaans van 5.00 tot 22.00 u. Er zijn ook enkele nachtbussen voorzien (Nit Bus, herkenbaar aan de 'N') tussen 22.00 en 5.00 u. De meeste nachtbussen vertrekken op de Plaça de Catalunya.

Trams – ☏ 902 193 275 - www.
trambcn.com - zo.-do. 5.00-0.00 u, vr.-
za. 5.00-2.00 u. Er zijn 6 lijnen (T1-T6).
Kabelbanen – Funicular de Montjuïc;
Funicular del Tibidabo; Funicular de Vall-
vidriera. De vervoersbewijzen zijn voor
de drie kabelbanen geldig.
Taxi's – De geel-zwarte taxi's zijn
een handig en snel vervoermiddel om
Barcelona te doorkruisen. U herkent een
vrije taxi aan het groene licht op het
dak. Eerste aanslag: € 1,80.
Radio Taxi Barcelona – ☏ 933 033 033
Servi Taxi – ☏ 933 300 300
Taxi's voor gehandicapten – ☏ 934 208
088, ☏ 933 222 222 of ☏ 933 070 707

EEN GLAASJE DRINKEN
London Bar – Nou de la Rambla, 34 -
Ⓜ Liceu - ☏ 933 185 261. Deze bar
bestaat al sinds 1909 en lokte met zijn
bijzondere sfeer onder andere Hemingway en Miró.
Glaciar – Pl. Reial, 3 - Ⓜ Liceu -
☏ 933 021 163. Deze klassieker was ooit
een populair trefpunt voor kunstenaars.
Het gezellige terras is ideaal om een
glaasje te drinken.
Cafè Vienés – Pg. de Gràcia, 132 -
Ⓜ Passeig de Gràcià - ☏ 932 553 000 -
www.hotelcasafuster.com. Dit café, dat
bij het luxueuze hotel Casa Fuster hoort,
is absoluut een bezoekje waard om de
inrichting te bewonderen die design en
modernisme combineert.

UIT ETEN
Cafè de l'Òpera – Rambla, 74 - Ⓜ Liceu - ☏ 933 177 585 - 8.30-2.30 u. Dit
traditionele café is een van de bekendste adressen in Barcelona.
Els Quatre Gats – Montsió, 3 bis -
Ⓜ Catalunya - ☏ 933 024 140 - vanaf
€ 15 - dag. behalve zo. 13.00-1.00 u. Dit

café van 1896 was vroeger een populaire ontmoetingsplek voor kunstenaars
en is nu het symbool voor het modernistische en bohemien Barcelona. De oude
inrichting bleef bewaard.
Los Caracoles – Escudellers, 14, op
de hoek met de Calle Nou de Sant
Francesc - Ⓜ Liceu - ☏ 933 012 041 -
www.loscaracoles.es - ▤ - 13.00-
24.00 u - € 35/45. Dit typische restaurant
bestaat sinds 1835. Azulejo's, wijnvaten,
schilderijen en foto's sieren de muren.
Traditionele en streekgerechten.
L'Arrosseria Xàtiva – Torrent d'en
Vidalet, 26 - Ⓜ Passeig de Gràcia -
☏ 932 848 502 - 10.00-16.30 u, 20.00-
0.00 u - gesl. zo.-avond - € 30. Als u in
Barcelona paella wilt proeven, moet u
hier zijn, in het hart van de wijk Gràcia!
Can Solé – C/Sant Carles 4 - Ⓜ Barceloneta - ☏ 932 215 012 - www.
restaurantconsole.com - dag. behalve
zo.-avond en ma. 13.30-16.00 u, 20.30-
23.00 u - € 30/45. Een uitstekend adres
dat bekend is om de zeevruchten en
rijstgerechten.

WINKELEN
**Winkel van het Museu d'Història
de la Ciutat** – Baixada de la Llibrete-
ria - Ⓜ Jaume I. Voor een kwaliteitsvol
souvenir van Barcelona.
**Carrer de la Palla en carrer Banys
Nous** – Ⓜ Liceu. Deze straten zijn
bekend om hun antiek.
Art Escudellers – Escudellers, 23-25 -
Ⓜ Liceu - ☏ 934 126 801 - 11.00-23.00 u.
Warenhuis op twee verdiepingen. In de
etalages kunt u een ruim aanbod aan
faience en andere ambachtelijke producten bewonderen, gerangschikt per
regio. In de kelder worden Catalaanse
wijnen en vooral cava verkocht.

twee torens, van 153 m, die een wonderbaarlijk **uitzicht★★★** bieden. Bij mooi weer kan men aan de horizon zelfs het eiland Mallorca waarnemen.

Vanaf de Torre de St-Sebastià, die in de haven aan de kant van La Barceloneta staat, brengt de kabelbaan **transbordador aeri del Port** *(€ 15 H/T)* u over de zee naar de heuvel Montjuïc. Onderweg geniet u van een **mooi uitzicht★** op de stad.

Montjuïc

Bereikbaar met de kabelbaan op La Barceloneta (zie hiervoor) of de kabelbaan die vertrekt bij het metrostation Parallel (L2/L3).

Deze 'jodenberg', de groene long van de stad, steekt ongeveer 173 m boven de haven uit. Ter gelegenheid van de wereldtentoonstelling van 1929 onderging deze heuvel grootse veranderingen. Op de flanken werden tuinen aangelegd en er werden belangrijke gebouwen opgetrokken. Deze werden voor de

Olympische Spelen in 1992 grondig gerenoveerd.

Castell de Montjuïc

Carratera de Montjuïc 66.

Het kasteel van 1640 werd tijdens de Spaanse Successieoorlog vernield en in de 18de eeuw heropgebouwd. Het werd een stervormig fort met vestingmuren. Het was een strategisch punt in de verdediging van Barcelona en het was een militaire gevangenis. Nu is het de ideale plek om te wandelen, met mooie uitzichten op de haven en de stad.

★★★ Museu Nacional d'Art de Catalunya (MNAC)

Parc de Montjuïc - ℘ 936 220 376 - www.mnac.cat - € 8,50 .

Dit Nationaal Catalaans kunstmuseum is gevestigd in het Palau Nacional de Montjuïc, een indrukwekkend gebouw dat gebouwd werd voor de wereldtentoonstelling van 1929. Een bezoek aan het volledige museum neemt heel veel tijd in beslag, daarom kiest u beter één of enkele van de vijf afdelingen: romaanse kunst, gotische kunst, moderne kunst, schetsen en gravures, munten.

★★★ Fundació Joan Miró

Parc de Montjuïc - ℘ 934 439 470 - www.fundaciomiro-bcn.org - € 8.

Het **gebouw★★** werd gebouwd door **Josep Lluís Sert** (1902-1983), een persoonlijke vriend van de schilder. De collectie werd door Miró zelf samengesteld en omvat meer dan 10.000 werken. Een kleine collectie hedendaagse kunst is een eerbetoon aan Miró van kunstenaars zoals Chillida, Saura, Duchamp, Max Ernst of Rauschenberg. Sinds 1990 wordt hier de **Font de Mercuri★** van Alexander Calder ten-

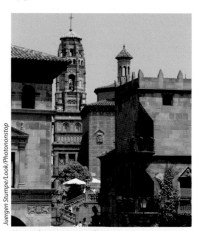

Juergen Stumpe/Look/Photononstop

Het oude centrum van Barcelona

toongesteld. Deze fontein werd in 1937 gemaakt voor het Spaanse paviljoen op de wereldtentoonstelling in Parijs. In de **Beeldentuin** staan werken van jonge, Catalaanse kunstenaars.

★★ De Barri Gòtic

Deze 'gotische wijk' dankt haar naam aan de gebouwen uit de 13de, 14de en 15de eeuw en is een van de levendigste wijken van Barcelona. Ze bestaat uit een wirwar van smalle steegjes met hier en daar een pleintje.

Plaça de Sant Jaume

Dit plein ligt waar vroeger de hoofd-straten van de Romeinse stad elkaar kruisten: de *cardo* en de *decumanus*. Aan het plein staan nu twee gebouwen die de macht van de stad en van Catalonië symboliseren: het **stadhuis** (eind 14de eeuw, de voorgevel dateert uit de 18de eeuw) en het **Palau de la Generali-tat**, dat begin 14de eeuw in gotische stijl werd opgetrokken, maar later werd veranderd. De **Carrer Paradís**, waar vier **Korinthische zuilen★** getuigen van het Romeinse verleden van de stad, voert u naar de Plaça del Rei.

★★ Plaça del Rei

Aan dit plein staan enkele van de belangrijkste middeleeuwse gebouwen van de stad: het **Palau Reial** (11de-14de eeuw), de **Capella de Santa Àgata** (14de eeuw), het **Palau de Lloctinent** (16de eeuw) en het **Casa Clariana-Padellàs**. Dit laatste is een mooi voorbeeld van de gotische burger-architectuur (15de eeuw) en herbergt het boeiende **Museu d'Història de la Ciutat** (stedelijk museum - ℘ 933 562 122 - www.museuhistoria. bcn.cat - € 6) waar overblijfselen worden

tentoongesteld van de **Romeinse en Visigotische stad★★★**. Volg de Carrer dels Comtes naar het voorplein van de kathedraal.

★★ Catedral de Santa Eulàlia

℘ 933 428 260 - www.catedralbcn.org - € 6/gratis tijdens vieringen. Men begon eind 13de eeuw met de bouw van deze kathedraal en ze was klaar in 1450. De **voorgevel** en de spits dateren uit de 19de eeuw maar werden gebouwd naar het gotische ontwerp van 1408. Het **interieur★** omvat drie schepen in zuiver Catalaanse stijl. Vanaf het **terras** (lift - € 2,50), geniet u van een schitte-rend **uitzicht★★** op de stad tot aan de haven aan de ene kant en de Serra de Collserola aan de andere kant.

★★ La Rambla

Deze drukbezochte boulevard werd tus-sen de 15de en de 17de eeuw aangelegd op de plek waar een rivier stroomde, vandaar de naam. De straat is meer dan een kilometer lang en loopt van de zee tot de Plaça de Catalunya. Ze bestaat uit vijf delen, die elk een andere naam kregen.

De **Rambla de Santa Mònica** loopt van de zee tot de **Pla del Teatre**, waar karikaturisten, schilders en tarotlezers verzamelen. Dan volgt de **Rambla dels Caputxins**. Verlaat de boulevard hier even en neem de *Carrer Nou de la Rambla* naar het Palau Güell.

★★ Palau Güell

Ⓜ Liceu - Nou de la Rambla, 3 - ℘ 933 173 974 - www.palauguell.cat - gratis. Gaudí bouwde dit spectaculaire paleis tussen 1886 en 1890. Binnen is de **grote, centrale ontvangstkamer** de meest overweldigende zaal met de schitterende parabolische koepel met kleine openingen waardoor het licht wordt gefilterd. De vloer op het **terras** golft en de fabelachtige schoorstenen zijn bedekt met mozaïeken.

★★ Plaça Reial
Aan de andere kant van La Rambla ligt dit autovrije plein, omgeven door uniforme gebouwen en zuilengangen. Het plein werd aangelegd tussen 1840 en 1850 naar een ontwerp van Francesc D. Molina. Op het plein staan nog twee straatlantaarns die de jonge Gaudí heeft ontworpen. Onder de zuilengangen zijn er populaire *cervecerías* (cafés).

Keer terug naar La Rambla. Ter hoogte van de **Pla de la Boqueria** werd de bestrating in het midden van de boulevard ontworpen door Joan Miró. Hier begint de **Rambla de les Flors**, waar vroeger veel religieuze gebouwen stonden. Maar revoluties en branden hebben ervoor gezorgd dat de boulevard nu een aaneenschakeling van caféterrassen, hotels en souvenirwinkels is. Bij mooi weer is het er erg druk. De indrukwekkende **Boqueria/Mercat de Sant Josep** is een traditioneel marktplein onder een mooie smeedijzeren constructie met glazendak. Ernaast staat het **Palau de la Virreina**, een weelderig paleis van eind 18de eeuw waarin de barok- en rococostijl werden gecombineerd.

De **Rambla dels Estudis** dankt haar naam aan de eerste universiteit van Barcelona, die hier ooit was gevestigd. Hier staat de **Iglesia de Betlem** (17de en 18de eeuw), die vroeger bij een jezuïetenklooster hoorde.

Het laatste deel van La Rambla, de **Rambla de Canaletes**, eindigt bij de **Plaça de Catalunya**, een groot, populair plein dat de overgang vormt tussen de oude stad en Eixample ('uitbreiding').

★★ Eixample
Ten noordwesten van de Barri Gòtic strekt zich de immense wijk **Eixample** uit, die ontstond toen Barcelona in de 19de eeuw uit haar voegen barstte. Ze is bekend om de modernistische architectuur, boetieks en verfijnde restaurants. In de **Passeig de Gràcia★★**, een van de hoofdstraten van de wijk, staan prachtige voorbeelden van de architectuur die kenmerkend was voor deze omwenteling. De **Illa de la Discòrdia★★** ('het eiland van de onenigheid') omvat constructies van **Gaudí**, Domènech i Montaner en Puig i Cadafalch.

★ Casa Lleó i Morera
Dit grote, stenen gebouw (1905) werd gebouwd door Domènech i Montaner. De decoratie is geïnspireerd op de natuur en is vooral te zien op de balustrades en rond de ramen. Het gebouw wordt ook bekroond door decoratieve kantelen en een koepeltje.

★ Casa Amatller
Dit gebouw van Puig i Cadafalch (1900) heeft een mooie gevel die versierd is met fresco's met bloemenmotieven en eindigt in een trapgevel.

★★ Casa Batlló
Pg. de Gràcia, 43 - ☎ 932 160 306 - www. casabatllo.es - € 16,50 met audiogids.
De **voorgevel** van dit meesterwerk van Gaudí (1904-1906) is bekleed met schijven van keramiek en gekleurd glas, erboven zit een verrassend dak met schubben. Binnen waant u zich in de zee. Het pronkstuk is het spiraalvormige plafond van de hoofdsalon. De veelkleu-

rige gevels van het terras achteraan zijn versierd met smeedijzeren balkons.

★★★ Casa Milà (La Pedrera)

Ⓜ *Diagonal - Provença, 261 - ℘ 902 400 973 - www.fundaciocaixacatalunya. org - € 9,50.*

Dit is een van de bekendste werken van Gaudí en een zuivere explosie van fantasie. De **voorgevel★★** beeldt de beweging van de zee uit. In **El Pis (het appartement)★** is er een tentoonstelling over Barcelona vroeger en er werd een interieur van begin 20ste eeuw ingericht. Het **terras★** is een magisch bos met grillige vormen en angstaanjagende, aardewerken 'strijders'. U geniet er van spectaculaire **uitzichten★** op Barcelona en de Sagrada Familia.

★★★ De Sagrada Familia

℘ 932 073 031 - www.sagradafamilia. cat - € 11.

In de loop van de veertig jaar die **Gaudí** aan dit bouwwerk werkte, maakte

Carlos Martínez/age fotostock

Detail van een mozaïek van Gaudí in Park Güell

hij het symbolische karakter van de kerk elke dag complexer, tot het een hermetisch concept werd. Toen hij in 1926 stierf, waren alleen de crypte, de apsis en de **Gevel van de geboorte★★** klaar. **Josep Maria Subirachs** (geboren in 1927) nam de leiding over dit immense project over en hij werkte tegen eind jaren tachtig van de 20ste eeuw de beelden af van de Gevel van de passie, de huidige ingang van de kerk. Tijdens een bezoek aan het **interieur** moet u het lawaai van de machines van de arbeiders ondergaan, maar dat doet niets af aan de aantrekkingskracht van het gebouw. Bewonder het indrukwekkende bos van zuilen in het schip, zoals Gaudí het had gewild, en enkele glas-in-loodramen, waaronder het roosvenster van Joan Vila-Grau (2001). In de apsis begint een trap naar de **crypte**, met de graftombe van Gaudí en een museum.

★★★ Park Güell

*Bus 92 vanaf het Hospital de Sant Pau - **Ⓜ** Lesseps (L3) volg dan de borden. Olot, 1 - www.bcn.cat/parcsijardins - gratis.*

Een van de beroemdste opdrachten die Güell aan **Gaudí** gaf, was die voor een stadspark dat nooit werd gerealiseerd zoals het was bedoeld. Het park begint met twee gebouwen in de vorm van een sprookjesachtige paddenstoel. Een trap met bovenaan een draak die bestaat uit mozaïeksteentjes, leidt naar de **zaal van de honderd zuilen**. Boven deze zaal ligt een groot, rond plein dat een buitengewoon **uitzicht** biedt op de stad en dat wordt omgeven door de beroemde, eindeloos **golvende bank★★**, waar de kleurrijke fantasie van Gaudí onbegrensd lijkt.

Valencia★★★

Valencia is de op twee na grootste stad van Spanje en een typisch mediterrane stad met een mild klimaat en een prachtige lichtinval. De brede lanen met palm- en vijgenbomen begrenzen de oude stad met versterkte poorten, de kerken en de smalle straatjes met oude winkels en gotische huizen. Na de overstroming van 1957 werd de loop van de rivier Turia verlegd. De rivierbedding is nu een aangename groene strook die de stad van oost naar west doorkruist.

Excursies van een halve dag

De havenwijk
Deze wijk omvat verschillende musea en stranden en werd gerenoveerd toen beslist werd dat in 2007 de zeilwedstrijd America's Cup in Valencia zou worden gehouden.

★ De haven C2
Uit het industriële verleden is de **haventerminal** van 1914 bewaard gebleven. Het gebouw in neoklassieke stijl heeft een prachtige klokkentoren. De architect, Federico Gómez de Membrillera, voegde in een opvallendere modernistische stijl ernaast opslagplaatsen toe met daarop keramiekplaten die het gebouw verleidelijk veel kleur geven. Tegenover de haven bevindt zich het **Museu de les Drassanes** (Museum van het koninklijk arsenaal), waar tijdelijke tentoonstellingen plaatsvinden. Sinds de 14de eeuw bestaat dit gerenoveerde, bakstenen gebouw uit vijf parallelle, overdekte hallen met een dak dat steunt op grote spitsbogen.

Paviljoen van de America's Cup C2
Architect David Chipperfield ontwierp dit paviljoen aan de noordkant van de haven, aan de oever van het Nuevo Canal. Het wordt *Veles e Vents* (zeilen en

winden) genoemd. Het bestaat uit vier grote plateaus die een beetje tegenover elkaar verspringen.

De stranden C1
Volg vanaf de haven de **Paseo Neptuno** vol hotels, bars en restaurants, langs het **Playa de las Arenas**. Hier komen veel Valencianen bij mooi weer. Een beetje verder naar het noorden ligt het **Playa de la Malvarrosa**, waarlangs de **Paseo Marítimo** loopt, een populaire boulevard. Aan het eind van dit strand staat het huis van de schrijver **Vicente Blasco Ibáñez** (1867-1928). In het interessante voorbeeld van de burgerlijke badstadarchitectuur van begin 20ste eeuw is nu een museum gevestigd.

★ De oude stad (Ciudad Vieja)
Het historische centrum van Valencia is een van de grootste van Spanje en wijst erop hoe welvarend de stad was in de 15de eeuw. Reken op 3 uur om de belangrijkste bezienswaardigheden te bekijken.

★ De kathedraal B1
℘ 963 918 127 - www.catedraldevalencia. es - eind okt.-half maart: zon- en feestd. gesl. - € 4,50 (museum inbegrepen).
De kathedraal staat waar vroeger een moskee stond en dateert vooral uit de 14de en 15de eeuw. De **voorgevel★**

De met geglazuurde dakpannen bedekte koepel van de kathedraal
Hervé Hughes/hemis.fr

VALENCIA PRAKTISCH

Dienst voor Toerisme –
Pl. de la Reina, 19 - ℘ 963 153 931

VERVOER
Metro en tram – www.metrovalencia.
com - kaartje € 1,40 (H/T € 2,40). Vijf
metrolijnen. Lijnen 5 en 6 lopen tussen
de haven en het station Grau. Aan
station Marítim-Serrería vertrekken
twee tramlijnen naar de stranden.
Bus – www.emtvalencia.com. Op de
Plaza del Ayuntamiento vertrekt
nr. 35 naar de Ciudad de las Artes y
de las Ciencias, nr. 32 naar het Playa
de la Malvarrosa. Kaartje € 1,30.
Lijnen 2, 3, 4, 19, 30 rijden naar de
haven, halte Joan Verdaguer-Port.
Taxi's – **Radio Taxi** - ℘ 963 703 333.
Fietsenverhuur – Ideaal voor een verkenning van de historische wijk of het
Turiapark. **Do you bike** – Pl. Horno de
San Nicolás (El Carmen) - ℘ 963 155 551
en 653 771 135 - ma.-zo. 10.00-14.00 u,
17.00-20.00 u.

EEN GLAASJE DRINKEN
Horchatería El Siglo – Pl. Santa Catalina, 11 - ℘ 963 918 466. Drink in dit
café vol azulejo's, dat sinds 1836 bestaat, orxata de xufa, de specialiteit
van Valencia (ijskoude, plantaardige
melk op basis van aardamandelsap).

UIT ETEN
La Pepica – Paseo Neptuno, 6 -
℘ 963 710 366. Restaurant aan het
strand met als specialiteit paella.

WINKELEN
Wie van **keramiek** houdt, vindt gespe-
cialiseerde winkels tussen de Plaza Arzobispo en de Plaza Nápoles y Sicilia.

met veel krommingen is een barok-meesterwerk van begin 18de eeuw. De achthoekige, gotische toren ernaast, **Le Miguelete★** (€ 2) genoemd, biedt vanaf de top een uniek uitzicht op het met geglazuurde tegels bedekte dak van de kathedraal en de oude stad. Ondergronds bevindt zich **L'Almoina** (€ 2), een klein museum met beelden en voorwerpen van het oude Valencia, overblijfselen van de VIsigotische kathedraal. Het museum wordt verlicht door een glazen plafond dat de bodem is van een waterbekken op het plein.

★ Cripta arquelogica de San Vicente Martir
Pl. del Arzobispo, 1 - ☎ 963 525 478 - € 2, gratis op zon- en feestd.
De archeologische crypte van San Vicente de martelaar is een kleine kapel die vroeger in verbinding stond met de Visigotische kathedraal. U ziet er twee stenen Visigotische sarcofagen en een muurschildering uit de 2de eeuw die de god Mercurius voorstelt.

★ Torres de Serranos
Pl. de los Fueros - ☎ 963 919 070 - € 2, gratis op za., zon- en feestd.
Deze torens behoorden tot een voormalige poort in de stadsmuur van Valencia en zijn een voorbeeld van de militaire architectuur van eind 14de eeuw. Let op de sierlijke motieven op de gotische kruisbooggewelven. Boven op de toren geniet u van een mooi uitzicht op de stad en de tuinen.

★★ La Lonja de la Seda (zijdebeurs)
Plaza del Mercado - ☎ 963 525 475 - € 2, gratis op za., zon- en feestd.
Op vraag van de zijdehandelaars uit Valencia werd vanaf 1483 deze

handelsbeurs in laatgotische stijl gebouwd door Pere Compte en Joan Ibarra. U treedt het van kantelen voorziene gebouw binnen via een mooi gotisch portaal. U komt in de **zaal★★** van de zijdehandel, waar de hoge, stervormige spitsbooggewelven worden ondersteund door acht fijne, verfijnde, gedraaide zuilen. In de muren zitten sierlijke vensters. Let in het volgende zaaltje vooral op de deuromlijstingen. Te midden van acanthusbladeren werden kleine, fantasierijke figuurtjes gebeeldhouwd in allerlei posities en situaties. De volgende zaal heeft een mooi cassetteplafond en vervolgens komt u uit op een schaduwrijke, bekoorlijke **patio**.

★★ Palacio del Marques de Dos Aguas
In 1740 besloot de markies van Dos Aguas een sober gebouw uit de 15de eeuw te renoveren en er een schitterend barokpaleis van te maken. Het gebouw bleef goed bewaard. Bewonder de muren van imitatiemarmer die volledig werden beschilderd, de weelderige balkons en vooral de barokke, **albasten deuromlijsting★★**, waarop in haut-reliëf natuurlijke motieven en menselijke figuren werden aangebracht. Ook binnen bleef het weelderige interieur bewaard. Tegenwoordig is in dit gebouw het **Museo Nacional de Cerámica ★★**, het nationaal keramiekmuseum, ondergebracht. Vanaf de 10de eeuw vestigden de Arabieren zich in Spanje en ze brachten hun vaardigheden op dit gebied mee. In het museum worden tal van islamitische en christelijke voorwerpen in keramiek tentoongesteld.

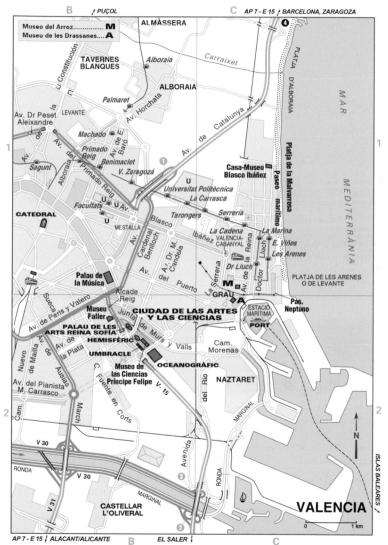

B / PUÇOL
C AP 7 - E 15 / BARCELONA, ZARAGOZA

Museo del Arroz.............. **M**
Museu de les Drassanes.... **A**

ALMÀSSERA

TAVERNES
BLANQUES

Alboraia

Carraixet

ALBORAIA

Palmaret

LEVANTE

Av. Dr Peset
Aleixandre

Machado

*Primado
Reig*

Sagunt

Benimaclet

V. Zaragozá

Facultats

U U
U
U

MESTALLA

CATEDRAL

Av. Horchata

Av. de Catalunya

**Casa-Museo
Blasco Ibáñez**

U
Universitat Politècnica
La Carrasca

Tarongers

Serrería

La Cadena
VALENCIA-
CABANYAL

La Marina

E. Viñes
Les Arenes

Blasco
Ibáñez

Cardenal
Benlloch

Av. del Puerto

Alcade
Reig

**Palau de
la Música**

**Museu
Faller**

**PALAU DE LES
ARTS REINA SOFÍA**

HEMISFÈRIC

UMBRACLE

**Museo de
las Ciencias
Príncipe Felipe**

Junta
**CIUDAD DE LAS ARTES
Y LAS CIENCIAS**

de Murs

y Valls

V-15

OCEANOGRÀFIC

Cam.
Morenas

NAZTARET

Dr. Lluch

M
GRAU
A

ESTACIÓ
MARÍTIMA

PLATJA DE LES ARENES
O DE LEVANTE

Pas.
Neptuno

PORT

MAR

Platja de la Malvarrosa

Paseo marítimo

Platja d'Alboraia

MEDITERRÀNIA

V 30

V 30

RONDA

V 31

MARGINAL

CASTELLAR
L'OLIVERAL

Av. del Pianista
M. Carrasco

C. Fuente en Corts

March

Av. de
la Plata

Nuevo
de Mailla

Av. de Peris y Valero

Sueca

MARGINAL

Avenida

del Río

RONDA

N

0   1 km

VALENCIA

ISLAS BALEARES /

Malaga★

Malaga ligt tegenover de Marokkaanse kust en gaat prat op een rijke geschiedenis. In de oude stad getuigen nog veel bezienswaardigheden van dit verleden. Vandaag de dag omvat deze dynamische stad een handelshaven en kustvaarthaven, sierlijke boulevards verfraaid met parken, en woonwijken zoals La Caleta, waarvan de villa's het resultaat zijn van de economische welvaart die de stad in de 19de eeuw kende. Malaga is ook de geboortestad van Picasso.

Excursies van een halve dag

De Arabische en Romeinse stad

★ Alcazaba
Calle Alcazabilla - ℘ 630 932 987 -
€ 3,20 met bezoek aan het kasteel van
Gibralfaro.
Alcazaba werd vanaf 1040 op een heuvel boven de stad gebouwd en is een van de belangrijkste islamitische militaire bouwwerken in Spanje die bewaard bleven. Het bouwwerk met dubbele omwalling en rechthoekige torens hoorde bij de verdedigingswerken van Malaka (zo heette Malaga onder de Arabische overheersing, van de 8ste tot de 15de eeuw).
In de Calle Alcazabilla begint een zigzaggend pad omhoog naar de **boog van Christus** (Arco del Cristo), waar na de reconquista de eerste mis werd gehouden. De boog biedt toegang tot de Arabische tuinen met lanen omzoomd door bougainvilles, jasmijn en kamperfoelie. Geniet vanaf de omwalling van het **uitzicht★** op de stad en de haven.

Teatro Romano
Aan de voet van de vesting ligt op de westelijke heuvelflank de ruïne van het Romeinse theater, een overblijfsel uit het Romeinse verleden van de stad (3de-5de eeuw). Een deel van de originele trappen van de *cavea* liggen nog tegen de heuvel gevlijd.

Castillo di Gibralfaro
Camino de Gibralfaro, 11 - ℘ 952 122 020.
De overblijfselen van het kasteel van Gibralfaro, dat in de 14de eeuw werd gebouwd, liggen boven op een heuvel boven de stad. Het versterkte pad dat de vesting met het kasteel verbond, dateert uit de 14de eeuw. Vanaf de nogal vervallen weergang geniet u van een **uitzicht★** op de vesting, de haven en de stad. 's Avonds hebt u ook vanaf de boulevard die om het kasteel loopt en dan naar de paseo del Parque afdaalt, een mooi **uitzicht★**. In het voormalige kruitmagazijn vindt nu een tentoonstelling plaats over het leven op het kasteel, waar van de 15de tot de 20ste eeuw een legergarnizoen was gevestigd.

Het centrum
In de wirwar van vaak autovrije steegjes in het centrum van Málaga bevinden zich het Museo Picasso in het geboortehuis van de kunstenaar, en vele boeiende, christelijke gebouwen.

★ Museo Carmen Thyssen Málaga
Calle Compañía, 10 - ℘ 902 303 131 -
www.carmenthyssenmalaga.org/en -
€ 6.

Het Alcazaba in Malaga is een van de best bewaarde islamitische militaire bouwwerken in Spanje
René Mattes/hemis.fr

MALAGA PRAKTISCH

Dienst voor Toerisme –
Pl. de la Marina, 11 - ℘ 952 122 020 -
www.malagaturismo.com. Er is ook een
informatiekiosk in de haven.

VERVOER
Het centrum en de waterkant verkent u best te voet.
Bus – Alle bussen vertrekken bij het
Alameda Principal. Kaartje € 1 (zorg
voor kleingeld). Informatie: **Centro
de atención al cliente** - Alameda
Principal, 15 - ℘ 902 527 200 -
www.emtmalaga.es.
Taxi's – Een rit kost ca. € 5.
Unitaxi – ℘ 952 333 333.

EEN GLAASJE DRINKEN
Café Central – Pl. de la Constitución, 11 -
℘ 952 224 972. Dit café bestaat al meer
dan honderd jaar en is een gevestigde

waarde in Malaga. Grote tearoom en
gezellig terras.

UiT ETEN
Orellana – Calle Moreno Monroy, 5 -
℘ 952 223 012. Deze bar, die al bestaat
sinds 1938, is een van de beste van de
stad als u zin hebt om uzelf te verwennen met lekkere tapa's.
Parador de Málaga Gibralfaro –
Castillo de Gibralfaro - ℘ 952 221 902.
Op het terras van deze *parador* (luxueus
staatshotel) kunt u genieten van heerlijke, Andalusische gerechten en van een
prachtig uitzicht op de stad.

WINKELEN
De belangrijkste winkelstraten liggen
tussen de Calle Puerta del Mar en de
Calle Marqués de Larios. U vindt er
gegarandeerd iets naar uw gading.

In het opmerkelijk gerestaureerde **Palacio Villalón** (16de eeuw) met de mooie renaissancegevel worden 230 werken tentoongesteld uit de immense collectie 18de- en 19de-eeuwse schilderijen die **Carmen Cervera** (barones Thyssen) verzamelde.

Iglesia de los Mártires

Achter de sobere buitengevel van deze kerk uit de 15de eeuw zit een rijkelijk barokinterieur verscholen, dat in de 18de eeuw volledig werd veranderd.

Pasaje de las Chinitas

Een van de symbolische plaatsen van het oude Malaga.

★ Catedral de la Encarnación

Calle Molina Lario - ℘ 952 228 491 - € 4, museum inbegrepen.
De bouw van de kathedraal duurde van de 16de tot de 18de eeuw, vandaar de mix aan stijlen waarin de renaissance overheerst, maar de gevel aan de Plaza del Obispo is in barokstijl opgetrokken. Binnen wordt u overweldigd door de drie indrukwekkende schepen met zijkapellen en een kooromgang.

★ Museo Picasso

Calle San Agustín, 8 - ℘ 902 443 377 - www.museoplcassomalaga.org - € 6/8.
In het **Palacio de Buenavista**, een verfijnd renaissancegebouw met prachtige *artesonado*-plafonds boven de trap en in de gangen op de eerste verdieping, bevinden zich enkele werken van **Picasso** uit de privécollectie van Christine en Bernard Ruiz Picasso, de schoondochter en kleinzoon van de schilder.
Olieverfschilderijen, schetsen, gravures, beelden en aardewerk geven chronologisch het werk weer van de kunstenaar die altijd op zoek was naar vernieuwing. Bewonder het meesterschap dat de schilder al op vroege leeftijd bezat.

La Fundación Picasso Museo Casa Natal

Esplanada de la Merced, 15 - ℘ 952 060 215 - www.fundacionpicasso.es - € 1.
Het geboortehuis van de kunstenaar dateert van midden 19de eeuw. Op de eerste verdieping worden behalve foto's van de schilder ook enkele gravures en aardewerk tentoongesteld. Er werd een studeerkamer gereconstrueerd in de stijl van de periode waarin de familie Ruiz Picasso leefde. Daarnaast is in dit gebouw de stichting Pablo Ruiz Picasso gevestigd en worden er tijdelijke tentoonstellingen gehouden.

De stranden

Achter de paseo del Parque, in het oosten van de stad, liggen de stranden van Malaga.
Malagueta ligt het dichtst bij het centrum, tegen een gezellige boulevard.

Rafael Jáureguí/age fotostock

Enkele gevels in het centrum van Malaga

Gibraltar★

Deze bergachtige kaap ligt aan het zuidelijkste punt van Europa, aan de smalle doorgang (15 km) tussen Spanje en Marokko, waar de Middellandse Zee aan de Atlantische Oceaan grenst. De zee-engte wordt voortdurend geplaagd door de wind en is veeleer de verbinding dan de scheiding tussen de twee continenten. In 711 veroverden de Berbers Gibraltar. Ze waren niet de eersten en zeker niet de laatsten. Ook nu nog is de Straat van Gibraltar een doorgangsplek waar voortdurend vrachtschepen, olieschepen en veerboten varen. Sinds 1713 is Gibraltar een Brits overzees gebied.

Excursies van een halve dag

★ Gibraltar

Gibraltar Museum

18/20 Bomb House Lane - ☎ 350 200 74289 - www.gibmuseum.gi - £ 2 (€ 2,50).
Dit museum in het centrum van de stad, vlak bij de Dienst voor Toerisme, is het ideale vertrekpunt voor een bezoek aan de stad. Verschillende voorwerpen vertellen de geschiedenis van het gebied, van de periode waaruit de bekende schedel van Gibraltar dateert (die van een vrouwelijke neanderthaler, in 1848 ontdekt) via de Moorse baden uit de 14de eeuw tot de rol die Gibraltar speelde in de Tweede Wereldoorlog. Er staat een grote **maquette★** van de Rots van Gibraltar (1865).

Main Street

In de hoofdstraat van Gibraltar zijn de meeste winkels gevestigd. De prijzen zijn de laatste jaren gestegen, maar zijn toch een ommetje waard. Bijna overal aanvaardt men euro's. Onderweg ziet u de katholieke kathedraal, gebouwd op de plek waar vroeger een moskee stond, en het klooster waarin sinds 1728 de gouverneur zetelt. Enkele malen per dag vindt de afwisseling van de wacht plaats.

★ Hooggelegen deel van de Rots

Een kabelbaan brengt u naar de top.
£ 7 (€ 8,60) - £ 8 (€ 9,80) H/T.
Dit deel van de Rots werd uitgeroepen tot **natuurreservaat** en is een van de mooiste plekken van Gibraltar. Hier leven de bekende apen die de Engelse troepen eind 18de eeuw meebrachten vanuit Noord-Afrika.

Moorish Castle

Het Arabische kasteel uit de 14de eeuw is het ideale uitzichtpunt om de hele baai te overzien.

The Great Siege Tunnels

U kunt deze indrukwekkende 'tunnels van de grote bezetting' (met een lengte van bijna 60 km) bezoeken. De tunnels werden door de Engelsen uitgegraven om de Rots te beschermen tegen de Frans-Spaanse bezetters (1779-1783).

Saint Michael's Cave

Volgens de overlevering was deze grot van de H. Michaël zo groot dat ze via een tunnel tot aan de Afrikaanse kust liep. Heel diep in de grot (op sommige plaatsen is ze wel 62 m diep) hebben stalactieten en stalagmieten heel bijzondere formaties gevormd. De grootste zaal in de grot werd omgevormd tot evenementenzaal.

De Rots van Gibraltar
AGE/Photononstop

GIBRALTAR PRAKTISCH

40

Dienst voor Toerisme in Tarifa –
Paseo de la Alameda (boven) -
📞 956 680 993 - www.aytotarifa.com

VERVOER

Te voet – Het centrum van de stad ligt
op 20 minuten wandelen van de haven.
Per bus – Er rijden bussen naar het
centrum van Gibraltar.
Per taxi – Tarifa - 📞 956 684 241;
Gibraltar - 📞 350 70027.
Per auto – Er zijn autoverhuurbedrijven
(op Spaans grondgebied) vlak bij de
luchthaven, ten westen van de haven.
Europcar – La Linea - 📞 0650453123.

EEN GLAASJE DRINKEN

In Gibraltar – Er zijn typische pubs in
Irish Town en op Mac Intosh Square.
In Tarifa – In het centrum zijn er
verscheidene cafés en bars, zowel
ouderwetse als moderne, die overdag
of 's nachts open zijn, zoals het nogal
moderne Pepe's (Calle Castelar) en
Bear's House (Calle Sancho IV El Bravo).
Tal van bars hebben een terras aan de
paseo de la Alameda.

UIT ETEN

Gibraltar
Restaurant Sacarello – 57 Irish
Town - £ 10 (€ 12,30). Een van de
gezelligste restaurants van Gibraltar,
balancerend tussen Spanje en Groot-
Brittannië. Vanaf het terras zie je uit op
Tuckey's Lane. Speciale formules *tea
time* vanaf £ 4 (€ 5).

Tarifa
Baguettería El Barrilito – Calle
Sancho IV El Bravo. Goed adres in het
centrum, ideaal voor een snelle hap.

SPANJE

Excursie van een dag

Straat van Gibraltar (rondrit tot Tarifa)

50 km - Verlaat Gibraltar via de N 351 richting La Línea de la Concepción, en neem dan de A 7.

Algeciras

In deze belangrijke haven- en industriestad werd in 1947 de flamencogitarist Paco de Lucía geboren.

Plaza Alta – Dit is het symbolische hart van de stad. Aan dit plein staan de **Iglesia de Nuestra Señora de la Palma** (18de eeuw) in barokke en neoklassieke stijl, en de kleine barokkerk **Nuestra Señora de Europa**.

Museo municipal – *Calle Ortega y Gasset, s/n - ☏ 956 570 672 - www. fmcjoseluiscano.com/museo.html - gratis.* Het stedelijk museum is ondergebracht in een groot gebouw in het mooie Parque de las Acacias. U ziet er voorwerpen uit de Romeinse tijd, die aantonen hoe belangrijk de baai van Algeciras was voor de handel.
Verlaat de stad zuidwaarts via de N 340. Onderweg komt u voorbij de **Puerto del Cabrito★**, een heuvel die een mooi uitzicht biedt op de Straat van Gibraltar en de Afrikaanse kust.

★ Tarifa

Deze aangename stad tussen de Middellandse Zee en de Atlantische Oceaan is een paradijs voor surfers. Ze kunnen zich het hele jaar door amuseren op de lange, witte zandstranden.
Rijd de **oude stad★** binnen via de **Puerta de Jerez** in het noorden. De Calle Colón loopt naar de markt in neomu-

dejarstijl, en vlak daarbij verheft zich de **Iglesia de San Francisco**.
De hoofdstraat in het centrum is een straat boordevol restaurants die naar de Plaza de Oviedo loopt, waar de laatgotische **Iglesia de San Mateo Apóstol** van begin 16de eeuw staat.

Castillo de Guzmán el Bueno – *Calle Guzmán - ☏ 956 570 672.* In het zuiden torent dit kasteel boven de haven en de zee uit. Het is een van de oudste kastelen van Andalusië. Men begon met de bouw ervan in 960 in opdracht van kalief Abd er-Rahman III. U bereikt het kasteel via een **versterkt, Almohadisch pad** (13de eeuw). Binnen de muren van het kasteel staat de Iglesia de Santa María (14de eeuw).

Stranden – Tarifa beschikt over twee aangename stranden: **Playa Chica**, aan een kleine kreek vlak bij de haven, en het buitengewone **Playa de los Lances★**, aan de andere kant van het Isla de Tarifa. *Neem opnieuw de N 340 en neem dan links de Ca 8202.*

★ Conjunto arqueológico Baelo Claudia

Ensenada de Bolonia, s/n - ☏ 956 106 797 - www.juntadeandalucia.es/ cultura/museos/CABC/ - € 1,50.
Het archeologische centrum Baelo Claudia is een Romeinse stad die in de 2de eeuw v. Chr. werd opgericht op een schitterende plek bij de zee. De meeste overblijfselen dateren uit de 1ste eeuw. De belangrijkste vondsten zijn de zuilen van de basiliek, het forum waaraan drie tempels grensden, gewijd aan Jupiter, Junon en Minerva, een klein theater en een **pekelatelier** vlak bij het strand.
Volg dezelfde weg terug naar Gibraltar.

De Cala Macarelleta op het eiland Menorca

BALEAREN

De Balearen waren het doelwit van achtereenvolgens de Moren, de Carthagers en de Romeinen. Al deze volkeren lieten hun sporen na op de eilandengroep die nu tot de populairste toeristische bestemmingen van Europa behoort. En dat is erg begrijpelijk, want het prachtige, ongerepte landschap behoort tot de mooiste en meest gevarieerde van het Middellandse Zeegebied. Dankzij het milde klimaat, met van juni tot oktober temperaturen rond 30 °C, zijn deze eilanden een ideaal vakantieoord. Van de chique steden aan de kust tot de bergdorpen is het gevarieerde erfgoed grotendeels authentiek gebleven.

Land: Spanje
Officiële naam: Autonome regio Balearen
Hoofdstad: Palma de Mallorca
Officiële talen: Catalaans, Spaans
Oppervlakte: 5014 km^2 in totaal voor de hele eilandengroep samen, die van het noordoosten tot het zuidwesten bestaat uit de eilanden Menorca (668 km^2), Mallorca (3074 km^2), Ibiza (572 km^2), Formentera (83 km^2) en nog enkele kleinere eilanden.

Inwoners: 1.095.000
Munteenheid: euro
Telefoneren naar Spanje: Kies 00 + 34 + het nummer van de correspondent.
Tijdsverschil: Er is op de Balearen geen tijdsverschil met België en Nederland.
Winkelen/openingstijden: Op de Balearen zijn winkels doorgaans open van 9.30-10.00 u tot 13.30-14.00 u en van 17.00 u tot 20.00-21.00 u en soms tot 22.00 u in de grote steden.

Enkele Spaanse woorden...

Ja **Sí** / Nee **No** / Goedendag **Buenos días** / Goedenavond **Buenas tardes** of **Buenas noches** / Hallo **Hola** / Tot ziens **Hasta luego** / Alstublieft **Por favor** / Dank u wel **(muchas) Gracias** / Excuseer **Perdone** / Oké **De acuerdo** / Proost! **¡Salud!** / Eten **Comer** / Drinken **Beber** / Toiletten **Los servicios** / Restaurant **Restaurante** / Dienst voor Toerisme **Oficina de turismo** / Geld **Dinero** / Spreekt u Frans? **¿Habla francés?** / Spreekt u Engels? **¿Habla inglés?** / Ik begrijp het niet **No entiendo** / Kunt u me helpen? **¿Me puede ayudar?** / Hoeveel kost het? **¿Cuánto cuesta?** / Haven **Puerto** / Boot **Barco** / Strand **Playa**

Ibiza★

Het kosmopolitische 'witte eiland' is het mekka voor feestgangers, want in de zomer verandert het in een van de hipste bestemmingen ter wereld. Maar Ibiza is ook een natuurparadijs, met prachtige stranden en verscholen kreken te midden van de duinen die u best buiten het seizoen verkent. De lieflijke dorpjes vol met kalk bepleisterde huizen, kronkelige steegjes en dorpskerken, onderscheiden dit eiland van de andere eilanden die tot de Balearen behoren.

Excursie van een halve dag

Ibiza (Eivissa)
De stad werd in 654 v. Chr. op een heuvel boven de zee gesticht door de Feniciërs en kende een bloeiperiode ten tijde van de Romeinse bezetting. De moslims versterkten de stad in de 10de eeuw en in de 13de eeuw werd de stad ingenomen door de Catalanen.

De benedenstad
La Marina – Vlak bij de haven liggen de drukke winkelstraten van La Marina, met restaurants, bars en boetieks, heel anders dan in de ingetogen bovenstad.
Sa Penya★ – Deze voormalige visserswijk ligt op een smalle rotskaap en is nu de place to be voor wie van het nachtleven houdt.
Necrópolis de Puig des Molins★ – *Via Romana, 31 - ℘ 971 301 771 - gratis.* De dodenstad werd vanaf de 7de eeuw v. Chr. de begraafplaats van de Feniciërs en tot de 1ste eeuw van de Romeinen. In de heuvel ontdekte men meer dan 3000 onderaardse graven. Er worden grafvoorwerpen tentoongesteld in het **Museo monografico**.

★ De bovenstad (Dalt Vila)
De oude stad met 16de-eeuwse omwallingen heeft haar middeleeuwse karakter bewaard. U treedt de bovenstad binnen via de **Portal de Ses Taules**.
Kathedraal – De massieve, 13de-eeuwse klokkentoren van de kathedraal steekt boven de stad uit en heeft twee verdiepingen met gotische ramen. Voor de koorafsluiting werd een bastion van de voormalige vestingwerken ingericht als belvedère, vanwaar u geniet van een mooi **uitzicht★** op de stad en de haven.
Museo arqueológico d'Eivissa i Formentera★ – *Plaça de la Seu, 3 - ℘ 971 301 231 - www.meaf.es - € 2,40.* De opmerkelijkste collecties in dit archeologische museum zijn die over de Punische cultuur (7de eeuw v. Chr.-3de eeuw).

Excursies van een dag

Het zuiden van het eiland
Neem vanaf Ibiza de C 731 dwars over het eiland naar Sant Antoni de Portmany.

Sant Antoni de Portmany
In de historische wijk staan moderne gebouwen rond de 14de-eeuwse, versterkte kerk die in de 16de eeuw werd heropgebouwd. Vanaf de jachthaven kunt u een mooie kustwandeling maken.
Volg de PM 812 5 km noordwaarts.

De stad Ibiza 's nachts
Imagebroker/hemis.fr

IBIZA PRAKTISCH

45

Dienst voor Toerisme – In de haven: Carrer d'Antoni Riquer, 2 - ℰ 971 301 900; in het centrum: Passeig Vara de Rei, 1.

VERVOER
Per bus – Er zijn een veertigtal buslijnen tussen de steden en de stranden. www.ibizabus.com.
Per auto – Bij de haven zijn er tal van autoverhuurbedrijven.
Per boot – In de haven vertrekken er veel boten naar de verschillende stranden van het eiland.
Per taxi – ℰ 971 398 4833.

UIT ETEN
Ca'n Alfredo – Pg Vara de Rei, 16 - ℰ 971 311 274 - gesl. 2 weken in mei, 2 weken in nov., zo.-avond en ma. - € 40/62. In de eetzaal hangen foto's van beroemdheden die dit restaurant bezochten. U kunt er Catalaanse gerechten eten.
El Chiringuito Es Cavallet Playa – Playa Es Cavallet - ten zuiden van de stad - ℰ 971 395 355 - in de zomer alleen 's middags open - € 20/30. Er komen veel beroemdheden in dit sobere restaurant waarvan het immense terrass uitziet op de zee. Al jaren lang een populair trefpunt.
Forn Can Bufí – Carrer Catalunya, 18 - ℰ 971 197 035 of 971 392 421. Voor wie de traditionele smaken van het eiland wil proeven.

WINKELEN
In de wijk tegen de zee zijn er veel kledingboetieks, lederwaren- en juwelenwinkels.

Cala Salada

Daal tussen de dennenbomen af naar dit strand verscholen in een kreek.
Keer terug naar Sant Antoni en volg de PM 803 zuidwaarts. Sla in Sant Agustí des Vedrà af naar Cala Bassa en Cala Comte.

Cala Comte en Cala Bassa

Cala Comte is een rotsachtige plek vanwaar men uitziet op enkele eilandjes. Cala Bassa heeft een mooi strand omgeven door een dennenbos.
Volg de overhangende bergweg naar Cala Vedella.

Cala Vedella

Dit grote, witte zandstrand ligt verscholen in een beschutte kreek en lokt steeds meer toeristen.
Draai terug en rijd naar Sant Josep de Sa Talaia.

Sant Josep de Sa Talaia

Naast de weg staat een mooie, versterkte kerk uit de 18de eeuw. Binnen zijn er nog slechts enkele kunstwerken van voor de 20ste eeuw te zien, want een groot deel van de kerk werd tijdens de burgeroorlog vernield.

Cala d'Hort

Op dit mooie strand staan twee rotsen: Es Vedrà en Es Vedranell.
Maak rechtsomkeert naar de PM 803. Volg die naar rechts en rijd dan naar Sa Caleta en Es Jondal (strand dat gedeeltelijk met grote keien is bezaaid).

★ Sa Caleta

Dit prachtige, kleine strand wordt omgeven door grote, rode rotsen. *Op het einde is de weg in erg slechte staat. Ook bereikbaar met bus nr. 26 vanuit Ibiza.*
Rijd in de richting van de luchthaven en sla af naar de **zoutpannen**, waar al

eeuwen lang zout wordt gewonnen.
Keer terug naar Eivissa via de PM 801.

Het noorden van het eiland

★ Puig de Missa

Volg vanuit Ibiza de PMV 810-1, die mooie uitzichten biedt, noordwaarts tot Santa Eulària des Riu. De Puig de Missa is te voet en met de auto bereikbaar.
Dit versterkte dorpje op een heuvel is gebouwd in de traditionele architectuur van het eiland. De versterkte kerk (16de eeuw) was een schuiloord bij gevaar.
Museo etnografico di Ibiza – *Can Ros* - ℘ 971 332 845 - *gratis*. Dit museum van volkskunst en volkstradities werd ondergebracht in een boerderij.
Museo Barrau – In dit museum worden een honderdtal werken van de Catalaanse, impressionistische kunstenaar Laureà Barrau tentoongesteld.
Volg de PM 810 noordwaarts.

Sant Carles de Peralta

Dit dorp is bekend om zijn hippiemarkt **Las Dalias** (www.lasdalias.com), die het hele jaar door op zaterdag wordt gehouden en van juni tot september ook op maandagavond.
Blijf de PM 810 volgen.

Cala de Sant Vicent

Mooi zandstrand tegenover de grote rotsen van het eiland Tagomago.
Neem de PM 811.

Sant Miquel de Balansat

Boven dit dorp staat een versterkte kerk met één schip. Ze werd gebouwd in de 14de eeuw en vergroot in de 17de eeuw.
Rijd verder zuidwaarts via de PM 804.
In **Santa Gertrudis de Fruitera** zijn er leuke bars rond de versterkte kerk.
Keer terug naar Ibiza via de PM 804.

Palma de Mallorca★★

Mallorca is het grootste eiland van de Balearen en heeft een prachtig strand en kristalhelder, smaragdkleurig zeewater. Wie Palma per boot nadert, ziet de stad achter in de baai al van ver liggen. De trotse kathedraal verheft zich boven de stad met een glorieus verleden, waarvan nog veel oude gebouwen getuigen. Aan weerskanten van de oude stadskern en aan de waterkant strekken zich woonwijken met vele hotels uit. Hoewel de meeste eilandbewoners in deze stad wonen en ze ook veel toeristen lokt, is de stad erin geslaagd haar authentieke karakter te bewaren, tenminste als u de moeite doet om de toeristische trekpleisters achter u te laten en de minder bekende delen van de stad in te trekken.

Excursies van een halve dag

★ De oude stad van Palma

★★ Kathedraal (La Seu)

℘ 902 022 445 -
www.catedraldemallorca.info - € 4.
De kathedraal ziet over de waterkant uit. Men begon begin 14de eeuw met de bouw ervan op de plek waar vroeger een moskee stond en het is een van de belangrijkste werken uit de laatgotiek. Aan de zuidkant, aan de kant van de zee, bevindt zich het **Portal de Mirador**, een portaal met verfijnde, gotische decoratie uit de 15de eeuw.
Het interieur is verrassend groot. Het schip is 121 m lang en 55 m breed en is onder het centrale gewelf 44 m hoog. Let op het prachtige roosvenster met een diameter van 11,30 m. In de Capella de Sant Pere, rechts van het hoofdaltaar, bevindt zich een werk van **Miquel Barceló**.

Palau Reial de l'Almudaina

℘ 971 719 145 - www.patrimonionacional.es - € 3,20; rondleiding € 4.
Deze voormalige vesting van de Wāli (Arabische gouverneur) uit de 10de eeuw werd in de 14de en 15de eeuw door de koningen van Mallorca omgebouwd tot koninklijk paleis. Het is nog altijd een van de officiële residenties van de Spaanse koning.

★ Sa Llotja

Passeig Sagrera - ℘ 971 711 705 -
alleen open tijdens tentoonstellingen.
De 15de-eeuwse **handelsbeurs** is een prachtig gotisch gebouw met een 40 m lange voorgevel. Hoewel het een versterkt gebouw lijkt, dienen de merloenen en torentjes vooral als decoratie.

Palau March Museu - Fundació Bartolomé March

Palau Reial, 18 - ℘ 971 711 122 -
www.fundbmarch.es - € 4,50.
Het museum in dit paleis omvat een prachtige collectie moderne beelden (Rodin, Henry Moore, Chillida...).

Plaça Cort en Plaça de Santa Eulàlia

Aan de Plaça Cort staat het **stadhuis** *(Ajuntament)*, waarvan de 17de-eeuwse voorgevel voorzien is van een bewerkte houten luifel.
Aan de Plaça de Santa Eulàlia en de omliggende straten staan veel herenhuizen

De kathedraal van Palma
Michel Gotin/hemis.fr

PALMA DE MALLORCA PRAKTISCH

Dienst voor Toerisme –
Pg del Born, 27 - ☎ 902 102 365 -
www.palmademallorca.es

VERVOER
Per bus – De **toeristenbus** (nr. 50)
rijdt naar de belangrijkste bezienswaardigheden in de omgeving van
Palma *(€ 13/dag)*.
TIB (Transportes de les Illes Balears) –
☎ 971 177 777 – www.tib.caib.es.
Per taxi – **Radio Taxi** - ☎ 971 755 440
of 971 764 545; **Taxi Palma Radio** -
☎ 971 401 414.
Per auto – **Goldcar Palma de Mallorca** - Carrer dels Hams - ☎ 965 23 31
81/902 119 726 - www.goldcar.es

EEN GLAASJE DRINKEN
Bar del Parc de la Mar – In deze bar
naast het fresco van Miró kunt u even
pauzeren. 's Avonds zijn de kathedraal en de Almudaina mooi verlicht.

UIT ETEN
S'Eixerit – Vicari Joaquím Fuster -
☎ 971 273 781 - € 18/22. Dit restaurant
tegenover de zee heeft een weelderige
binnentuin. Specialiteiten van het huis
zijn de rijstgerechten en gegrilde vis.
Asador Tierra Aranda – Concep-
ció, 4 - ☎ 971 714 256 - ca. € 35. In een
19de-eeuws huis met binnentuin geniet
u van typisch Castiliaanse gerechten
(speenvarken en andere gerechten met
gebraden vlees).

WINKELEN
Illes d'Or – Covent de Sant Francesc.
Culinaire producten afkomstig van
de vier eilanden. Een paradijs voor
fijnproevers!

uit de 13de-17de eeuw. De **Iglesia de Santa Eulàlia** (13de-15de eeuw) bezit vele glas-in-loodramen. In de carrer de Zanglada kunt u het **Can Marqués** *(€ 6)* bezoeken, een bemeubeld herenhuis dat een idee geeft van hoe men begin 20ste eeuw in Palma leefde.

Basilica i claustre de Sant Francesc
Plaça Sant Francesc.
De basiliek werd in de 14de-15de eeuw gebouwd in gotische en renaissancestijl. De voorgevel werd eind 17de eeuw opgetrokken en omvat een enorm roosvenster in platerescostijl en een barokportaal met een schitterend timpaan gemaakt door **Francisco Herrera**.
De **kloostergang★** (13de-14de eeuw) is bijzonder sierlijk dankzij de klaverbladvormige openingen in de gangen en de minutieus uitgehouwen bogen die steunen op fijne zuilen. Het plafond boven de galerijen is beschilderd.

Cal Marqués del Palmer
Links in de carrer del Sol.
Dit is een van de bijzonderste herenhuizen in Palma (1556).

Museu de Mallorca
Portella, 5 - ℘ 971 717 540 - gratis.
Islamitische archeologie – Tijdens de moslimoverheersing (van de 8ste eeuw tot 1229) heette Palma *Madina Mayurqa*. In de 12de eeuw was de stad een van de belangrijkste van Al-Andalus. Beneden ziet u kapitelen, *artesonado*-plafonds en aardewerk uit die periode.
Schone kunsten★ – Prachtige collectie gotische schilderijen uit Mallorca, uit de 14de en 15de eeuw.

Arabische baden (Banys Àrabs)
Can Serra, 7 - ℘ 971 721 549 - € 1,50.

Een koepel met ronde ramen die steunt op acht zuilen met kapitelen die afkomstig zijn van oudere gebouwen, dat is ongeveer alles wat overblijft van de aanwezigheid van de moslims in Palma. Sobere, wonderlijke plek omgeven door een tuintje.

★ Museu d'Art Espanyol Contemporani
Sant Miquel 11 - ℘ 971 713 515 - www.march.es/arte/palma - gratis.
Dit museum werd ondergebracht in een huis in de stijl van de streek (18de eeuw) en stelt een **permanente collectie** tentoon met meer dan 70 werken van 52 hedendaagse, Spaanse kunstenaars (Miró, Dalí, Tàpies, Barceló...).

De modernistische gebouwen rond de Plaça Major
De modernistische stijl werd begin 20ste eeuw door Catalaanse architecten op de Balearen ingevoerd. Er staan ook enkele interessante gebouwen aan de **Plaça Marquès del Palmer** en in de **carrer Colóm** ten zuiden van het plein, waaronder **Can de las Medias** dat volledig bekleed is met keramiek. Aan de Plaça Weyler staat het **Gran Hotel**, een werk van Lluís Domènech i Montaner (1903).

Es Baluard Museu d'Art Modern i Contemporani
Plaça Porta de Santa Catalina, 10 - ℘ 971 908 200 - www.esbaluard.org - € 6.
In dit museum met uitzicht op de haven, dat sinds 2004 open is, bevinden zich vooral werken van **Joaquim Mir**, **Joaquín Sorolla**, **Joan Miró**, **Antoni Gelabert** en **Miquel Barceló**. Daarnaast ziet u schilderijen van **Juan Gris**, **Pablo Picasso**, **René Magritte**...

De westkant van Palma

★ Poble Espanyol (Spaans dorp)

Carrer Poble Espanyol (Son Dureta, 39) - verlaat het centrum via de pg de Sagrera of neem bus nr. 5 - € 8,90.
In dit amusante dorp werden de meest typische bezienswaardigheden van elke regio van Spanje nauwgezet nagebouwd. U ziet er bijvoorbeeld de Patio de los Arrayanes (Alhambra in Granada), het museum van El Greco (Toledo) en de Plaza Mayor van Salamanca. Restaurants, snackbars, boetieks en in de zomer handwerkateliers zorgen voor veel vertier.

★ Castell de Bellver

Camilo José Cela, 17 - verlaat het centrum via de pg de Sagrera of neem bus nr. 3 of 46 tot de pl. Gomila en beklim de trap (15 min.) - ☎ 971 730 657 - € 2,50.
Dit kasteel werd in de 14de eeuw gebouwd als zomerverblijf voor de koningen van Mallorca. Van de 16de tot de 20ste eeuw was het een gevangenis. Het terras biedt een schitterend **panorama★★** op de baai van Palma.

Fundació Pilar i Joan Miró

Carrer Joan de Saridakis, 29, Cala Major - verlaat het centrum via de pg de Sagrera of neem bus nr. 46 - ☎ 971 701 420 - http://miro.palmademallorca.es - € 5.
In Son Abrines, het huis waarin Miró vanaf 1956 woonde, worden de werken van de kunstenaar afwisselend tentoongesteld. U ziet er het grote atelier dat zijn vriend **Josep Lluís Sert** ontwierp, en het atelier Son Boter.

Excursies van een dag

De zuidflank van de Tramuntana

Aan de westkant van het eiland verheffen zich de kalkachtige bergtoppen van de **serra de Tramuntana** parallel aan de kust, met als hoogste top de **Puig Major** (1445 m).
Ca. 120 km H/T. Verlaat Palma in het noordoosten via de Ma 13 richting Alcúdia.

Inca

31 km van Palma.
Dit grote dorp was ooit een wijnbouwersdorp. De *cellers* (wijnkelders) die bewaard bleven, zijn ondertussen omgevormd tot cafés of restaurants. De stad dankt haar huidige welvaart aan de lederindustrie in het algemeen en meer bepaald de schoenenindustrie. Er staan twee barokgebouwen, namelijk de Iglesia Santa Maria la Major en de kerk van het dominicanenklooster. Daarnaast zijn er enkele modernistische gebouwen.

Coves de Campanet

15 km via de Ma 13, dan 4 km langs een smalle weg links (uitrit 37) -

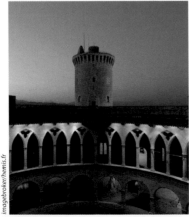

imagebroker/hemis.fr

Castell de Bellver

971 516 130 - rondleiding (45 min.) - € 9.
Deze grotten werden in 1947 ontdekt
en omvatten 1300 m ondergrondse gangen met indrukwekkende afzettingen.
Keer terug naar de Ma 13 en rijd naar Alcúdia.

★ Alcúdia
Dit ommuurde dorp uit de 14de eeuw
ligt op een kaap tussen de baaien van
Pollença en Alcúdia, aan de noordkant
van het eiland. In de 16de eeuw, tijdens
de opstand van de *germanías*, vluchtten
de adellijke families van Palma naar
Alcúdia.
Archeologische opgravingen op 1,5 km
ten zuidoosten van de stad brachten
de Romeinse stad **Pollentia** aan het
licht. Deze was in de 2de eeuw v. Chr.
gesticht. De ruïnes van het theater en
het forum bleven bewaard.
Museo monográfico de Pollentia –
*Sant Jaume, 30 - _971 547 004 - € 3, 1ste
zo. van de maand gratis.* In dit museum
worden beelden en voorwerpen tentoongesteld die werden gevonden in
Pollentia.
*Keer terug naar de Ma 13 en rijd terug
naar Palma (55 km).*

★★★ De rotsachtige kust
*Deze rondrit volgt de Ma 10 langs de kust
tot Port de Sóller en dan kunt u via de
Ma 11 naar Palma terugkeren.*
De westkust van Mallorca is een van
de mooiste van het eiland. De bergen
duiken er de diepe, turkooizen zee in.

Andratx
Boven dit dorp aan de zuidwestpunt van
het eiland torent de pic Galatzó (1027 m)
uit. 4,5 km verderop naar het zuidwesten ligt de **haven van Andratx** achter
in een smalle baai.

*Keer terug naar Andratx en neem de
Ma 10.*
Tussen Andratx en Sóller biedt de kron-
kelige **overhangende kustweg★★★**
Ma 10 schitterende uitzichten.

★★ Mirador Ricardo Roca
Schitterend uitzicht op de minuscule
kreken met helder water beneden.

Estellencs
Geniet in dit mooie dorp van de terrassen in de schaduw van amandel- en
perzikbomen, en van de rust in de
geplaveide straten.

★★ Mirador de Ses Ànimes
Vanaf een voormalige wachttoren geniet u van het **uitzicht** tot de kust van
het eiland Dragonera en Port de Sóller.

Banyalbufar
Mooi dorp met hoge, stenen huizen te
midden van de wijngaarden.
*Volg de Ma 10 14,5 km en neem dan rechts
de Ma 1131.*

Chartreuse de Valldemossa
_971 612 106 - € 8._
Het kartuizerklooster in het centrum
van het gelijknamige dorp werd bekend
omdat **George Sand** en **Chopin** er de
winter van 1838-1839 doorbrachten.
Keer terug en neem de Ma 10 rechts.
De overhangende weg steekt meer dan
400 m boven de zee uit.

Deià
Dit dorp met de rode huizen lokte veel
schrijvers en schilders, die er zich permanent vestigden. U kunt te voet van
het dorp naar de kreek *(cala)* van Deià
afdalen, een mooie wandeling.
*Neem als u van Sóller komt, de weg voor-
bij restaurant El Olivo.*
Keer terug langs de Ma 10.

Sóller

In het hart van een groot bekken waarin groentes worden geteeld en sinaasappel- en olijfbomen groeien, ligt de grootste stad van de westkust, Sóller. Achter in een kleine, bijna ronde baai ligt **Port de Sóller**, de grootste badplaats van de westkust, maar het dorp bewaarde toch enige charme. In deze haven vertrekken boottochten langs de kust.

Keer terug naar Sóller via de Ma 11 en rijd naar de Jardines de Alfàbia door de borden naar Bunyola te volgen. Als u tijd hebt en niet bang bent van haarspeld-bochten, neem dan niet de tunnel maar de Coll de Sóller.

Jardines de Alfàbia, in Bunyola

📞 *971 613 123 - www.jardinesdealfabia. com - € 4,50.*
Volg het bewegwijzerde pad door het park, een echte oase, tot dit eigen-dom, de voormalige residentie van een Moorse vizier (uit die periode dateert nog het *artesonado*-plafond uit de 12de eeuw). Het interieur vertoont een mix aan stijlen (gotiek, barok, rococo ...) en laat de bezoeker de sfeer opsnuiven van de chique, Mallorcaanse herenhuizen.
Volg de Ma 11 naar Plama (20 km).

★★ De kust en de grotten

Verlaat Palma via de Ma 19 en rijd tot Campos, volg dan de Ma 5120 tot Felanitx. Volg de Ma 4010 tot het klooster.

★ Monasterio de Sant Salvador

📞 *971 836 136 - gratis.*
Dit klooster werd in de 14de eeuw ge-sticht op een heuvel die 500 m boven de omgeving uitsteekt. Het is een drukbe-zocht pelgrimsoord. Het klooster biedt een weids **uitzicht★★** op het oostelijke

deel van het eiland.
Volg de Ma 4010 in de richting van de zee tot de M 4014. Neem die links.

★★★ Cuevas del Drach

Rondleiding (1 uur) - 📞 971 820 753 - www.cuevasdeldrach.com - € 11,50.
De grotten van Drach zijn erg indruk-wekkend door hun afmetingen (2400 m lang en tot 25 m hoog) en de vele afzettingen. De grotten werden in 1896 verkend door de speleoloog **Édouard Alfred Martel**. Het heldere water en de weloverwogen verlichting van de grotten creëren een heel bijzonder ondergronds landschap.
Rijd naar Porto Cristo via de M 4014. Keer dwars over het eiland terug naar Palma via de Ma 4020 en de Ma 15 (60 km). Als u nog tijd overhebt, rijd dan verder langs de kust tot de grotten van Artà (23 km) via de Ma 4023 en de Ma 4040.

★★★ Cuevas de Artà

📞 *971 841 293 - www.cuevasdearta.com - € 10.*
Deze **grotten** werden grotendeels door het zeewater uitgesleten. De indrukwekkende ingang bevindt zich 35 m boven het wateroppervlak. De indrukwekkende zalen hebben hoge gewelven, zijn erg groot en bezitten vele afzettingen. Door de prachtige verlichting krijgt de benedenzaal, ook '**de hel**' genoemd, danteske vormen. In de 45 m hoge **Vlaggenzaal** vormen de afzettingen een fabelachtig, onder-gronds landschap.
Neem de Ma 4040 terug en neem links de Ma 4023. Neem in Porto Cristo de weg naar Manacor (Ma 4020) en dan de Ma 15 tot Mallorca (78 km).

Maó★★

Het eiland Minorca is er langer in geslaagd de grote toeristische stromen buiten te houden en de verminking te voorkomen van de mooie kust, die bestaat uit kreken met kristalhelder water en pittoreske dorpjes. De hoofdstad, Maó, werd gebouwd op een helling boven een van de veiligste natuurlijke havens in het Middellandse Zeegebied. De Romeinen, de Vandalen, de Saracenen en de Aragonezen lieten hun sporen na in de stad, maar vooral de Britse veroveraars uit de 18de eeuw lieten hun stempel na.

Excursies van een halve dag

De stad en de vesting
Wie in de haven aankomt, ziet de stad van haar meest schilderachtige kant, met de huizen die tegen de helling omhooglopen en de restaurants, boetieks en vissershuizen beneden.
De steile **Ses Voltes** met de indrukwekkende trap en de vele palmbomen, voert u naar de stad.

Plaça d'Espanyan
Tussen dit grote, rustige plein en de levendige **Plaça Bastió** met cafés en restaurants liggen vele winkelstraten.

Iglesia de Santa María
Plaça de la Constitució.
Deze grote barokkerk torent boven de huizen uit en bezit een mooi orgel.

El Carme
Plaça del Carme.
Deze barokkerk maakte vroeger deel uit van een karmelietenklooster en werd tijdens de burgeroorlog zwaar beschadigd. In de kloostergang vindt tegenwoordig de drukst bezochte **markt** van de stad plaats.

Museo de Menorca
Av. de Guàrdia - ℘ 971 350 955 - €2,40.
Dit museum werd ondergebracht in een voormalig franciscanenklooster in barokstijl en ligt rond een sobere kloostergang uit de 18de eeuw. U komt er meer te weten over verschillende periodes uit de geschiedenis van Minorca. Bekijk vooral de zaal over de **Talayotische cultuur**, de beschaving die vanaf het eerste millennium v. Chr. tot de 1ste eeuw na Chr. op de Balearen was gevestigd, voor de komst van de Romeinen.

★ Noordelijke oever van de ankerplaats

Fortalesa Isabel II - La Mola
℘ 971 364 040 - www.fortalesalamola. com - € 7. Volg de noordelijke oever tot de vesting La Mola.
Deze vesting werd tussen 1848 en 1875 gebouwd om een nieuwe aanval door de Britten te voorkomen. Zij wilden Minorca gebruiken als verdedigingsbasis tegen de Fransen.

★ Zuidelijke oever van de ankerplaats

Talayot de Trepucó
1 km ten zuiden van Maó - ℘ 902 929 015 - € 1,80.
Dit Talayotische dorp met een oppervlakte van 5000 m² werd tijdens de tweede Punische oorlog verlaten (omstreeks 200 v. Chr.) In 1931 ontdekte

Port de Fornells
Philippe Body/hemis.fr

MAÓ PRAKTISCH

Dienst voor Toerisme – In de haven: Moll de Llevant, 2 - ℘ 971 355 952.

VERVOER
Per bus – Privémaatschappijen verzorgen de busverbindingen op het eiland. Een rit naar Ciutadella duurt ongeveer 45 min.
Per taxi – **Ciutadella** - ℘ 971 482 222 - **Maó** – ℘ 971 367 111 - Reken op € 50 voor een rit naar Ciutadella.
Per auto – **Miramar Rent a Car** - Andén de Poniente 46 - ℘ 610 05 17 79 - miramarrentacar.com. **Owners Cars** - Carretera de Ciutadella-Maó, 45 - ℘ 650 76 71 11 - www.ownerscars.com

EEN GLAASJE DRINKEN
Mambo – Moll de Llevant, 209 - ℘ 971 351 852. Gevestigde waarde in de haven, een beetje chiquer dan de buren.

UIT ETEN
S'Espigó – Moll de Llevant, 267 - ℘ 971 369 909 - ca. € 50. Al meer dan 25 jaar een gevestigde waarde tegenover de haven. Specialiteiten: vis en zeevruchten.
Marivent – Moll de Llevant, 314 - ℘ 971 369 801 - menu € 18/25. Dit visrestaurant bij de haven biedt de lekkerste *calderetas de langosta*, een vissoep met zeevruchten (vooraf reserveren). Een van de beste adressen in de hele stad.

WINKELEN
Schoenen – Alle eilandbewoners dragen het traditionele schoeisel van het eiland, *abarca* genoemd, de schoenen die vroeger door de herders werden gedragen. Ze zijn overal op het eiland verkrijgbaar in allerlei kleuren.

men de resten van de omwalling, twee *talaiots* (grote, stenen kegels) en een 4,80 m hoge *taula* (soort tafel bestaande uit twee grote stenen die een T-vorm vormen, waarschijnlijk gebruikt als altaar) die omstreeks 1970 werd gereconstrueerd.

Excursies van een dag

Ten zuiden van Maó

Volg vanaf de talaiot van Trepucó (zie hiervoor) de Me 4 naar Es Castell en dan de Me 2 naar Cala Sant Esteve.

Fuerte Marlborough

Cala Sant Esteve - ☎ 971 360 462 - € 3.
Dit fort werd door de Engelsen gebouwd tussen 1710 en 1726 ter bescherming van de ingang van de haven van Maó. Het bestaat bijna volledig uit **ondergrondse gangen**.
Keer terug en neem links de Me 6 richting Sant Lluís. Neem dan de Me 8 naar Alcalfar en sla links af richting Punta Prima.

Punta Prima

Dit is een van de beste stranden om te zwemmen. Het is gemakkelijk bereikbaar en goed uitgerust.
Keer terug naar Maó en volg de Me 12 tot Cala en Porter.

Talatí de Dalt

€ 3.
Dit is een van de bijzonderste prehistorische dorpen op het eiland. Het werd tot de Romeinse tijd permanent en dan tot de 13de eeuw af en toe bewoond. Het bestaat uit een centrale *talaiot*, huizen en natuurlijke grotten (gebruikt als begraafplaats), en het is vooral bekend om de *taula*.
Keer terug naar Maó via de Me 12.

★ Ciutadella

46 km van Maó via de Me 1.
Deze stad in het westen van het eiland was de hoofdstad van Minorca onder de Aragonezen (13de-16de eeuw), maar er zijn vooral nog overblijfselen te zien van de moslimbezetting. De stad dankt haar charme aan de sfeervolle steegjes in de **oude stad**, die rond de Plaza del Born ligt, en in de haven. Er zijn veel paleizen en herenhuizen uit de 17de en 18de eeuw.
U kunt de **contramurada**, de oude vestingmuren, rond de stad volgen.

Castell Sant Nicolau

Pl. de l'Almirall Farragut - gratis.
Dit kasteel werd eind 17de eeuw, voor de Engelse bezetting, gebouwd om de haven te verdedigen.

Kathedraal

☎ 971 382 693 - € 2.
Deze indrukwekkende, versterkte kerk was eind 14de eeuw af. Een deel van de minaret van de moskee die er eerst stond, bleef bewaard.

Het noorden van het eiland

Neem vanuit Maó de Me 7 tot het kruispunt met de Me 15 en neem die tot Fornells.

Fornells

Dit vissershaventje met witte huizen met groene luiken ligt aan de ingang van een heel diepe kreek met op de oevers heidevegetatie. Fornells leeft van de langoestvangst, die gebeurt met bootjes met één zeil. De *caldereta*, langoestensoep, is een specialiteit waarop gastronomen dol zijn.
Volg de Cf 3 tot aan het meest noordelijke punt van het eiland, de **Cap de Cavalleria**.

Saint-Jean-Cap-Ferrat

FRANKRIJK

De Franse kust die aan de Middellandse Zee grenst, van Marseille tot de Italiaanse grens, is een van de mooiste van Europa. Vanaf de 19de eeuw verkozen de Franse hoge burgerij en de Europese aristocratie de winter door te brengen in Cannes, Nice of Monaco, waardoor die steden een enorme ontwikkeling kenden. Hoewel veel kleine dorpjes en kusthavens door het toerisme grondig werden veranderd, hebben de meeste hun charme kunnen bewaren. Prachtige baaien, kreken die in de kalkrotsen zijn uitgesleten of rode rotsen die indrukwekkende kliffen vormden, dat alles vormt een heel gevarieerde en altijd boeiende kust.

Officiële naam: Franse Republiek
Plaatselijke naam: France
Hoofdstad: Parijs
Officiële taal: Frans
Oppervlakte: 552.000 km² met Corsica; 8680 km² voor Corsica
Inwoners: 65,5 miljoen
Munteenheid: euro
Telefoneren naar Frankrijk: Kies 00 + 33 + het nummer van de correspondent zonder de eerste 0.
Tijdsverschil: Er is in Frankrijk geen tijdsverschil met België en Nederland.
Label 'Blauwe vlag': Dit ecolabel wordt elk jaar toegekend aan stranden en jachthavens als ze voldoen aan bepaalde criteria die aantonen dat ze schoon en veilig zijn. Kijk voor meer info op www.blueflag.org.
Waterkwaliteit: In Frankrijk wordt het zwemwater minstens eenmaal per maand gecontroleerd door de staat. http://baignades.sante.gouv.fr.

Enkele Franse woorden...

Ja **Oui** / Nee **Non** / Goedendag **Bonjour** / Goedenavond **Bonsoir** / Hallo **Salut** / Tot ziens **Au revoir** / Alstublieft **S'il vous plaît** / Dankuwel **Merci** / Excuseer **Excusez-moi** / Graag gedaan **Je vous en prie** / Proost **Santé!** / Eten **Manger** / Drinken **Boire** / Toiletten **Toilettes** / Restaurant **Restaurant** / Geld **Argent** / Spreekt u Engels? **Parlez-vous anglais?** / Ik begrijp het niet **Je ne comprends pas** / Kunt u me helpen? **Pouvez-vous m'aidez?** / Hoeveel? **Combien?** / Waar? **Où?** / Haven **Port** / Boot **Bateau** / Strand **Plage**

Marseille★★★

Marseille is gelegen aan een haven waarlangs de eerste inwoners arriveerden. De stad gaat prat op 2600 jaar geschiedenis, waarin ze altijd verdeeld was tussen het Oosten en het Westen, Europa en Afrika, en daardoor is ze nu dé mediterrane stad bij uitstek. In de Vieux Port (de oude haven), waarover de Notre-Dame-de-la-Garde waakt, klopt het hart van de stad. Maar de stad dankt haar unieke karakter net zozeer aan de oude wijk Le Panier, aan de straten Canebière en Corniche en aan de villa's en kreken.

Excursies van een halve dag

★★ De oude stad

★★ Le Vieux Port D-E 5-6

In de oude haven kwamen in 600 v. Chr. de eerste inwoners vanuit Phocea aan. 2500 jaar lang speelde zich hier alle maritieme bedrijvigheid af en nu nog is ze het echte hart van de stad, met een bos van masten op het water, cafés en restaurants, en de dagelijkse **vismarkt** op de **quai des Belges**.
Aan de kaden staan veel interessante gebouwen. Het stadhuis aan de Quai du Port heeft een boeiende voorgevel in Provençaalse barokstijl. Achter in de rue de la République staat de **Église Saint-Ferréol** met de renaissancegevel die in 1804 werd heropgebouwd.

★ Musée des Docks romains D5

4 pl. Vivaux - 𝒫 *04 91 91 24 62 - € 2.*
Deze Romeinse opslaghuizen voor *dolia* (grote kruiken) uit de 1ste-3de eeuw werden omgevormd tot een museum. Er worden voorwerpen tentoongesteld die ter plaatse werden gevonden en er is een maquette van de plaats in de Romeinse tijd.

★ Le Panier D4

Deze voormalige vissersswijk werd op de Butte des Moulins gebouwd ter vervanging van het oude Massalia. Het is het laatste overblijfsel van het oude Marseille. De wirwar aan steegjes met daarin hoge huizen waartussen de was te drogen hangt, de trappen en de kleurrijke gevels doen denken aan Napels.
Volg de **montée des Accoules**, het symbool van het oudste deel van de stad en struin dan op goed geluk rond in de **rue du Panier**, rue Fontaine-de-Caylus, rue Porte-Baussenque, rue du Petit-Puits, rue Sainte-Françoise, rue du Poirier, rue des Moulins (die naar de bekoorlijke place des Moulins loopt), allemaal mooie straten.

★★ Centre de la Vieille Charité D4

𝒫 *04 91 14 58 80 - € 2 per museum, € 4 tijdelijke tentoonstellingen.*
Dit voormalige armenhuis ligt boven de wijk Le Panier. Het werd tussen 1671 en 1745 gebouwd naar een ontwerp van de gebroeders Puget. Nu bevinden zich hier het **Musée d'Archéologie méditerranéenne ★★** (de afdeling **Egyptische oudheden** is een van de grootste in Frankrijk, na die van het Musée du Louvre) en het **Musée d'Arts africains, océaniens, amérindiens (MAAOA)★★**, en er worden tijdelijke tentoonstellingen gehouden.

Le Vieux Port waarboven de kathedraal Notre-Dame-de-la-Garde uitsteekt
Bertrand Gardel/hemis.fr

MARSEILLE PRAKTISCH

Dienst voor Toerisme –
4 La Canebière - 📞 08 26 50 05 00 -
www.marseille-tourisme.com - 9.00-
19.00 u, zon- en feestd. 10.00-17.00 u -
gesl. 1 jan., 25 dec.

VERVOER

Met het openbaar vervoer
U kunt zich in de stad verplaatsen per
bus, per metro en per tram.
Tarieven – Een **Ticket Solo** (€ 1,50) is
1 uur geldig en mag worden gebruikt
op alle soorten openbaar vervoer (bus,
metro, tram). De **Pass Journée** (€ 5) is
vanaf de eerste validering tot middernacht geldig en mag worden gebruikt
voor een onbeperkt aantal ritten.
Het metrostation en de tramhalte het
dichtst bij de haven is Joliette.

Per taxi – Taxi Radio Marseille –
📞 04 91 02 20 20; **Taxi Radio Tupp** –
📞 04 91 05 80 80 - www.taxis-tupp.com.

Per boot
Ferry-boat – Steekt Le Vieux Port over
van de quai du Port naar de quai de
Rive-Neuve - gratis
Frioul-If Express – 1 quai des Belges -
Ⓜ Vieux-Port - 📞 04 91 46 54 65 - www.
frioul-if-express.com. Dagelijkse pendel-
boten naar het Château d'If en het Île du
Frioul. € 10 H/T, combinatiekaartje voor de
twee eilanden € 15 H/T.
Croisières Marseille-Calanques – Quai
de la Fraternité - 13001 Marseille - 📞 04 91
58 50 58 - www.croisieres-marseille-calan-
ques.com. Er zijn drie boottochten mogelijk: de baai van Marseille en de eilanden
(1 uur, € 10), zes kreken (2 uur, € 21) en twaalf
kreken (3 uur, € 27).

Bleu Evasion – ☏ 06 34 13 74 22 - www.bleuevasion.fr - vertrek: Vieux Port of Pointe-Rouge - max. 11 passagiers. Deze eerste boot op zonne-energie in Marseille vaart sinds 2008 stil en milieuvriendelijk door de kreken en langs de Frioul-archipel en de kust.

Bezichtigen

City Pass Marseille – Deze toeristische en culturele pas wordt verkocht bij de Dienst voor Toerisme, is 1 dag geldig en kost € 22 (geldig voor musea, rondleidingen van de Dienst voor toerisme, bus-, metro- en tramnetwerk, toeristisch treintje en de boot naar Château d'If).

Le Grand Tour – ☏ 04 91 91 05 82 - www.marseillelegrandtour.com - Deze pas is 1 dag geldig en kost € 18. U maakt per bus een rondrit van 75 minuten met gids door Marseille. Onderweg kunt u aan een van de 13 halten uitstappen.

Petits trains de Marseille – vertrek: quai du Port (tegenover brasserie La Samaritaine) - ☏ 04 91 25 24 69 - www.petit-train-marseille.com. Er zijn twee rondritten mogelijk: **Le vieux Marseille** *(65 min., € 6)* en **Notre-Dame-de-la-Garde** *(75 min., € 7)*.

EEN GLAASJE DRINKEN

Bar de la Marine – 15 quai de Rive-Neuve - Ⓜ Vieux-Port - ☏ 04 91 54 95 42 - 12.00-0.00 u (2.00 u in het weekend). Deze bar is vooral bekend door de rol die ze speelde in de bekende trilogie Marius van Pagnol. Mooie inrichting typisch voor de jaren dertig van de 20ste eeuw. Een gevestigde waarde.

La Caravelle – 34 quai du Port - Ⓜ Vieux-Port - ☏ 04 91 90 36 64 - www.lacaravelle-marseille.fr - 7.00-2.00 u. Vanaf het minibalkon van deze bar op de eerste verdieping van een oud huis

geniet u van een schitterend uitzicht op de oude haven.

L'Escale Marine – 22 quai du Port - Ⓜ Vieux-Port - ☏ 04 91 91 67 42 - 10.00-20.00 u. In dit originele café annex winkel vindt u streekproducten uit Marseille (terrines, tapenades, ansjovispasta...) om mee te nemen of op het kleine terras op te eten.

UIT ETEN

Au Bord de l'eau – 15 r. des Arapèdes - bus 19 - ☏ 04 91 72 68 04 - www.auborddeleau.eu - € 15/35. In dit restaurant boven de kleine haven van La Madrague geniet u in de veranda of op het terras van heerlijke gerechten. Specialiteiten: visgerechten en pizza's.

Miramar – 12 quai du Port - Ⓜ Vieux-Port - ☏ 04 91 91 10 40 - www.bouillabaisse.com - € 70/90. Dit restaurant is bekend om zijn bouillabaisse, de inrichting uit de jaren zestig en het terras met uitzicht op Le Vieux Port.

Péron – 56 Corniche J.-F.-Kennedy - bus 83 - ☏ 04 91 52 15 22 - www.restaurant-peron.com - € 64/78. Dit bijzondere adres aan de Corniche biedt zuiderse gerechten.

WINKELEN

Santons Marcel-Carbonel – 7-49 r. Neuve-Ste-Catherine - ☏ 04 91 13 61 36 of 04 91 54 26 58 - www.santonsmarcelcarbonel.com. Dit is de winkel van een van de bekendste santonmakers van Marseille. Er is ook een klein museum *(€ 2)*.

Savonnerie de la Licorne – 34 cours Julien - Ⓜ Cours-Julien - ☏ 04 96 12 00 91 - www.soap-marseille.com. Dit is het enige ambachtelijke zeepatelier in het centrum van de stad en biedt zeep met een twaalftal parfums aan.

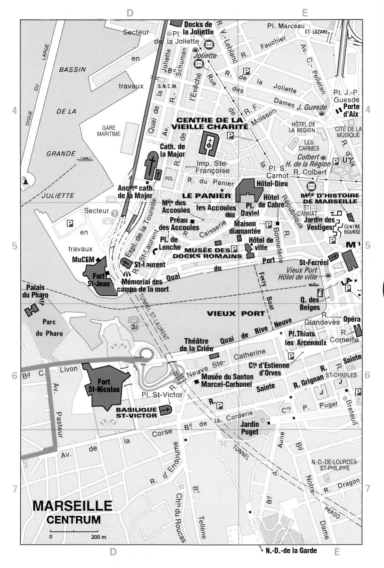

MARSEILLE
CENTRUM

0   200 m

Cathédrale de la Major D4

Aan de voet van de wijk Le Panier, tegenover de moderne haven, staat deze kolossale kathedraal waaraan men in 1852 begon te bouwen. Ze werd door de architect Espérandieu ontworpen in romaans-Byzantijnse stijl in opdracht van de latere Napoleon III. Tegenover de kathedraal staat de Notre-Dame-de-la-Garde.

De Rive Neuve en Notre-Dame-de-la-Garde

Neem van de quai du Port naar de quai de Rive-Neuve de legendarische ferryboat (zie 'Marseille praktisch', blz. 59).

★ Basilique Saint-Victor D6

℘ 04 96 11 22 60 - gratis.
De basiliek is het laatste overblijfsel van de bekende abdij die begin 5de eeuw werd gesticht door de H. Cassianus ter ere van de H. Victor. De basiliek lijkt aan de buitenkant een vesting. Bewonder binnen de **crypte★★**, die onder de grond verdween toen de kerk in de 11de eeuw werd gebouwd. Ernaast bevinden zich de grot van de H. Victor en de ingang van de catacomben. In de aangrenzende crypten ziet u opmerkelijke heidense en christelijke sarcofagen uit de oudheid. In de centrale kapel werd in 1965 een martelaarscrypte uit de 3de eeuw ontdekt, met daarin de stoffelijke resten van twee martelaars.

★★ Basilique Notre-Dame-de-la-Garde E7 buiten plattegrond

Fort du Sanctuaire - ℘ 04 91 13 40 80 - www.notredamedelagarde.com.
☺ **Goed om te weten** – Het **toeristische treintje** dat aan de quai du Port (tegenover brasserie La Samaritaine) vertrekt, brengt u op schilderachtige wijze naar de Notre-Dame-de-la-Garde. Het dokkert door de smalle straten, beklimt steile hellingen en volgt een tijdje de bekende Corniche *(zie 'Marseille praktisch', blz. 60).*
De Notre-Dame-de-la-Garde werd midden 19de eeuw door Espérandieu gebouwd in de romaans-Byzantijnse stijl die toen populair was. De basiliek verheft zich op een 154 m hoge bergtop en heeft een 60 m hoge klokkentoren met daarop een heel groot verguld beeld (9,70 m) van de Maagd met Kind. Het beeld wordt **De goede moeder** genoemd en werd gemaakt door de ateliers Christofle. Vanaf het voorplein geniet u van een adembenemend **uitzicht★★★**.
Het interieur omvat veel gekleurd marmer, mooie mozaïeken en muurschilderingen van de school van Düsseldorf. Op de muren zijn er veel **ex voto's** te zien, vooral van zeelui. In de **crypte** is een mooie marmeren Mater dolorosa te zien van Carpeaux.

Frioul-archipel

Neem de boot (zie 'Marseille praktisch', blz. 59). Kijk goed wanneer de laatste boot terugkeert naar Marseille.
De Frioul-archipel omvat drie eilanden: **If**, **Ratonneau** en **Pomègues**. De vele wandelpaden leiden u langs mooie kreken, zoals de **Calanque Sainte-Estève**.

★★ Château d'If

℘ 04 91 59 02 30 - www.monuments-nationaux.fr - € 5.
Hoewel de beroemdste gevangenen van deze gevangenis uit de pen van Alexandre Dumas ontstonden, verbleven in werkelijkheid vooral hugenoten

en de tegenstanders van de staatsgreep in 1851 er. Het kasteel werd tussen 1524 en 1528 gebouwd als voorpost ter bescherming van de ankerplaats van Marseille en werd pas later een gevangenis. Vanaf het terras boven aan de kapel (niet meer in gebruik) geniet u van een mooi **uitzicht**★★★ op de ankerplaats, de stad en de eilanden Ratonneau en Pomègues.

★★★ Boottocht langs de kreken

Tussen Marseille en Cassis strekt zich een 20 km lang kalkmassief uit met duizelingwekkende kliffen die de turkooizen zee induiken.
Verschillende maatschappijen bieden boottochten langs de kreken aan *(1 tot 3 uur)* vanuit Marseille *(zie 'Marseille praktisch', blz. 59)*. Het is de ideale manier om deze prachtige plekken te verkennen.

Les Goudes

Dit voormalige vissersdorp wordt omgeven door een schitterend landschap.

De Calanque d'En-Vau

Camille Moirenc/hemis.fr

Callelongue en Marseilleveyre

De minikreek **Callelongue** omvat enkele hutten, een restaurant en boten. In de **Calanque de Marseilleveyre**, aan de voet van het gelijknamige massief (432 m), bevindt zich een kiezelstrand waar enkele vissersboten voor anker liggen.

★ Sormiou

Sormiou wordt van de kreek ernaast gescheiden door de **Cap Morgiou**, die prachtige uitzichten biedt. Op 37 m onder het wateroppervlak bevindt zich de ingang van de grot Cosquer *(nu dichtgemetseld om veiligheidsredenen)*, waarin tientallen fresco's uit het paleolithicum werden ontdekt.

★★ Morgiou

Te midden van een ongerept landschap treft u achter In een klein dal enkele hutten, een restaurant en een haventje aan.

★★ Sugiton

Deze mooie kreek wordt bij mooi weer druk bezocht door de inwoners van Marseille, die er komen zwemmen en zonnebaden.

★★ En-Vau

Dit is een van de mooiste kreken in het massief, omgeven door indrukwekkende kliffen. Klein zand- en kiezelstrand.

★ Port-Pin

Schaduwrijke kreek met een klein zand- en kiezelstrand.

Port-Miou

De langste Provençaalse kreek is helaas een beetje aangetast door de aanwezigheid van een oude steengroeve. In deze kreek liggen veel plezierboten aangemeerd.

Cannes★★

Deze topper aan de Côte d'Azur dankt zijn populariteit vooral aan de boulevard La Croisette. In het westen verheffen zich de rode rotsen van het Esterelmassief, tegenover de stad nodigen de Lérins-eilanden u uit het water over te steken. Sinds 1834 bezochten veel beroemdheden deze bekoorlijke stad, eerst aristocraten die er de ideale winterverblijfplaats vonden, later filmsterren, want Cannes is de stad van de film.

Excursies van een halve dag

★ La Croisette, de oude stad en de haven

★ Boulevard de la Croisette

Ten oosten van de oude haven staat het **Palais des Festivals et des Congrès** waarin het casino Croisette (een van de drie casino's van de stad) is gevestigd. Volg vanaf het paleis de **Allée des Stars**, waar filmsterren hun handafdruk achterlieten. Volg de prachtige palmbomen langs de esplanade G.-Pompidou, naar La Pointe.

★ Pointe de la Croisette

Dit is het ideale uitzichtpunt op de schitterende overblijfselen uit de bloeiperiode van Cannes, namelijk de 19de en 20ste eeuw, waaronder **Malmaison**, waar moderne en hedendaagse kunst wordt tentoongesteld *(47 bd de la Croisette -* ☎ *04 97 06 44 90 - € 3,40);* het Noga-Hilton, het voormalige Palais des Festivals van 1949 tot 1983; het **Carlton**, een hotel in belle-époquestijl; Miramar, dat een cultureel centrum omvat en het **Martinez**, in art-decostijl. Aan de andere kant van de kaap geniet u van een **uitzicht★** op de Golfe Juan tot de Cap d'Antibes en de Vooralpen. La Croisette dankt zijn naam aan een klein kruis dat hier vroeger stond.

De haven

Tussen het Palais des Festivals en de wijk Le Suquet ligt de haven, het bedrijvige hart van de stad. De vissersboten leveren hun vangst van zeewolf en poon aan restaurants aan de quai Saint-Pierre of in de rue Félix-Faure. Oude tweemasters en meer gesofisticeerde jachten wachten dicht tegen elkaar aangemeerd op gefortuneerde toeristen die hen willen huren. Aan de **haventerminal** aan de quai des Îles vertrekken de boten naar de Lérins-eilanden.

Le Suquet

De oude stad, het voormalige *castrum* of de citadel, ligt tegen de helling van een rots en lokt vooral liefhebbers van stenen en geschiedenis. Boven ligt de place de la Castre. Het plein wordt begrensd door een oude stadsmuur en de **Église Notre-Dame-d'Espérance**. Deze kerk werd in de 16de-17de eeuw gebouwd in de gotische stijl van de Provence. Vanaf het schaduwrijke terras geniet u van een mooi **uitzicht** op de stad, La Croisette, de Lérins-eilanden en een deel van de baai.

Achter in de baai staat het **voormalige kasteel van Cannes** uit de 11de-12de eeuw. Nu is er het **Musée de la Castre★★** *(€ 3,50)* gevestigd met een uitgebreide archeologische en etnografische collectie uit meer dan vijf continenten.

Het Carltonhotel aan La Croisette
Camille Moirenc/hemis.fr

CANNES PRAKTISCH

Dienst voor Toerisme – Palais des Festivals - 1 bd de la Croisette - ☏ 04 92 99 84 22 - www.cannes.travel - juli-aug. 9.00-20.00 u; rest van het jaar 9.00-19.00 u.

VERVOER
Île Sainte-Marguerite – Cie Trans Côte d'Azur – ☏ 04 92 98 71 30 - www. trans-cote-azur.com.
Île Saint-Honorat – Société Plana-ria - Abbaye de Lérins – ☏ 04 92 98 71 38 - Verbinding per veerboot vanuit Cannes (quai Laubeuf) - www.cannes-ilesdelerins.com - € 11 H/T.

EEN GLAASJE DRINKEN
L'Amiral – 73 bd de la Croisette - ☏ 04 92 98 73 00 - www.hotel-martinez.com - 10.00-2.00 u. Deze bar is absoluut een bezoekje waard. De barmannen zijn tot ver buiten Frankrijk beroemd.

UIT ETEN
Fred L'Écailler – 7 pl. de l'Étang - ☏ 04 93 43 15 85 - www.fredlecailler. com - € 25/37. Vanaf het terras op een bekoorlijk pleintje kunt u de petanque-spelers gadeslaan.
L'Affable – 5 r. Lafontaine - ☏ 04 93 68 02 09 - gesl. za.-middag en zo. - gesl. in aug. - € 30/55. Uitstekende bistrogerech-ten en een uitstekende wijnkaart.

WINKELEN
Boutique du Festival – Beneden-verdieping van de dienst voor toerisme (Palais des Festivals) - ☏ 09 61 56 56 82 - www.festival-cannes.fr - 9.00-19.00 u (behalve juli-aug. 20.00 u). Het paradijs voor filmliefhebbers.

★★ De Lérins-eilanden

Reken op 2 uur om het eiland Sainte-Marguerite te voet te verkennen nog eens 2 uur om het fort te bezichtigen. Reken voor het eiland Saint-Honorat op 1 uur. De kreekjes nodigen uit tot een partijtje zwemmen. Voor de boottocht naar de eilanden, zie 'Cannes praktisch', blz. 65.

★★ Het eiland Sainte-Marguerite

Dit eiland is het dichtstbijgelegen en grootste van de twee eilanden. Het is een bioreservaat met veel eucalyptus- en dennenbomen.

Bos – Vanaf de aanlegsteiger loopt een **botanisch pad** naar het fort. Volg dan de allée des Eucalyptus die van noord naar zuid loopt. Daar ziet u uit op het eiland Saint-Honorat, met de abdij en de klokkentoren. Via de allée Ste-Marguerite komt u terug bij de aanlegsteiger.

Rond het eiland★ – U kunt rond het hele eiland langs de kustweg. De kust is vaak erg steil, maar in veel kreken is zwemmen toegestaan.

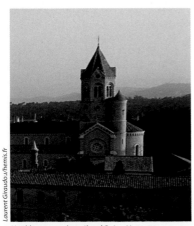

Laurent Giraudo/J/hemis.fr

Het klooster op het eiland Saint-Honorat

Fort Royal – € 3,50. Dit fort werd gebouwd door Richelieu en in 1712 versterkt door **Vauban**. Vanaf het terras geniet u van een weids **uitzicht★** over de kust. Het **Musée de la Mer** in de Romeinse cisterne stelt archeologische vondsten tentoon die werden opgegraven in het fort en elders op het eiland.

★★ Het eiland Saint-Honorat

Eind 4de eeuw stichtte de H. Honoratius hier een illuster klooster. Het eiland is nu privé-eigendom van het klooster, waar nog 25 monniken leven. Ze hebben de wijngaard opnieuw in gebruik genomen en verbouwen er nu wijn op ecologische wijze. Het eiland is toegankelijk, er mag worden gewandeld en gezwommen.

Rond het eiland★★ – Vanaf de aanlegsteiger vertrekt een schaduwrijk pad om het eiland.

Het oude, versterkte klooster★ – Dit bijzondere gebouw, dat aan drie kanten de zee induikt, ligt op een uitstekende punt aan de zuidkust. Het werd in 1073 gebouwd door **Aldebert**, abt van Lérins, op een Gallo-Romeinse onderbouw en moest de monniken beschermen tegen piraten.

Vanaf de top van de oude donjon geniet u van een **uitzicht★★** op de Lérins-eilanden en de kust met daarachter de vaak besneeuwde toppen van de Alpen.

Kapellen – Verspreid over het eiland werden zeven kapellen gebouwd voor de kluizenaars. De Byzantijns geïnspireerde **Chapelle de la Trinité** in het oosten dateert van voor de 11de eeuw en heeft een klaverbladvormig grondplan. De net zo oude **Chapelle Saint-Sauveur** staat in het noordwesten.

♿ Vanuit Cannes kunt u ook een dagexcursie maken naar Grasse *(zie blz. 70).*

Nice★★★

Deze parel aan de Côte d'Azur strekt zich uit langs de promenade des Anglais met op de achtergrond de Baie des Anges en een amfitheater van heuvels. Wie de stad vanaf de zee nadert, ziet van ver de paleizen en okerrode en gele gevels. Deze stad heeft veel gezichten en toont zich van haar feestelijke kant in de steegjes van de oude stad, van haar burgerlijke kant in de belle-époquewijken en van haar volkse kant achter de haven.

Excursies van een halve dag

De waterkant en de oude stad

★★ Promenade des Anglais

In 1820 legden de Engelsen, die sinds de 18de eeuw talrijk aanwezig waren, de weg langs de kust aan die naar hen werd genoemd. In 1931 liet de zoon van koningin Victoria hem heraanleggen en sindsdien is hij amper veranderd. Uit die glorietijd zijn enkele gebouwen bewaard gebleven, zoals het **Palais de l'Agriculture** (1900) en het **Negresco** in belle-époquestijl dat prachtige glas-in-loodramen bevat uit het atelier van Gustave Eiffel. Een beetje verderop staat het **Palais de la Méditerranée** dat in 1928 werd ontworpen door Frank Jay Gould en waarvan de indrukwekkende art-decogevel bewaard bleef.
Loop via de avenue de Verdun naar de **Jardin Albert-Ier**.

Place Masséna

De mooie gebouwen in Turijnse stijl aan dit plein op de promenade du Paillon geven met hun okerrode gevels het hart van de stad kleur. De **avenue Jean-Médecin** loopt noordwaarts. Hier bevinden zich veel grote winkels. Een beetje naar het westen ligt wat de Engelsen in de 18de eeuw Newborough ('nieuwe wijk') noemden. De **rue Masséna** en de **rue de France** zijn autovrije straten.

De haven

Tweeduizend jaar lang moesten de boten in Nice simpelweg aanmeren aan de voet van de rots waarop het kasteel stond. In 1750 gaf Karel Emanuel III, de hertog van Savoie, het bevel een haven uit te graven. In diezelfde periode werd de **place de l'Île-de-Beauté** aangelegd. Ze wordt omringd door huizen met portieken en okerkleurige gevels.

★ De oude stad

Tussen de rue des Ponchettes en de kasteelheuvel ligt de oude stad, een wirwar aan steegjes die zuiderse charme uitstralen en winkels, bistro's en kleine restaurants herbergen.
Cours Saleya – Dit plein, waar nu een **markt** met bloemen, fruit en groenten *(di.-zo.)* plaatsvindt, was in de 18de eeuw een mondaine hoofdstraat. Daarvan getuigt het **Palais Caïs de Pierla**, waar Matisse van 1921 tot 1938 woonde.
Place Pierre-Gautier – Hier staat de **Chapelle de la Miséricorde★**, een klein barokmeesterwerk van 1740, en het voormalige **Palais du Gouverneur et des princes de Savoie** (nu de prefectuur) uit de 17de eeuw.
Een beetje verder naar het westen staat de **Tour de l'Horloge** (18de eeuw).

De Chapelle de la Miséricorde aan de cours Saleya
Camille Moirenc/hemis.fr

NICE PRAKTISCH

Dienst voor Toerisme –
5 prom. des Anglais - ☎ 0892 707 407
(€ 0,34/min.) - www.nicetourisme.com.

VERVOER
Rent a car – 10 quai Papacino -
☎ 04 93 56 45 50.
Nice Riviera Pass – Met deze pas kunt
u onbeperkt gebruikmaken van de dubbeldekker Nice Le Grand Tour, en hebt u
toegang tot musea en bezienswaardigheden in Nice - 24 uur geldig, € 26.
Toeristische treintjes – ☎ 06 16 39
53 51 - www.trainstouristiquesdenice.
com - met gids (40 min.) - € 7.
Nice le Grand Tour – Vertrek aan de
promenade des Anglais, tegenover het
Théâtre de verdure - ☎ 04 92 29 17 00 -
kaartjes zijn te koop bij de chauffeur.
Rondrit per dubbeldekker *(1,5 uur)*. Er
zijn 12 haltes in de stad.

Bus TAM – Busstation - 5 bd Jean-
Jaurès - ☎ 04 93 85 64 44 - www.rca.
tm.fr. Bus nr. 500: Nice-Grasse.

UIT ETEN
René Socca – 2 r. Miralhéti - gesl. ma. -
☎ 04 93 92 05 73 - 🍴 - € 12. Dit is het
populairste restaurant van de stad. Volg
de menigte, bestel en zoek een tafeltje.
Aanraders: *socca* (pannenkoek van
kikkererwtenmeel), beignets van uien
en courgettebloemen, *tian niçois* (oven-
schotel), *pissaladière* (soort pizza)...

WINKELEN
Florian – 14 quai Papacino - ☎ 04 93
55 43 50 - www.confiserieflorian.com -
9.00-12.00 u, 14.00-18.30 u. Bezoek de
werkplaatsen waar onder andere gekonfijt fruit, confituur, orangettes, cho-
colaatjes enzovoort worden gemaakt.

Église Saint-Jacques of Gesù★ – *Pl. Rossetti*. Deze kerk werd in de 17de eeuw opgericht voor de jezuïeten (voorgevel uit de 19de eeuw). De strakke lijnen worden verzacht door de vele versieringen en verguldsels.

Cathédrale Sainte-Réparate – *Pl. Rossetti*. Deze kathedraal is het herkenningsteken bij uitstek, met de prachtige, veelkleurige koepel in Genuese stijl van de 18de eeuw, waarvan de 14.000 geglazuurde dakpannen het licht over het hart van de stad weerkaatsen. In het **interieur★**, in 1650 verwezenlijkt door architect J.-A. Guiberto uit Nice, toont de barok zich van zijn meest fantasievolle kant in het stucwerk en marmer.

Palais Lascaris – *15 r. Droite - ℘ 04 93 62 72 40 - vrije toegang en gratis - rondleiding: € 5.* Dit paleis in Genuese stijl werd in 1665 gebouwd en is voorzien van een weelderige gevel. Het interieur met de indrukwekkende staatsietrap toont hoe een chique familie in het graafschap Nice leefde vóór de Revolutie.

Place Garibaldi – Dit is een van de mooiste pleinen van Nice, omringd door sierlijke, okergele huizen met zuilengangen in Piëmontese stijl. In het midden staat een beeld van Garibaldi die trots zijn blik naar Italië richt. Aan de zuidkant staat de **Chapelle du Saint-Sépulcre** (18de eeuw) die in barokstijl met veel blauwe tinten werd ingericht.

Colline du château – *Bereikbaar per lift – R. des Ponchettes*. Zo noemt men de 92 m hoge heuvel waarop schaduwrijke paden werden aangelegd en waarop ooit het versterkte kasteel van Nice prijkte, maar dat in 1706 werd vernield door de troepen van Lodewijk XIV. Vanaf de top geniet u van een **panorama★★** van bijna 360° *(oriëntatietafel)*.

★★ De moderne en hedendaagse kunst

De streek rond Nice inspireerde veel kunstenaars en de musea bezitten dan ook de rijkste collecties moderne en hedendaagse kunst na die van Parijs.

★★ Musée des Beaux-Arts Jules-Chéret

33 av. des Baumettes - ℘ 04 92 15 28 28 - www.musee-beaux-arts-nice.org - € 5. De Europese meesterwerken uit de 17de, 18de en 19de eeuw (Fragonard, Hubert Robert, Carle Van Loo, Cabanel, Carpeaux...) worden tentoongesteld in drie zalen op de benedenverdieping. In de galerie ziet u de academische, romantische en exotische stromingen van de 19de eeuw (R. Dufy, Van Dongen, Monet, Sisley, Bonnard...).

★★ Musée Matisse

164 av. des Arènes-de-Cimiez - ℘ 04 93 81 08 08 - www.musee-matisse-nice.org - gratis. Dit museum is ondergebracht in een villa uit de 17de eeuw, die in het voormalige Cimiez boven de zee staat. Het omvat een dertigtal **doeken** van **Henri Matisse** (1869-1954) en **bronzen voorwerpen**. Wisseltentoonstellingen met de schetsen en maquettes voor de **Chapelle du Rosaire** in Vence en 41 voorstudies voor *De dans* (1930-1933).

★★ Musée national Marc-Chagall

Av. du Dr-Ménard, Cimiez - ℘ 04 93 53 87 20 - www.musee-chagall.fr - € 4,50. Nadat Marc Chagall (1887-1985) zijn 17 grote doeken van **De Bijbelse boodschap** (1954-1967) schonk, werd dit nationaal museum op vraag van de schilder ingericht door A. Hermant (medewerker van Le Corbusier).

★★ Musée d'Art moderne et d'Art contemporain

Prom. des Arts - ℘ 04 97 13 42 01 - www.mamac-nice.org - gratis.
In dit moderne, versterkte kasteel, gebouwd door Yves Bayard en Henri Vidal, worden werken tentoongesteld van de **school van Nice** en de stromingen die er vanaf de jaren zestig van de 20ste eeuw uit voortvloeiden, en van de Amerikaanse stroming waaruit de school is ontstaan.

★★ Corniche de la Riviera

31 km van Nice tot Menton – Rondrit van ca. 2 uur.
Tussen Nice en Menton duiken de bergen heel steil de zee in. Over die bergen lopen langs de kust drie wegen, de Grande, Moyenne en Basse Corniche. De Moyenne Corniche werd halverwege de helling aangelegd tussen 1910 en 1928. De kronkelige weg biedt uitzicht op de zee. Er zijn verschillende parkeerterreinen langs de kant van de weg.
Verlaat Nice oostwaarts via de place Max-Barel en de D 6007.

★★ Èze

Dit dorp, gelegen binnen de muren van de middeleeuwse vesting op een rotsachtige bergtop boven de zee, geniet van een buitengewone ligging.

Beausoleil

Dit dorp ligt als een balkon boven de zee. De huizen en straten met trappen liggen tegen de hellingen van de Mont des Mules.

★ Mont des Mules

1 km via de D 53. Wandeling van 30 min. H/T, volg de wegwijzers. Vanaf de top geniet u van een mooi **panorama★**.

★★ Cap Martin

Het dorp Roquebrune-Cap-Martin met donjon ligt hoog. Het schiereiland Cap Martin, dat lager dan de weg ligt, is een chique buitenwijk van Menton met weelderige huizen in belle-époquestijl.

Excursie van een dag

53 km van Nice. Neem de A 8 richting Cannes en dan de D 6285 naar Grasse.

★ Grasse

★ De oude stad

Circa 1 uur. Neem vanaf de place du Cours de rue Jean-Ossola, die overgaat in de rue Marcel-Journet. Neem rechts de rue Gazan tot de place du Puy. De oranje huizen in het oude Grasse bestaan uit indrukwekkende stenen met reliëf en tweelingvensters met verfijnde zuiltjes. Het tiental **middeleeuwse huizen** getuigt van de bloeiperiode van de stad.

Cathédrale Notre-Dame-du-Puy

De kathedraal werd gebouwd in een vreemde mix van stijlen uit de middeleeuwen, Noord-Italië en de barok van eind 18de eeuw. Een inwoner van Grasse schonk **drie werken★ van Rubens** aan de kathedraal: *Christus met doornenkroon, Kruisiging* en *De kruisvinding door de heilige Helena.*

★★ Musée international de la Parfumerie (MIP)

℘ 04 97 05 58 00 - € 3.
In dit bijna 3500 m^2 grote museum ziet u de planten die de parfumindustrie gebruikt en in 24 zalen wordt een deel van de **50.000 voorwerpen** van de museumcollectie tentoongesteld.
Parfumbedrijven – U kunt Fragonnard, Galimard en Molinard bezoeken en er parfum kopen.

Villefranche-sur-Mer★

Karel II van Anjou, graaf van Provence en neef van Lodewijk IX, stichtte deze stad in de 13de eeuw. De mooie vissershaven, die kleurrijke gevels, een wirwar aan steegjes en een citadel omvat, heeft zijn charme goed bewaard. Als badplaats is Villefranche vooral populair dankzij het ingesloten strand waarachter beboste hellingen beginnen. Het is een van de mooiste stranden aan de Middellandse Zee.

Excursie van een halve dag

★ De citadel en de oude stad

Citadel

℘ 04 93 76 33 27 (musea) - € 5.

De hertog van Savoie bouwde de citadel in 1557 ter bescherming van de ankerplaats. Ze werd in 1981 gerestaureerd en omvat het stadhuis, de oude **Chapelle St-Elme**, waar tijdelijke tentoonstellingen plaatsvinden, een auditorium, een openluchttheater, drie musea *(zie hierna)* en de gedenkzaal van het 24ste bataljon van de Alpenjagers (laatste legerkorps dat de citadel bezette).

De gekleurde gevels aan de haven van Villefranche

Musée Volti★ – Op de grote binnenplaats van de citadel en in de wirwar van gewelfde kazematten kunt u de wellustige beelden bewonderen van **Antoniucci Volti** (1915-1989), een beeldhouwer uit Villefranche die door Maillol werd opgeleid.

Musée Goetz-Boumeester – In dit museum tonen een honderdtal werken vijftig jaar beeldende kunst, van figuratieve kunst tot abstracte kunst, met werken van de schilder en graveur **Henri Goetz** (1909-1989) en zijn echtgenote Christine Boumeester (1904-1971). U ziet er ook werken van Picasso, Miró, Hartung, Picabia...

Collection Roux – Keramiekbeeldjes stellen taferelen voor uit het dagelijkse leven in de middeleeuwen en de renaissance.

Darse

Dit is de voormalige militaire haven waar galeien werden gebouwd en galeiboeven inscheepten. Nu meren er jachten en plezierboten aan.

★ De oude stad

De oude stad begint aan de bekoorlijke vissershaven met de kleurrijke gevels. De **rue du Poilu** is de hoofdstraat te midden van een wirwar van steegjes, waarvan er enkele van trappen zijn voorzien en andere overwelfd zijn, zoals de bijzondere **rue Obscure**, die dateert uit de 13de eeuw.

Église Saint-Michel
6 r. Baron-de-Brès.
Deze kerk in sobere barokstijl omvat altaarstukken uit de 18de eeuw en polychrome, houten beelden uit de 16de eeuw. Op het spreekgestoelte staat een typisch Frans **orgel** van 1790, een werk van de gebroeders Grinda, befaamde orgelbouwers uit Nice.

★ Chapelle Saint-Pierre
📞 *04 93 76 90 70 - € 2,50.*
Jean Cocteau (1889-1963), die Villefranche vanaf 1924 verkende, decoreerde deze kapel in 1957.

★★ Cap-Ferrat
Dit is het meest prestigieuze schiereiland aan de Côte d'Azur. Er groeit een weelderige vegetatie en het is bezaaid met luxueuze woningen, zoals de betoverende villa Ephrussi.

★★ Villa Ephrussi-de-Rothschild
📞 *04 93 01 33 09 of 04 93 01 45 90 - www.villa-ephrussi.com - € 12.*
Deze villa in Italiaanse stijl met een unieke **ligging**★★★ werd in 1905 ontworpen door barones **Béatrice Ephrussi de Rothschild** (1864-1934) om haar 5000 kunstwerken in onder te brengen. De barones was zo veeleisend dat in de zeven jaar die de bouw duurde, 15 architecten elkaar opvolgden.
Musée Île-de-France★★ – Collecties porselein van Vincennes, Sèvres en Saxe, de 'Salon des Singes' (apensalon) met een orkest apen van porselein van Meissen, kunst uit het Verre Oosten...

Tuinen★★ – De villa wordt omringd door 7 ha thematuinen: een **Franse tuin** met muzikale waterpartijen; een **Spaanse tuin** in Andalusische stijl; een **Florentijnse tuin** met cipressen; een romantische **stenen tuin** met fonteinen, kapitelen, waterspuwers en bas-reliëfs uit de middeleeuwen en de renaissance; een **Japanse tuin** en een **exotische tuin**. In de **rozentuin** ten slotte staan de lievelingsbloemen van barones Ephrussi.

★★ Rond Cap-Ferrat
Per auto: 10 km – ca. 1 uur
Te voet: 6 km vanuit de haven.
Saint-Jean-Cap-Ferrat★ – Rond de **haven** van dit voormalige vissersdorp staan nog enkele oude huizen, maar ondertussen is dit een populaire badplaats en overwinteringsoord. In het sympathieke **Musée des Coquillages** (*quai du Vieux-Port -* 📞 *04 93 76 17 61 - http://musee-coquillages.com - € 2 - 15 jaar € 1*) worden 4000 schelpen uit de hele wereld tentoongesteld.
Promenade Maurice-Rouvier★ – *1 uur H/T, vertrek vanuit de haven (2,3 km).* Deze verharde wandelweg loopt tot de baai van Beaulieu, met uitzicht op Èze en de Tête de Chien.
Pointe Saint-Hospice – Tijdens de klim tussen de huizen door naar Pointe Saint-Hospice geniet u van mooie uitzichten op Beaulieu en de kust richting Cap d'Ail. Onderweg ziet u een 18de-eeuwse toren (voormalige gevangenis), en u komt uit bij een 19de-eeuwse kapel vanwaar u geniet van een **uitzicht**★ op de kust en het hinterland van Beaulieu tot Cap Martin.

Saint-Jean-Cap-Ferrat
Christian Heeb/hemis.fr

VILLEFRANCHE-SUR-MER PRAKTISCH

Dienst voor Toerisme – Jardin François-Binon - ☎ 04 93 01 73 68 - www.villefranche-sur-mer.com.

VERVOER
Taxis Villefranche – Place Amélie-Pollonnais - ☎ 04 93 55 55 55.
Locauto – Haventerminal - ☎ 06 72 92 22 18.

UIT ETEN

Villefranche-sur-Mer
L'Oursin Bleu – 11 quai Courbet - ☎ 04 93 01 90 12 - € 40/110. Aquarium, patrijspoorten, waterpartijen, fresco's en een mooi terras aan de haven. De zee speelt niet alleen in de inrichting, maar ook in de verfijnde en moderne gerechten een belangrijke rol.
Le Carpaccio – 17 promenade des Marinières - ☎ 04 93 01 72 97. Prachtige vissen, aquaria met langoesten en kreeften, heerlijke carpaccio (van rundvlees, bresaola, inktvis). En bovendien een schitterend uitzicht op de haven.
Plage de Passable – Chemin de Passable - ☎ 04 93 76 06 17 - gesl. half okt.-maart - restaurant: lunch € 15, kaart € 40/60 - parasol en stoel: vanaf € 21/dag. Dit restaurant ligt verscholen in de ankerplaats van Villefranche. Geniet op het strand van grillgerechten, visgerechten, salades en pastagerechten onder de dennenbomen en palmbomen.

Saint-Jean-Cap-Ferrat
Le Cap – 71 bd du Général-de-Gaulle - ☎ 04 93 76 50 50 - € 138/198. Dit is een van de restaurants in Palace Le Grand Hôtel. U geniet er in de zomer van gastronomische gerechten onder de dennenbomen.

Ajaccio★★

Ajaccio strekt zich aan de zuidwestkust van Corsica, in de grootste baai van het eiland, uit tussen de bergen en de zee. De straten, bezienswaardigheden en musea herinneren aan het ongelooflijke lot van Napoleon, de bekendste telg van het eiland. De haven is nog altijd een erg bedrijvige plek. De vissers lossen er hun vangst, wandelaars genieten er van de zon.

Excursies van een halve dag

★ De oude stad
De oude stad (1453-1769) verkent u gemakkelijk te voet. Ze wordt begrensd door de place du Général-de-Gaulle in het westen, de citadel in het zuidoosten en de place du Maréchal-Foch in het noorden. Ze grenst aan het Quartier des Corses, de wijk rond de rue Cardinal-Fesch, ook **le Borgo** genoemd.

Jetée de la citadelle
Vanaf de 200 m lange Citadelpier geniet u van een prachtig **uitzicht★** op de zee en een deel van de Golf van Ajaccio. De pier beschermt de vissers- en jachthaven. De **citadel** dateert van midden 16de eeuw en is nog altijd een militair domein, daarom is ze alleen toegankelijk op de Journées du Patrimoine.

Place du Maréchal-Foch (of des Palmiers)
Dit rechthoekige plein in de schaduw van palmbomen is het hart van de stad en ligt tegenover de haven. Aan de zuidkant zijn er kleine restaurants. Het witmarmeren beeld van **Napoleon Bonaparte** staat boven op een fontein, gemaakt door Maglioli, een schilder en beeldhouwer uit Ajaccio.
Links beneden aan het plein staat het **stadhuis** met daarin de **Salon na-**

poléonien★ (℘ 04 95 51 52 62 - € 2,50), waarin documenten en schilderijen worden bewaard die verband houden met de keizer en zijn familie.

★ Maison Bonaparte
R. St-Charles - ℘ *04 95 21 61 32 - www. musees-nationaux-napoleoniens.org - € 7.*
Aan de kleine **place Letizia**, een plein dat in de schaduw van bananen- en sinaasappelbomen ligt, staat het geboortehuis van de keizer. Het dateert uit de 17de eeuw. In de zogenoemde **'geboortekamer'** van Napoleon staan geen originele voorwerpen meer, maar het is al lang een pelgrimsoord.

Église Saint-Érasme
Deze voormalige kapel van het jezuietencollege werd in 1617 gebouwd. In 1656 plaatsten de 'Ouderlingen' Ajaccio hier onder de bescherming van de Onze-Lieve-Vrouw van Genade om de stad te beschermen tegen de pest. Tijdens de Franse Revolutie was de kerk gesloten. In 1815 werd het heiligdom opnieuw in gebruik genomen door de gilde van zeelui en vissers. Zij wijdden de kerk aan hun patroonheilige, de heilige Erasmus. De kerk werd versierd met modelschepen, drie mooie Christusbeelden aan processiekruisen, een beeld van de heilige Erasmus te midden van de engelen en koormantels en dalmatieken van de pauselijke dienst.

Een kleurrijke gevel in Ajaccio
G. Thouvenin/age fotostock

AJACCIO PRAKTISCH

Dienst voor Toerisme –
3 bd du Roi-Jérôme - ☎ 04 95 51 53 03 -
www.ajaccio-tourisme.com.

VERVOER
Europcar – 16 cours Grandval -
☎ 04 95 21 05 49. **Hertz** – 8 cours
Grandval - ☎ 04 95 21 70 94.
Petit train d'Ajaccio – Pl. du
Maréchal-Foch - ☎ 04 95 51 13 69 -
www.petit-train-ajaccio.com. Rondrit
door Ajaccio (45 min., € 7) en langs de
route des Sanguinaires (1,5 uur, € 10).
Boottochten – ☎ 06 24 69 48 80 -
www.promenades-en-mer.org. Onder
andere boottochten naar de Îles Sanguinaires.

UIT ETEN
Marinella – Bd Tino-Rossi - ☎ 04 95 52
07 86 - gesl. nov.-begin jan. - € 21/41.

Geniet op het terras van dit restaurant
bij het water, vlak bij het huis van de
Corsicaanse zanger Tino Rossi, net zoals
Pagnol, Raimu en Fernandel dat ooit
deden.

WINKELEN
In de zomer is het op vrijdagavond
koopavond. De winkels zijn open tot
middernacht en er worden straatanima-
tie en optredens voorzien.
La Maison du Corail – 1 r. du
Cardinal-Fesch - ☎ 04 95 21 47 94 -
www.maisonducorail.com.
Mooie juwelen en koraal.
Atelier du Couteau –
2 r. Bonaparte - ☎ 04 95 52 05 92 -
www.latelierducouteau.fr. Een ruim
aanbod aan traditionele messen, aan
oude replica's en gepersonaliseerde
ontwerpen.

Kathedraal

De kathedraal werd tussen 1582 en 1593 gebouwd in renaissancestijl.

Op de eerste zuil, links van de ingang, staan de laatste woorden gegraveerd die de keizer op 29 april 1821 sprak op Sint-Helena: 'Als men mijn lijk uit Parijs verbant zoals men ook mijn persoon heeft verbannen, wens ik te worden begraven bij mijn voorouders in de kathedraal van Ajaccio op Corsica.'
Voor de keizerlijke kapel in 1857 werd gebouwd, bevond de grafkelder van de **familie Bonaparte** zich inderdaad in deze kathedraal, in de derde kapel aan de linkerkant van de kerk (in de Chapelle du Rosaire).

Rue du Cardinal-Fesch (U Borgu)

Deze lange, bedrijvige winkelstraat loopt door de oude 'Borgo'.
Aan de gevel van nr. 1 hangt een gedenkplaat voor Vincentella Perini, beter bekend als **Danielle Casanova**, een verzetsstrijder die stierf in Auschwitz. Hij werd hier op 9 januari 1909 geboren. Op nr. 28 dook Napoleon Bonaparte in mei 1793 onder bij de toenmalige burgemeester, toen hij werd achtervolgd door de 'anglo-paolisten'. Daarna vluchtte hij over zee naar Calvi.

★★★ Musée Fesch

50 r. du Cardinal-Fesch - ✆ 04 95 26 26 26 - www.musee-fesch.com - € 8.
Joseph Fesch (1763-1839), de broer van de moeder van Napoleon, aartsbisschop van Lyon en kardinaal, was een fervent verzamelaar van Italiaanse kunst. Hij liet zijn collectie na aan de stad. Het museum, dat is ondergebracht in het voormalige Collège Fesch (1827), waar insectoloog Jean-Henri Fabre fysica

onderwees, omvat de grootste collectie **Italiaanse schilderijen van de 14de tot de 16de eeuw★★★** in Frankrijk, na het Louvre. Daarnaast ziet u er Franse, Spaanse, Vlaamse en Nederlandse werken.

Keizerlijke kapel – Deze kapel werd in 1857 gebouwd in opdracht van Napoleon III om er de leden van de keizerlijke familie in te begraven.

★★ Les Îles Sanguinaires

De noordelijke oever van de grote en diepe baai van Ajaccio stopt bij de Pointe de la Parata. In het verlengde ervan liggen de roodachtige Îles Sanguinaires als schildwachten in de zee.

★★ Boottochten

Zie 'Ajaccio praktisch', blz. 75.
Vanaf de zee geniet u van een mooi uitzicht op de stad Ajaccio. De boten volgen de noordelijke oever van de baai, varen om de Pointe de la Parata heen, waar een Genuese toren staat, en varen dan naar **Grande Sanguinaire**. Het is het grootste van de vier eilanden waaruit deze archipel bestaat en het ligt het verst van de kust. Er staat een vuurtoren, een oude semafoor en de ruïne van de vierkante toren van Castellucciu (16de eeuw). Wandel langs de kust naar de punt van het eiland. U geniet er van een prachtig **uitzicht★★** op de baai van Ajaccio.

★★ Route des Sanguinaires en Pointe de la Parata

Rondrit van 29 km – circa 1,5 uur. Verlaat Ajaccio via de D 111.
De Route des Sanguinaires volgt de noordelijke kust van de baai. Ze voert u langs de chiquere woonwijken van Ajaccio aan de voet van de bergkam en

langs enkele mooie **stranden**. Tussen de Chapelle des Grecs en Scudo, beide tegen de zee gelegen, bevinden zich indrukwekkende grafkapellen van families uit Ajaccio (onder andere Tino Rossi werd er begraven). Ze creëren een contrast met de villa's, flatgebouwen, hotels en restaurants die zich een beetje hoger langs de kant van de weg naar de Pointe de la Parata bevinden. Verschillende fijne **zandstranden** waaraan helder water likt, volgen elkaar op. Er zijn enkele bars waar men prachtige zonsondergangen kan bewonderen.

Chapelle des Grecs

Deze erg sobere barokkapel met een smeedijzeren kruis erbovenop staat links van de place Emmanuel-Arène. De kapel werd ooit door de Griekse gemeenschap gebruikt. Nadat de Grieken in 1731 uit Paomia waren verjaagd, vestigden ze zich namelijk eerst in Ajaccio en later meer naar het noorden, in Cargèse.

Uitzicht op de Îles Sanguinaires

Marinella

Mooi **strand** met fijn, wit zand.
Volg de D 111 tot het parkeerterrein 500 m voor de Pointe de la Parata. Hier moet u de wagen achterlaten.

★★ Pointe de la Parata

Op deze zwarte, granieten kaap staat de **Tour de la Parata**, gebouwd door de Genuezen om het eiland te beschermen tegen de invallen van de Berbers. Deze plek lokt jaarlijks meer dan 450.000 toeristen en is daardoor een van de drukst bezochte bezienswaardigheden van Ajaccio.

Wandeling – *30 min. tot 1 uur H/T.* De wandelroute is voor iedereen geschikt. Volg de gele bewegwijzering. U komt dan bij de uiterste punt, vanwaar u geniet van een **uitzicht★★** op de Îles Sanguinaires *(oriëntatietafel).* U kunt de **Tour génoise** beklimmen als u het steile pad met rode bewegwijzering volgt. Het pad met blauwe bewegwijzering leidt u rond de Pointe.
Keer langs dezelfde weg terug, maar neem na ongeveer 2 km links de D 111^B (volg de wegwijzers naar 'Capo di Feno' net voorbij Hôtel Goéland). Volg deze weg die tussen omheinde weiden slingert, ongeveer 8 km. De weg eindigt bij de Anse de Minaccia. Laat de wagen achter op het parkeerterrein en volg het pad dat naar het strand loopt (ca. 100 m).

★ Plage de Grand Capo

Dit mooie, uitgestrekte strand met fijn zand wordt ook 'plage de Saint-Antoine' genoemd. Het wordt omringd door heuvels met een dorre vegetatie. Let op bij het zwemmen: de stroming kan hier erg sterk zijn.
Keer terug naar Ajaccio via de D 11B (route de Saint-Antoine).

Het schitterende decor van Le Rocher, rococopaleizen en -casino's, gok-paradijs, Californische architectuur aan de oostkust, paradestad, gecivi-liseerde stad, prinselijke familie... Hoewel deze soevereine staat slechts 2 km² beslaat, heeft het Vorstendom Monaco dit allemaal te bieden. Daarnaast staat Monaco synoniem voor prachtige tuinen en biedt het een uniek panorama tot aan de Italiaanse Riviera.

Officiële naam: Vorstendom Monaco
Hoofdstad: Monaco
Officiële taal: Frans
Oppervlakte: 2 km²
Inwoners: 35.000
Munteenheid: euro
Telefoneren naar Monaco: Kies 00 + 377 + het nummer van de cor-respondent.
Tijdsverschil: Er is in Monaco geen tijdsverschil met België en Nederland.
Post: Als u vanuit Monaco post wilt versturen, moet u postzegels van Monaco kopen en uw post deponeren in de oranje brievenbussen.
Winkelen: In Monte-Carlo hebben alle grote luxemerken een winkel, onder andere in de winkelgalerijen in grote paleizen (Métropole, Park Palace). Traditionele producten worden vooral verkocht in de steegjes van Le Rocher, tegenover het paleis. De Boutique du Rocher, in de av. de la Madone, is de officiële verkoopplaats voor handwerk uit Monaco.
Kalender:
Fête de Sainte-Dévote – De patroonheilige van Monaco wordt gevierd op 26 en 27 januari.

Grand Prix van Monaco – Elk jaar in juni racen er formule 1-wagens door de straten van het vorsten-dom. Ze leggen er een parcours van 3,340 km af.
Concours international de feux d'artifice – www.monaco-feuxdartifice.mc. Sinds 1966 wordt de Monegaskische hemel elke zomer vier avonden lang verlicht door vuurwerk tijdens de internationale vuurwerk-wedstrijd. Het vuurwerk wordt afgestoken op de Grande digue in de Port Hercule, met de grote haven van Monaco als spiegel.

Het prinselijke paleis

Movementway/imagebroker/age fotostock

Monte-Carlo en le Rocher★★★

Het Vorstendom Monaco bestaat uit de stad Monaco, ook 'le Rocher' genoemd, en Monte-Carlo, in 1860 gesticht. De twee steden zijn met elkaar verbonden via de Condamine (de haven). In het westen ligt Fontvieille (residentiële woonwijken) en in het oosten Larvotto (strand).

Excursies van een halve dag

★★ Le Rocher
Reken op 3 uur.
De kaap met daarop de **stadsmuren** van de oude stad, steekt boven de zee uit. In een wirwar aan steegjes staan vrolijke huizen uit de 16de-18de eeuw, die allemaal in dezelfde zalmroze tint zijn geschilderd.

★★ Musée océanographique
Av. St-Martin - Monaco - ✆ (00 377) 93 15 36 00 - www.oceano.org - € 14.
Dit prachtige gebouw ligt 85 m boven de zee. Het oceanografisch museum is ook een wetenschappelijk onderzoeksinstituut. Het werd in 1910 opgericht door prins Albert I om er de collecties te herbergen die hij zelf verzamelde tijdens zijn exploratie van de oceanen. Commandant **Jacques-Yves Cousteau** (1910-1997) was directeur van het museum van 1957 tot 1988.
Het **aquarium★★** in de kelderverdieping is een van de bijzonderste aquaria ter wereld met 6000 bewoners (350 soorten vissen) verdeeld over twee zones, een 'tropische' en 'mediterrane' zone. Bonte en vreemde vissen laten u kennismaken met de warme, tropische zeeën waarvan de biotoop getrouw werd geïmiteerd (90 bassins). De 'acteurs' trakteren de bezoeker op een kleurrijk ballet: clownsvissen, murenen, tandbaarzen, harlekijnvissen, zebra-

haaien staren u vanuit het water aan. De gehoornde koffervis, de fragiele en gracieuze zeepaardjes, de indrukwekkende napoleonvis, de dodelijke steenvis en niet te vergeten de doktersvissen en de kauderni. De verpleegsterhaai heeft 25.000 l water nodig om te kunnen samenleven met de soepschildpadden en karetschildpadden.
Terras van het museum – *(Op de tweede verdieping. Voorbehouden voor bezoekers van het museum.)* Geniet van het **uitzicht★★** dat zich uitstrekt van l'Esterel tot de Italiaanse Riviera.

★ Jardins Saint-Martin
De mediterrane vegetatie verspreidt zijn geuren in de schaduwrijke lanen vanwaar u hier en daar kunt uitzien op de zee.

Kathedraal
De bouw van deze kathedraal in romaans-Byzantijnse stijl duurde van 1875 tot 1911. Binnen ziet u een mooi geheel van **primitieven uit Nice★★**. Het **altaarstuk van de heilige Nicolaas**, een werk van Louis Brea, bestaat uit 18 compartimenten.

Chapelle de la Miséricorde
Deze kapel werd tussen 1639 en 1646 in barokstijl opgetrokken door de broeders penitenten. De mooie **liggende Christus** *(rechternis)* wordt op Goede Vrijdag plechtig door de straten van de oude stad gedragen.

Monaco ziet vanaf haar rots uit op de zee.
Matthieu Colin/hemis.fr

MONACO PRAKTISCH

Dienst voor Toerisme – 2A bd des Moulins - ☎ (00 377) 92 16 61 66 - www.visitmonaco.com.

VERVOER
Liften – In enkele wijken hoeft u de helling niet zelf te beklimmen, maar is er een lift, zoals van de pl. Ste-Dévote naar de bd de Belgique (het langste traject), van de stranden van Larvotto (en het Musée national) naar de pl. des Moulins, van het auditorium Rainier-III (bd Louis-II) naar de terrassen van het casino, van de parking des Pêcheurs naar het Musée océanographique, van de av. de Grande-Bretagne naar de av. des Citronniers, van het winkelcentrum van Fontvieille naar de pl. d'Armes en van de haven naar de av. de la Costa.
Bus – Nr. 1 (Rocher-casino), nr. 2 (Rocher-Jardin exotique), nr. 4 (station-Larvotto strand), nr. 5 (station-Fontvieille-Hôpital), nr. 6 (Fontvieille-Larvotto).
Monaco Tours – Zomer 10.00-17.00 u - winter 10.30-17.00 u - € 7. Rondrit met een toeristisch treintje (30 min.), vertrek tegenover het Musée océanographique.

EEN GLAASJE DRINKEN
CrystalBar (Hôtel Hermitage) – Sq. Beaumarchais - ☎ (00 377) 98 06 40 00 - www.montecarloresort.com - 12.00-1.00 u. Deze bar is gevestigd in een paleis in belle-époquestijl en heeft een terras met schitterend uitzicht.

UIT ETEN
La Maison du Caviar - Petrossian – 1 av. St-Charles - ☎ (00 377) 93 30 80 06 - € 28/52. Een van de oudste restaurants van de stad, waar u uiteraard kaviaar kunt eten.

★ Place du Palais

Aan de zuidwestkant van het plein loopt de **promenade Sainte-Barbe**. Het plein wordt beschermd door kanonnen en kanonskogels uit de 17de-18de eeuw en in het noordoosten door de gekanteelde borstwering vanwaar u een **uitzicht** hebt tot Bordighera in Italië. Bekijk zeker het **wisselen van de wacht**. De wachters zijn in de winter in het zwart gekleed en in de zomer in het wit. *(Dag. stipt om 11.55 u.)*

★ Prinselijk paleis

℘ (00 377) 93 25 18 31 - www.palais.mc - rondleiding met audiogids (40 min.) - € 8. Het paleis werd in de 16de-17de eeuw opgetrokken in de plaats van een 13de-eeuwse, Genuese, boven op Le Rocher. In een vleugel bevindt zich het **Musée des Souvenirs napoléoniens et la collection des archives historiques du palais ★** *(Pl. du Palais - ℘ (00 377) 93 25 18 31 - www.palais.mc - € 4)* met persoonlijke voorwerpen van de keizer.

★★★ Monte-Carlo

Reken op 1,5 uur.

Casino

Het casino omvat verschillende gebouwen. **Charles Garnier** bouwde in 1878 de gevel aan de kant van de zee en de theater- en operazaal tegenover de grote, centrale hal, waar sinds 1917 het bekende **Russische ballet** was gevestigd. Vanaf het **terras★★** met palmbomen ziet u uit over de zee.

★★ Jardin exotique

52 bd du Jardin-Exotique - ℘ (00 377) 93 15 29 80 - www.jardin-exotique.mc - € 7. Deze exotische tuin staat garant voor totale ontspanning in een unieke collectie cactussen die het buitengewone micro-

klimaat erg op prijs stellen, sommige zelfs al meer dan honderd jaar. Vanuit de lanen geniet u van een schitterend **uitzicht★** op het vorstendom, de Cap Martin en de Italiaanse Riviera.

Grotte de l'Observatoire★ – *Rondleiding 30 min.* Onder aan een trap met 279 treden begint dit prachtige bos van stalactieten, stalagmieten en verfijnde afzettingen in verschillende zalen.

Musée d'Anthropologie préhistorique★ – *Bereikbaar via de Jardin exotique - ℘ (00 377) 93 15 29 80 - www.jardin-exotique.mc - € 6,90.* Dit museum over prehistorische antropologie boeit zelfs leken met zijn rijkdom, verscheidenheid en de heel verzorgde collectie.

★ Jardin japonais

Bereikbaar via de bd Louis-II - ℘ (00 377) 98 98 83 36 - gratis. Deze Japanse tuin is door landschapsarchitect **Yasuo Beppu** ontworpen in opdracht van prinses Grace. De 7000 m^2 grote tuin is een oase van rust te midden van de chique **wijk Larvotto**.

Nouveau Musée national de Monaco (NMNM)

Villa Paloma: 56 bd du Jardin-Exotique - Villa Sauber: 17 av. Princesse-Grace - ℘ 00 377 98 98 91 26 - www.nmnm.mc - € 6. Sinds eind 2010 stelt het NMNM in wisselende tentoonstellingen de rijkelijke erfgoedcollectie tentoon (poppen, decors en kostuums van het ballet van Monte-Carlo, schilderijen van Van Dongen...).

★ Collectie oude auto's

Fontvieille - ℘ (00 377) 92 05 28 56 - www.palais.mc - € 6. In een luxeuze galerij staat een honderdtal paardenkoetsen en auto's.

De La Maddalena-archipell

SARDINIË

Sardinië is het op één na grootste eiland in de Middellandse Zee met een meer dan 1800 km lange kust die wordt overspoeld door helder turkooizen of smaragdgroen water. De spectaculaire stranden, de chique badplaatsen en de traditionele dorpen maken van Sardinië een droombestemming. In het noordoosten ligt Olbia, zowel nu als in de Carthaagse periode de belangrijkste haven van het eiland. In het zuiden neemt de kleurrijke hoofdstad Cagliari enkele heuvels in. Hier heerst de sfeer van het dolce far niente.

Land: Italië
Officiële naam: Autonome regio Sardinië
Plaatselijke naam: Sardegna
Hoofdstad: Cagliari
Officiële talen: Italiaans, Sardisch
Oppervlakte: 24.090 km^2
Inwoners: 1.763.632
Munteenheid: euro
Telefoneren naar Sardinië: Kies 00 + 39 + het nummer van de correspondent.
Tijdsverschil: Er is op Sardinië geen tijdsverschil met België en Nederland.
Klimaat: Mediterraan klimaat, drie vierde van het jaar zacht en zonnig. Warme zomer en milde winter. De beste periode om Sardinië te bezoeken is april tot juni.
Winkelen/openingstijden: De winkels zijn doorgaans open van maandag tot zaterdag van 9.00 tot 13.00 uur en van 15.30 tot 19.30 uur. In de badplaatsen zijn veel winkels tot 's avonds laat geopend.
Winkelen/kledingmaten: Houd er rekening mee dat de Italiaanse kleding- en schoenmaten afwijken van die in België en Nederland. Om de Italiaanse maten om te zetten naar de Nederlandse/Belgische, moet u er enkele maten aftrekken. Bij de schoenmaten moet u een maatje bijtellen. Passen is de boodschap!

Enkele Italiaanse woorden...

Ja **Sì** / Nee **No** / Goedendag **Buongiorno** / Goedenavond **Buonasera** / Hallo **Ciao** / Tot ziens **Arrivederci** / Alstublieft **Per favore** / Dank u wel **(molte) Grazie** / Excuseer **Scusi** / Oké **Va bene** / Proost! **Cin-cin!** / Eten **Mangiare** / Drinken **Bere** / Toiletten **Il bagno** / Restaurant **Ristorante** / Dienst voor Toerisme **Ufficio di turismo** / Geld **Denaro /** Spreekt u Frans? **Parla francese? /** Spreekt u Engels? **Parla inglese?** / Ik begrijp het niet **Non capisco** / Kunt u me helpen? **Potrebbe aiutarmi?** / Hoeveel kost het? **Quanto costa?** / Haven **Porto** / Boot **Barca** / Strand **Spiaggia**

Cagliari★★★

Het kleurrijke Cagliari, met de blauwe lucht, de witte rotsen en de oker-kleurige huizen, strekt zich uit over enkele heuvels die langzaam afdalen in de richting van de zee, tot ze het water raken in de zogenoemde 'Enge-lenbaai'. Ook al is er de laatste decennia veel beton en lawaai in de stad gekomen, de hoofdstad van Sardinië is er toch in geslaagd veel van haar charme te bewaren dankzij de betoverende architectuur en de spectacu-laire uitzichten.

Excursies van een halve dag

De belangrijkste bezienswaardigheden bevinden zich in de Rione Castello (de versterkte stad) en de wijken eromheen, namelijk Rione Marina (zuidwaarts), Rione Stampace (westwaarts) en Rione Villanova (oostwaarts).

De benedenstad: Rione Marina

Porto

De kade werd al in de Romeinse tijd aangelegd. Nu is dit deel van de haven vooral bestemd voor passagiersvervoer.

Via Roma en Palazzata

De Via Roma loopt langs de haven en is het onderste deel van het voormalige **Romeinse versterkte castrum**. Het Palazzo Civico (stadhuis), het Palazzo Vivanet (eind 19de eeuw) en andere palazzi met zuilengangen die over de haven uitzien, vormen samen een archi-tecturaal geheel dat **Palazzata** wordt genoemd. Het is een van de populairste wandelplekken in Cagliari.

Bastione di Saint-Remy

Volg de Viale Regina Margherita naar de Piazza della Costituzione, waar deze spectaculaire vesting staat. Ze was klaar in 1902 en omvat de oudere vestingen die de Spanjaarden in de tweede helft van de 16de eeuw bouwden.

De grote trap brengt u naar het **Ter-razza Umberto I★★★**, een buitenge-woon uitzichtpunt vanwaar u geniet van een uitzicht op de stad en de Golfo degli Angeli of 'Engelenbaai'.

Ten westen van de Piazza della Costituzione

Aan de voet van de boog van de Basti-one vertrekt langs de zuidkant van het kasteel de **Via Manno**, een heel oude straat (sa Costa in het Sardisch) die nu een van de belangrijkste winkelstraten van de stad is. In de wirwar aan steegjes staan veel religieuze gebouwen, zoals de **Chiesa Sant'Antonio Abate** met een verfijnd barokportaal, het **jezu-ietencomplex van Santa Teresa** met de mooie barokgevel (1691), en de **Chiesa Sant'Eulalia**, in de 14de eeuw door de Aragonezen gesticht.

Rond de Pisaanse citadel

Ten noorden van de Piazza della Costituzione

Ga door de Viale Regina Elena omhoog. Deze straat werd aangelegd op de ter-repleins van de Piëmontese vestingwer-ken. Vanaf de **Bastione di Palazzo** geniet u van een prachtig **uitzicht★★** op de kathedraal en het koninklijk paleis rechts, de sierlijke Torre di San Pancrazio en links op de vennen van Molentàrgius.

De Bastione di Saint-Remy
Oliviero Olivieri/Robert Harding Picture Library/age fotostock

CAGLIARI PRAKTISCH

Dienst voor Toerisme – Infopoint Porto - Molo Sanità (in de haven), Via Roma - ✆ 329 831 20 33.

VERVOER

Busnetwerk CTM Cagliari – www.ctmcagliari.it. Kaartje € 1,20/90 min. of € 3/dag, te koop op de Piazza Matteoti of bij de conducteur (toeslag van € 0,50). Vanuit de haven brengen bus 1 en 29 u naar het centrum, bus PG rijdt naar de stranden.

Taxi's – Cagliari Rossoblù - ✆ 070 66 55; 4 Mori - ✆ 070 400 101.

Autoverhuur – Avis - ✆ 070 240 081 - www.avisautonoleggio.it ;

Maggiore - ✆ 070 240 069/273 692 - www.maggiore.it.

Trenino Cagliaritano – Via Crispi 19 - ✆ 070 655 549 - www.trenino.it. Het toeristentreintje rijdt door de oude stad en langs de vestingwerken. Vertrek op de Piazza del Carmine, 40 min.

City Tour - Piazza Yenne - ✆ 070 669 409/66 420 - www.sinautonoleggio.com/servizi - € 10/pers. Een toeristenbus voert u langs de belangrijkste bezienswaardigheden (1 uur).

EEN GLAASJE DRINKEN

Antico Caffé 1855 – Piazza Costituzione 10/11 - ✆ 070 658 206 - www.anticocaffe1855.it. Dit oude café combineert de charme van het verleden met de bedrijvigheid van een moderne bar.

UIT ETEN

Convento di San Francesco – Corso Vittorio Emanuele 58 - ✆070 654 570 - € 30. Geniet in een schitterend decor van seizoensgerechten en ontelbare wijnen.

SARDINIË

Torre di San Pancrazio
Op de **Piazza Arsenale** staat deze
toren *(189 treden - € 4)* van 1305.

★ Cittadella dei Musei
Deze moderne 'citadel' is het culturele
hart van de stad en verenigt de meest
prestigieuze musea van Cagliari.

★ Museo Archeologico Nazionale
Piazza Arsenale - ☎ *070 684 000- € 4.*
Dit nationaal archeologisch museum
biedt de meest volledige didactische
tentoonstelling over de Sardische beschaving. Op vier verdiepingen vertellen
archeologische vondsten van overal op
het eiland de geschiedenis van Sardinië.
De collectie begint bij de prehistorie
en gaat via het neolithicum, eneoli-
thicum en de eerste bronstijd naar de
nuragische cultuur en de verstedelijkte
beschavingen van het Middellandse
Zeegebied (11de-9de eeuw v. Chr.) meer
bepaald de Egyptische en oosterse beschaving. Dan volgen de Fenicische ko-
lonisatie van de kusten, de overwinning
van de Carthagers en de Romeinen. De
laatste periode die aan bod komt, is het
Byzantijnse tijdperk.

Pinacoteca Nazionale
☎ *070 662 496 - www.pinacoteca.*
cagliari.beniculturali.it - kaartjes verkrijg-
baar bij het Museo Archeologico € 2.
De nationale pinacotheek biedt een
schitterend uitzicht op de stad. Op drie
verdiepingen wordt een belangrijke
collectie kunstwerken tentoongesteld
die een goed overzicht biedt van de
Sardische kunst tijdens de overheersing
van de Aragonezen, met oude schilderijen van Sardinië (15de-16de eeuw),
altaarstukken uit de 15de-16de eeuw en
schilderijen uit de 16de-18de eeuw.

In de versterkte stad: Rione Castello
Het **Castello de Cagliari**, gelegen
binnen de vestingmuren die werden
voorzien van torens en bastions, is een
gezellige wijk. Langs de bedrijvige,
autovrije steegjes en de pleinen met
een lange geschiedenis kunt u veel
kerken bewonderen, zoals de **Santa
Croce** (1661), met zowel een vaste als
een vrijstaande klokkentoren; de **Santa
Monte di Pietà**, een mooi voorbeeld
van de platerescostijl (tweede helft van
de 16de eeuw); de **Della Purissima**,
een van de interessantste gotische
bouwwerken die de Aragonezen op
het eiland bouwden; de **Santa Lucià**,
waarvan het gotische interieur dat de
Aragonezen in de 16de eeuw verwezen-
lijkten, bewaard bleef.

★ Torre dell'Elefante
Via Santa Croce, hoek met de Via Univer-
sità - ☎ *320 052 20 83 - € 4.*
Deze 30 m hoge toren werd in 1307 in
blokken witte kalksteen opgetrokken en
dankt zijn naam aan het beeld van de
olifant dat op een kraagsteen staat. De
prachtige valpoort vormde ooit de toegang tot de middeleeuwse stad. Beklim
de 119 trappen en u wordt beloond met
een **schitterend uitzicht★★**.
Volg de Via Santa Croce, bewonder de
middeleeuwse huizen en loop door tot
het prachtige **uitzichtpunt★★** van de
Bastione di Santa Croce.

Piazza Palazzo
Dit plein is het historische hart van de
wijk en omvat mooie gevels.
Palazzo Regio (Koninklijk paleis) – In
1337 bouwden de Aragonezen dit paleis
op een bestaande constructie van de
Pisanen. Het was bestemd voor de

vicekoning. Het werd in 1769 veranderd tot woning voor het hof van Savoie en nu is de prefectuur er gevestigd.

Cattedrale di Santa Maria★★★ – De kathedraal onderging verschillende aanpassingen tot begin 20ste eeuw en is nu een complex gebouw dat sporen van verschillende stijlen vertoont. Van het oorspronkelijke gebouw is weinig bewaard gebleven. Van de tweede bouwfase, onder de Aragonezen (14de eeuw), bleef alleen de tweede kapel rechts van de apsis bewaard. Ze is voorzien van een indrukwekkend, waaiervormig gewelf. In de 17de-18de eeuw onderging het gebouw een make-over in barokstijl.

In het oosten van Cagliari: Rione Villanova

★★★ Basilica di San Saturno (of Saturnino)

Piazza San Cosimo - 📞 *070 201 03 61/ 01/02 - gratis.*

Deze schitterende basiliek is het oudste overblijfsel van de vroegchristelijke architectuur in deze streek (6de eeuw). Het gebouw had oorspronkelijk een grondplan in de vorm van een Grieks kruis en was voorzien van een koepel. Het centrale deel met vier zuilen die met elkaar verbonden zijn door bogen die de koepel ondersteunen, bleef bewaard. Er zijn ook nog resten te zien van de kleine, vierkante apsis.

Tussen 1082 en 1119 namen de monniken van de abdij van Saint-Victor in Marseille deze plek in. Ze bouwden er het klooster van San Saturnino als zetel van de Sardische priorij. Het romaanse gebouw bleef intact tot 1669, toen men de basiliek plunderde voor de renovatie van de kathedraal.

★★★ Santuario en Basilica Nostra Signora di Bonaria

Piazza Bonaria (ingangen in de Via Roma en aan de Piazzale Deffenu, volg de Viale Bonaria de heuvel op).

De basiliek van de Maagd van Bonaria, beschermheilige van de zeevaarders, is een van de eerste gebouwen die men ziet als men de stad via de zee nadert. Het gebouw dateert van 1324-1326 en is een uniek overblijfsel uit de periode waarin de Aragonezen de stad bezetten terwijl de Pisanen zich verscholen in de Rione Castello. Het gebouw werd eind 16de eeuw veranderd en bestaat nu uit een mooi schip met zes traveeën, die van elkaar worden gescheiden door spitsbogen. Bekijk zeker de **achthoekige apsiskapel★★★** met het waaiervormige gewelf, en het **houten standbeeld van de Maagd van Bonaria★★★** op het hoofdaltaar.

Excursie van een dag

Barumini en het archeologische complex Su Nuraxi

65 km ten noorden van Cagliari. Verlaat de stad westwaarts via de SS 131 en volg die tot Villasanta. Volg dan de SS 197 tot Barumini. De nuragische vindplaats is bereikbaar via de SP 44, aan de linkerkant.

★★★ Su Nuraxi

📞 *070 936 81 28 - rondleidingen elk halfuur; laatste rondleiding begint 2 uur voor zonsondergang - € 10.*

Dit is een van de belangrijkste overblijfselen van de megalithische architectuur, door de Unesco in 1997 uitgeroepen tot werelderfgoed.

Nuraghe – De *nuraghe* zijn buitengewoon complexe bouwwerken van basaltblokken. Ze vormden de basiselementen in de Nuragische periode (1800-500 v. Chr.). De *nuraghe* zijn bijzonder goed bewaard gebleven. Het *nuraghe*-dorp Su Nuraxi bestaat uit verschillende gebouwen en een toren met de vorm van een afgeknotte kegel met drie zalen boven elkaar. Het dorp ontstond in de middenbronstijd (16de-13de eeuw v. Chr.). In een tweede bouwfase werd de centrale donjon omringd door een veelhoekig bastion met vier torens die met elkaar verbonden waren via weermuren. Binnen de muren was er een 20 m diepe put. Die binnenplaats vormde het centrum van een architecturaal stelsel met trappen, beweegbare bruggen en doorgangen in de muren. **Hutten** – Het vanuit wetenschappelijk oogpunt erg bijzondere en spectaculaire dorp telde ongeveer 200 hutten, die oorspronkelijk bestonden uit één ruimte waarop een dak van takken lag. Deze hutten werden vanaf de late bronstijd gebouwd. Uit die periode

dateert hut 80, die waarschijnlijk een politieke en religieuze functie had. In de vroege ijzertijd werd om het bastion een dikke muur gemetseld. Daardoor werd de voormalige ingang afgesloten en vervangen door een verhoogde ingang. Een eerste ruw stadsplan ontstond tussen de 9de en 7de eeuw v. Chr. toen er riolering, waterkanalen en een soort straat werden aangelegd. In diezelfde periode werden ook de eerste huizen met 'binnenhof' gebouwd. Ze bestonden uit verschillende ruimten en waren voorzien van een centraal atrium, sommige hadden zelfs een waterput.

★ Het dorp Barumini

Barumini is sinds het 2de millennium v. Chr. onafgebroken bewoond geweest. Het dorp is op harmonieuze wijze geïntegreerd in het landschap.
Bekijk er de **Chiesa di San Francesco** (17de eeuw) die een onderdeel is van het kapucijnenklooster dat hoog in het dorp staat, de **Chiesa di San Nicola**, die werd gebouwd in de archaïsche Pisaanse stijl, de schitterende **Chiesa di San Giovanni★**, die het oudste gebouw in dit dorpje is, de **Parocchiale dell'Immacolata★** in laatgotische stijl (midden 16de eeuw), de kleine **Chiesa di Santa Tecla** en de **Chiesa di Santa Lucia** (15de-16de eeuw).
Het **Casa Zapata★** *(Piazza Giovanni XXIII - ☏ 070 936 84 76 - € 7)* uit de 16de eeuw is een van de zeldzame voorbeelden op Sardinië van de architectuur ten tijde van de Spaanse overheersing. Het huis, dat nu een museum is, werd gebouwd op de overblijfselen van een heel oude *nuraghe*, de **Nuraxi e' Cresia**, die nog te bezichtigen is binnen in het huis.

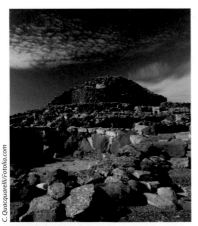

C. Quacquarelli/Fotolia.com

Het indrukwekkende complex Su Nuraxi

Olbia★

Achter in een baai in het noordoosten van Sardinië ligt Olbia, al sinds de oudheid een havenstad en nu nog de belangrijkste haven van Sardinië en de grootste passagiershaven van Italië. In deze dynamische en economische motor van Sardinië bleven veel sporen uit het verleden bewaard.

Excursies van een halve dag

Het stadscentrum

★ Museo Cittadino

Isolotto di Pedone - ℰ 078 955 77 32 of ℰ 340 811 93 40 - gratis.
Dit stedelijk museum werd ontworpen door de moderne architect Vanni Macciocco. Het staat op een eilandje en lijkt te zweven rond een grote, centrale patio waar de Romeinse scheepswrakken worden tentoongesteld die in 1999 bij de aanleg van de onderzeese tunnel naar de haven van Olvia werden ontdekt. Op de eerste verdieping wordt een schipbreuk voorgesteld.

Municipio

Het stadhuis is een mooi gebouw van 1932, ontworpen door de ingenieur Bruno Cipelli voor de familie Colonna. Het werd voorzien van een pronaos met een balkon en ramen met rondbogen. De rijkelijke versieringen werden aangebracht in industrieel beton.

Chiesa di San Paolo

Deze kruisvormige kerk werd gebouwd in 1747 en heeft een vierkante, granieten campanile waarvan de koepel is bekleed met faience (1939).

★★ Basilica di San Simplicio

Via San Simplicio - gratis.
De basiliek is het belangrijkste gebouw van Olbia. Ze staat niet ver van een oude, Romeinse necropolis. Ze is een perfect voorbeeld van de Sardische, romaanse stijl en werd in drie fasen gebouwd, van eind 11de tot begin 12de eeuw. In de sobere voorgevel zit in de boog links van het portaal een marmeren bas-reliëf en er zijn acht holtes met keramiek. Het drieledige venster bovenaan is verdeeld door marmeren zuiltjes. In de kerk worden de drie schepen van elkaar gescheiden door bogen die afwisselend steunen op zuiltjes en breukstenen pilasters.

In de omgeving van Olbia

★ Santuario nuragico di Cabu Abbas

7 km ten noordoosten van Olbia via de SP 82. Neem na de Chiesa di Santa Maria het pad naar de heuvelrug (30 min. H/T).
Dit heiligdom bestaat uit een ronde toren met twee nissen en in het midden een waterput. Bij opgravingen werden de overblijfselen van offers blootgelegd. Mooi **uitzicht★** op de Golf van Olbia.

★★ Isola Tavolara

Te midden van een waterreservaat bewaakt het Isola Tavolara als een schildwacht de Golf van Olbia. Het eiland is 1 km breed en 6 km lang en gemiddeld 550 m hoog. Het **jachthaventje**, de huizen, het ontroerende **kerkhof** en het **strand** maken van dit eiland een fijne bestemming. U kunt er duikexcursies maken om de fauna en flora te verkennen.

Olbia is de belangrijkste haven van Sardinië.
Jores Rossetti

OLBIA PRAKTISCH

Ufficio informazioni turistiche Provincia di Olbia-Tempio – Via A. Nanni 17/19 - ℘ 078 955 77 32.

VERVOER
Per auto – Autoverhuur in de haven - ℘ 078 920 41 79/078 924 696 - www.olbiagolfoaranci.it.
Per boot – Er vertrekken veerboten naar het Isola Tavolara aan de aanleg- steiger van Porto San Paolo (kaartjes zijn te koop op de kade; in de zomer elke 30 min. 9.00-13.30 uur, de oversteek duurt 20 min.) of in de haven van Olbia.

EEN GLAASJE DRINKEN
Caffè Cosimino – Piazza Regina Margherita 3 - ℘ 078 921 001. Omringd door vergeelde foto's van het oude Olbia geniet u hier van lekkere koffie, fruitige cocktails of een lekker hapje.

UIT ETEN
La Taverna del Lupo di Mare – Via Libertà 95 - ℘ 078 961 60 94 - www. tavernadellupodimare.com - € 20-35. Deze 'taverne', een combinatie van een pizzeria en een restaurant, biedt u Sardi- sche en Siciliaanse specialiteiten in een landelijke omgeving, maar met uitzicht op de zee.
La Corona – Isola di Tavolara ℘ 078 936 695 - gesl. okt.-maart - € 30. In dit restaurant op het strand serveert men streekgerechten.

WINKELEN
Enoteca Marco Buioni – Viale Aldo Moro 133 - ℘ 078 957 174. Traditionele Sardische producten, waarbij vooral de meest prestigieuze merken van het eiland vertegenwoordigd zijn.

La Maddalena★★

De La Maddalena-archipel omvat zeven eilanden ten noordoosten van Sardinië en dankt zijn naam aan het grootste eiland, La Maddalena. Een zestigtal eilandjes van graniet en schist vormen een fantastisch landschap dat voortdurend verandert ten gevolge van de erosie door de wind en de zee. De archipel is de ideale habitat voor vele zeevogels, plantensoorten en waterplanten, kortom, hier vindt u nog een stukje ongerepte natuur.

Excursies van een halve dag

★★ La Maddalena
Dit is het grootste van de zeven eilanden die de archipel vormen. Het heeft een 45 km lange kust en is 20 km² groot. Het driehoekige eiland heeft in het midden een 156 m hoog plateau op de top van de Guardia Vecchia. Het water om het eiland is uitgeroepen tot nationaal park en is een van de mooiste plekken op Sardinië om te duiken.

Het dorp
Het dorp La Maddalena – In de hoofdplaats van het eiland wonen 11.000 van de 15.000 inwoners van de hele eilandengroep. Het dorp ligt in het midden van de zuidkust en werd in de 18de eeuw gesticht op initiatief van het Huis van Savoie. Na 1887, toen er een Italiaanse marinebasis werd gebouwd, breidde het dorp sterk uit.

Piazza Garibaldi★ – De *piazza rossa* (rode plein) dankt zijn bijnaam aan de rode bestrating. Het is het hart van het dorp met enkele openbare gebouwen, zoals het **Municipio** (gemeentehuis), maar ook winkels en cafés, waar het in de zomer in de vroege avond, als het tijd is voor een aperitief, erg druk is. Het plein vormt de toegang tot de oude dorpskern met steegjes met trappen.

Chiesa di Santa Maria Maddalena – Deze kerk werd gebouwd in 1779-1780. Het kleine bisschoppelijke museum dat erbij hoort, bezit een collectie juwelen die gedurende twee eeuwen als ex voto werden meegebracht, waaronder een zilveren kruis en twee kandelaars die admiraal Nelson aan het dorp schonk toen hij aanmeerde bij La Maddalena na de Slag bij Trafalgar.
De oude vissershuizen rond de kerk zijn met elkaar verbonden via kleine binnenpleinen en trappen.

Cala Gavetta★★ – Volg de Via Vittorio-Emanuele westwaarts tot de Cala Gavetta, een lieflijke vissershaventje, en de jachthaven met 18de-eeuwse huizen.

Piazza Umberto I – Vanaf deze grote esplanade geniet u van een **uitzicht★** op de eilanden ten zuiden van La Maddalena en de kust van Sardinië.

★ De overhangende kustweg
De kustweg loopt om het hele eiland *(20,5 km)* en biedt schitterende uitzichten. Volg de weg tot het **Museo archeologico navale Nino Lamboglia** *(in het dorp Mongiardino - ✆ 078 979 06 33)*. Dit archeologische museum is gewijd aan de archeologie onder water en aan een Romeins scheepswrak dat omstreeks 120 v. Chr. zonk bij het Isola di Spargi.

De stranden
De nog ongerepte stranden bieden helder water in een landschap van granietrotsen. Vanuit het dorp bereikt u gemakkelijk **Punta Tegge** in het zuidwesten van het eiland. Volg de kustweg een beetje verder noordwaarts tot de **Cala Nido d'Aquila** en de **Cala Francese**. Ook het witte zandstrand van **Baia Trinita** is gemakkelijk bereikbaar en is een van de grootste stranden van het eiland.

★★★ Caprera
Het eiland Caprera ligt ten oosten van La Maddalena en is daarmee verbonden via een 600 m lange brug (de wijk Moneta). Dit op één na grootste eiland van de archipel is 15,75 km^2 groot en heeft 34 km kust. Het is het mooiste eiland door het prachtige landschap en de rijke flora. Het eiland is niet voortdurend bewoond, alleen de veehoeders verblijven er enkele maanden per jaar als ze hun kudden begeleiden.
Aan de oostkant van het eiland klimt een weg naar de top van de 212 m hoge Monte Teialone. Aan de noordoostkant van het eiland duiken de **rotsen★★★** heel abrupt de zee in en een beetje verderop ligt de **Cala Coticcio★★**, een prachtige kreek. De stranden van Caprera zijn niet alleen rustiger dan die van La Maddalena, maar ook mooier.

★ Casa Museo di Giuseppe Garibaldi
Ga bij de eerste splitsing rechtsaf en sla links af voorbij de brug - € 5.
Na de dood van zijn partner Anita en na de val van de Romeinse Republiek vestigde Garibaldi zich op Caprera. Hij kocht er in 1855 een prachtig domein. In 1978 werd het omgevormd tot een museum. Aan het eind van de laan liggen de heel eenvoudige graftombe van de held en het kleine kerkhof waar een deel van zijn familie begraven ligt.

★★★ Boottocht om de archipel
Vanuit een boot ziet u het beste hoe mooi deze eilandengroep is. Met de boot kunt u ook ongerepte eilandjes verkennen.

Spargi en Spargiotto
Ten westen van La Maddalena ligt het eiland **Spargi**, bekend om zijn witte zandstranden aan de oostkant, zoals **Cala Corsara**, **Cala Connari** en **Cala Granara**. Op **Spargiotto**, waar de mistral zich duidelijk laat voelen, broeden kuifaalscholvers en Audouins meeuwen.

Budelli
Ten noorden van Spargi ligt het eiland Budelli met het bijzondere **Spiaggia rosa★★★**, het roze strand dat zijn kleur dankt aan de hoge concentratie koraalafval en stukjes schelpen.

Il Porto Madonna
In deze prachtige lagune tussen Budelli, Razzoli en Santa Maria werden speciale zones afgebakend om te snorkelen en vogels te observeren.

Razzoli en Santa Maria
Tussen deze twee eilanden loopt de smalle Passo degli Asinelli. De indrukwekkende vuurtoren van Razzoli steekt boven de Bocche di Bonifacio uit. Op Santa Maria staan enkele huizen, gebouwd voor elke vorm van bebouwing werd verboden, een bescheiden klooster waar zich in de middeleeuwen monniken terugtrokken en hier vindt u een van de grootste stranden van de archipel, **Cala Santa Maria**.

De haven van La Maddalena
Walter Bibikow/age fotostock

LA MADDALENA PRAKTISCH

Ufficio informazioni turistiche La Maddalena – Piazza Barone Des Geneys - ✆ 078 973 63 21 - www.comune.lamaddalena.ot.it.

VERVOER

Stadsbussen – In La Maddalena vertrekken de stadsbussen aan de zuil van Garibaldi, vlak bij de Via Amendola. Ze rijden tot Suareddu, 3,6 km noordwaarts. De bussen rijden doorgaans eenmaal per uur. Kaartjes koopt u op de bus of in een tabakswinkel *(tabacchi)*, die u herkent aan de grote 'T'. **Turmotravel** (✆ 078 921 487 - www.gruppoturmotravel.com). **Autolinea Nido d'Aquila** zorgt voor een verbinding met het eiland Caprera.

Per boot – Vanuit de haven van La Maddalena vertrekken veel boottochten. Prijzen vanaf € 35 voor een halve dag, inclusief maaltijd, bezoek aan de eilanden en enkele stranden.

Taxis – Via Amendola - ✆ 078 973 65 00; **Taxi e minibus di Acciaro** - ✆ 328 800 33 53/340 155 40 00); **Taxi Giuseppe** – ✆ 340 361 64 66.

UIT ETEN

Al Brigantino – Via Giovanni Amendola 43 - ✆ 078 973 72 94 - dag. behalve zo. (behalve in de zomer) en okt.-nov. Visgerechten op basis van het marktaanbod en een dertigtal soorten pizza.

Ristorante Sottovento – Via E. Dandolo 9 - ✆ 078 973 00 37 - www.ristorantilamaddalena.it - dag. behalve ma. (behalve in de zomer) en dec.-jan. In dit gezellige restaurant met kleine binnentuin serveert men vis en zeevruchten en streekgerechten met streekproducten (ham, worst, pecorino, *carasau*).

De beroemde gondels van Venetië

ITALIË

Elke Italiaanse haven, van de Middellandse tot de Adriatische Zee, van de Amalfitaanse kust tot de Golf van Venetië, biedt toegang tot steden met een uniek erfgoed, waar meesterwerken uit de renaissance en barok naast ru-ines uit de oudheid staan en waar de mediterrane sfeer is doorspekt met lokale accenten. Het land wordt omringd door paradijselijke zandstranden en rotsachtige baaien die overgaan in een smaragdgroene zee.

Officiële naam: Italiaanse Republiek
Plaatselijke naam: Italia
Hoofdstad: Rome
Officiële taal: Italiaans
Oppervlakte: 301.336 km^2
Inwoners: 59,5 miljoen
Munteenheid: euro
Telefoneren naar Italië: Kies 00 + 39 + het nummer van de correspondent.
Tijdsverschil: Er is in Italië geen tijdsverschil met België en Nederland.
Winkelen/openingstijden: In Italië zijn de winkels doorgaans open van 9.00 tot 13.00 uur en van 15.30 tot 19.30 uur. In badplaatsen blijven veel winkels tot laat op de avond open. In de meeste grote steden zijn de winkels in winkelcentra gewoon-lijk doorlopend open van 9.30 tot 20.00 uur.

Winkelen/kledingmaten: Houd er rekening mee dat de Italiaanse kleding- en schoenmaten afwijken van die in België en Nederland. Om de Italiaanse maten om te zetten naar de Nederlandse/Belgische, moet u er enkele maten aftrekken. Bij de schoenmaten moet u een maatje bijtellen. Passen is de boodschap!
Winkelen/nepkleding: Let in toe-ristische plaatsen op voor nepkleding. U loopt het risico een hoge boete te betalen als u nepkleding koopt.
Gepaste kleding voor vererings-plaatsen: draag gepaste kleding als u een vereringsplaats bezoekt (een lange broek voor mannen, een niet te korte rok en bedekte schouders voor vrouwen). Bezoekers die deze regel niet respecteren, kan de toegang worden geweigerd.

95

Enkele Italiaanse woorden...

Ja **Sì** / Nee **No** / Goedendag **Buongiorno** / Goedenavond **Buonasera** / Hallo **Ciao** / Tot ziens **Arrivederci** /Alstublieft **Per favore** / Dank u wel **(molte) Grazie** / Excuseer **Scusi** / Oké **Va bene** / Proost! **Cin-cin!** / Eten **Mangiare** / Drinken **Bere** / Toiletten **Il bagno** / Restaurant **Ristorante** / Dienst voor Toerisme **Ufficio di turismo** / Geld **Denaro /** Spreekt u Frans? **Parla francese?** / Spreekt u Engels? **Parla inglese?** / Ik begrijp het niet **Non capisco** / Kunt u me helpen? **Potrebbe aiutarmi?** / Hoeveel kost het? **Quanto costa?** / Haven **Porto** / Boot **Barca** / Strand **Spiaggia**

Savona

In de regio Ligurië in Noordwest-Italië ligt Savona, de op zes na grootste haven van het land en een belangrijke handels- en industriestad. Ze schonk de kerk twee pausen, Sixtus IV en Julius II, die de stad grote welvaart bezorgden. De stad was lang de vijand van Genua, die in 1528 haar haven vernielde, maar bloeide weer op toen Napoleon de haven heraanlegde.

Excursies van een halve dag

De stad

De renaissancepaleizen
De hoofdstraat in de oude stad is de bochtige Via Pia. In de middeleeuwen bezat elke machtige familie een paleis. Enkele daarvan zijn bewaard gebleven, zoals het **Palazzo Pavese Spinola**, het **Palazzo Sansoni** en het **Palazzo della Rovere** (Via Pia 28).

Fortezza del Priamar
Deze vesting aan de zee werd in 1542 gebouwd nadat Genua in 1528 de vorige vesting had vernield (alleen het Palazzo della Loggia van 1417 is bewaard gebleven van de eerste vesting). De patriot Giuseppe Mazzini werd er in 1830 gevangen gehouden.

Il duomo
De kathedraal werd tussen 1589 en 1605 gebouwd. Binnen bleef het barokke interieur bewaard, terwijl de voorgevel in de 19de eeuw werd veranderd. Bewonder het houtwerk binnen (1500-1515) en de 'Sixtijnse kapel' die in de 15de eeuw werd gebouwd als mausoleum voor de ouders van paus Sixtus IV. De Chiesa di Santa Maria di Castello, die naast de duomo staat, bezit een opmerkelijk **veelluik**★ van **Vincenzo Foppa** (eind 15de eeuw) dat Maria met heiligen voorstelt.

La pinacoteca civica
Piazza Chabrol - ☎ 019 838 73 91 - € 4.
De stedelijke pinacotheek is ondergebracht in het Palazzo Gavotti in de oude stad en bezit een van de grootste kunstcollecties van Ligurië. U ziet er schilderijen, beelden, keramiek, schetsen en gravures uit de 14de-19de eeuw.

De stranden
Verschillende stranden kregen het label 'De blauwe vlag', zoals het **Spiaggia delle Fornaci** en het **Spiaggia della Natarella**. De promenade langs de kust loopt van de oostelijke oever van de rivier Letimbro naar de vesting van Priamar langs een openbaar strand.

★ Albissola Marina
4 km ten noordwesten van Savona via de Via Aurelia (SP1) of per bus TPL (nr. 7, 18, 19 en 30).

Villa Faraggiana
☎ 019 48 06 22 - www.villafaraggiana.it - half maart-sept. 15.00-19.00 u; gesl. ma. en de rest van het jaar - € 8.
De ambachtelijke keramiekproductie ontstond al in de 13de eeuw in Albissola. In de **Villa Faraggiana** (18de eeuw), die te midden van een mooi, exotisch **park**★ ligt, wordt de geschiedenis van de keramiekproductie verteld aan de hand van empiremeubelen, keramiektegels en de prachtige **balzaal**★ met fresco's en stucwerk.

Albissola staat bekend om de keramiekproductie
Yoko Aziz/age fotostock

SAVONA PRAKTISCH

Ufficio di Informazione ed Accoglienza Turistica di Savona – Via Paleocapa 76r - ℘ 019 840 23 21 - www.turismo.provincia.savona.it

VERVOER
Per taxi – **Autoradio Taxi** - Via Lichene, 6 - ℘ 019 808 080, 019 827 951, 337 260 026.

EEN GLAASJE DRINKEN
Cafè S.M.S. – Via Chiesa, 1. Aan de promenade. Dit kleine, gezellige café met terras ligt aan de mooie kustpromenade.
Bar Besio – Piazza Mameli, 21r. Deze bar is een gevestigde waarde in de stad en is vooral bekend om de patisserie en de *chinotti* (kleine, gekonfijte citrusvruchten) die gedrenkt werden in maraschino.

UIT ETEN
Vino e Farinata – Via Pia, 15/r - gesl. zo. en ma. en 10 dagen in aug.-sept. De minuscule, betegelde ingang van deze oudste winkel van *farinate* (wafeltjes gemaakt van kikkererwtenmeel) is al 130 jaar onveranderd gebleven. De specialiteit van het huis wordt nog steeds zoals vroeger gebakken in de oven achter de toonbank.

WINKELEN
In Albissola Marina zijn er verschillende keramiekateliers en -galeries. U vindt er allerhande kunst- en gebruiksvoorwerpen, zowel traditionele als hypermoderne.

Genua★★★ (Genova)

De hoofdstad van Ligurië is prachtig gelegen. De bezoeker die de stad via de belangrijkste haven van Italië nadert, ziet al van ver de kleurrijke gevels van deze stad vol contrasten. Ze ligt als een amfitheater tegen een berghelling en biedt de bezoeker zowel chique paleizen en weelderige kerken als bescheiden huizen in smalle steegjes. De stad van Christoffel Columbus is ook een levendige artistieke stad waarvan de straten en de renaissancepaleizen door de Unesco zijn uitgeroepen tot werelderfgoed.

Excursie van een halve dag

★★★ De haven F1-2
De grootste haven van Italië is immens groot en strekt zich over bijna 30 km uit. In het westen geeft de vuurtoren **Lanterna**, het symbool van de stad, toegang tot de moderne haven Sampierdarena (Porto Nuovo). In het oosten ligt de **oude haven** (Porto Vecchio). Ze werd in 1992 volledig gerenoveerd en is nu, met de cafés, restaurants en winkels, een van de populairste wijken in de stad. Hier staat ook de **Bigo**, een constructie van **Renzo Piano** met een panoramische lift die u een spectaculair **uitzicht★★** op de stad biedt. € 4.

★★★ Acquario F2
Area Porto Antico, Ponte Spinola - ☏ 010 23 45 678 - www.acquariodigenova.it - € 19.
In het grootste aquarium van Europa maakt u kennis met de verschillende biotopen in de Middellandse Zee. Hier vlakbij staat ook de **Biosfera**, een glazen bol die **Renzo Piano** ontwierp voor de G8 in 2001.

★★ Palazzo del Principe buiten F1
Piazza del Principe, 4 - ☏ 010 25 55 09 - www.palazzodelprincipe.it - 10.00-17.00 u - € 12.
Deze 16de-eeuwse woning van Andrea Doria, die in 1531 tot prins werd benoemd, werd versierd door een leerling van Raffaël in Rome, **Perin del Vaga**. Hij maakte verschillende **fresco's★**.

Antichi Magazzini del Cotone buiten F2
De voormalige **katoenopslagplaatsen** werden gerestaureerd door Renzo Piano. Ze werden in 1901 gebouwd. Op de eerste verdieping bevindt zich nu **Città dei Bambini★** *(Kinderstad, doecentrum voor kinderen, € 5).*

★ Galata Museo del Mare buiten F1
Calata De Mari, 1 - € 10.
Dit nieuwe museum bevindt zich ten westen van de oude haven in het oudste gebouw van het arsenaal van de republiek. Op vier verdiepingen wordt de geschiedenis van de haven van Genua en het maritieme leven in de stad chronologisch verteld. De duidelijke opstelling, de mooie en boeiende collectie en de interactieve schermen maken dit tot een erg boeiend museum.

★★★ Genua in de gouden eeuw
Verken de stad uit de 16de-17de eeuw vanaf de Piazza Matteotti.

★ Palazzo Ducale G2
Piazza Matteotti, 9 - ☏ 010 55 74 000 - www.palazzoducale.genova.it - gratis, behalve tentoonstellingen, € 8.

Detail van de schitterende Cattedrale di San Lorenzo
A & G Reporter/Tips/Photononstop

GENUA PRAKTISCH

Dienst voor Toerisme –
Via Garibaldi : ☏ 010 55 72 903/751 ;
Piazza De Ferrari (Teatro Carlo Felice).

VERVOER
Van de haven naar de stad – De
haventerminal ligt op 500 m van de Via
Gramsci die naar de oude haven loopt.
Openbaar vervoer – AMT beheert
het bus- en metronetwerk, liften en kabelbanen. Kaartje voor 90 min.: € 1,20;
voor 24 uur: € 3,50. www.amt.genova.it.
Per auto – Avis - Via Pionieri e Aviatori
d'Italia - ☏ 010 651 51 01.
Per boot – Bezichtigingen en minicrui-
ses: www.liguriaviamare.it.
Toeristentreintje – Rijdt langs de
dorpen en heuvels tussen Genua en
Casella. Vertrek: dag. vanuit het station
Genua-Casella. ☏ 010 83 73 21 - www.
ferroviagenovacasella.it.

EEN GLAASJE DRINKEN
Mangini – Via Roma, 91 r. Beroemd
café annex banketbakkerij uit 1876.

UIT ETEN
Cantine Squarciafico – Piazza
Invrea, 3 r - ☏ 010 24 70 823 - www.
squarciafico.it. Dit restaurant in een van
de oudste cisternes van het Palazzo
Squarciafico (16de eeuw) biedt Genuese
streekgerechten.
Antica Cantina I Tre Merli – Vico
dietro il coro della Maddalena, 26 r -
☏ 010 24 74 095 - www.itremerli.it. In
deze gezellige *trattoria* kunt u de typische *Focaccia al formaggio* proeven.

WINKELEN
Drogheria di Vico dei Notari – Vico
Notari. Ouderwets winkeltje met zeep,
parfums en essences.

Wat zes eeuwen lang het machtscentrum van de republiek was, is nu een tentoonstellingsruimte. De **kapel★** is vanbinnen gedecoreerd met fresco's van G.B. Carlone.

Chiesa del Gesù G2

De jezuïeten bouwden deze kerk eind 16de-begin 17de eeuw volledig herop tot een pareltje van de barok. Het weelderige interieur omvat verschillende kunstwerken, waaronder twee heel mooie **doeken van Rubens★★**.

Palazzo Doria Spinola H2

Dit vierkante paleis dat tussen 1541 en 1543 werd gebouwd, had oorspronkelijk slechts twee verdiepingen. De eerste verdieping, met loggia, werd versierd met een fries van stucwerk en binnen zijn fresco's te zien van L. Cambiaso (16de eeuw). Ze stellen Italiaanse en buitenlandse steden voor (onder andere Genua). Nu is de prefectuur in het paleis gevestigd.

★★★ Via Garibaldi G2

Midden 16de eeuw lieten aristocratische families weelderige paleizen bouwen in deze straat die een van de mooiste van heel Italië is. In 1576 werd een officiële lijst opgesteld van deze aristocratische paleizen (*Lista dei Rolli*). De eigenaars werden gedwongen onderdak te verlenen aan de gasten van de markies. Van deze zogenoemde Palazzi dei Rolli werden er 42 in 2006 door de Unesco uitgeroepen tot werelderfgoed. Enkele van de meest opmerkelijke paleizen zijn het **Palazzo Lomellino★** *(www. palazzolomellino.org)* en het weelderige **Palazzo Tursi★★**, nu het stadhuis en een museum *(zie verderop)*.

In de naburige straten zitten verschil-lende opmerkelijke kerken verscholen, zoals de **Chiesa di San Siro**, waarvan het **interieur★** in de 17de eeuw door G.B. Carlone werd voorzien van fresco's, of de **San Filippo Neri**, een voormalig klooster van eind 17de-begin 18de eeuw. Op de Piazza del Carmine staat de **Chiesa de la Santissima Annunziata del Vastato** (17de eeuw), waarvan de **decoratie★★** in het interieur typisch is voor de barok van Genua.

★★ Musei di Strada Nuova G1-2

www.museigenova.it) - € 8 per museum. Drie palazzi in de Via Garibaldi, Palazzo Tursi, Bianco en Rosso, worden nu gebruikt als tentoonstellingsruimte: **Pinacoteca di Palazzo Bianco** – Het eerste werk dat de bezoeker te zien krijgt, is de kostbare *mantel van de H. Laurentius, de H. Sixtus en de H. Hippolytus* (13de eeuw), die de Byzantijnse keizer aan de republiek Genua schonk ter gelegenheid van een verdrag dat in 1261 werd afgesloten. Dat Genua goede handelsrelaties onderhield met de Nederlanden, blijkt uit de vele Vlaamse en Hollandse werken uit de 15de-17de eeuw (Gérard David, Hans Memling, Van Dyck, Rubens...) die naast de Italiaanse (Veronese, Palma il Giovane), Spaanse (Murillo) en Genuese werken hangen.

Galleria d'Arte di Palazzo Rosso – In deze kunstgalerij hangen werken van Palma il Vecchio, Guido Reni, Guercino, Mattia Preti en van Genuese kunstenaars, zoals Guidobono. Op de tweede verdieping krijgt de bezoeker opmerkelijke **portretten★** te zien die Van Dyck schilderde, en een collectie houten beelden uit de barok. De belvedère

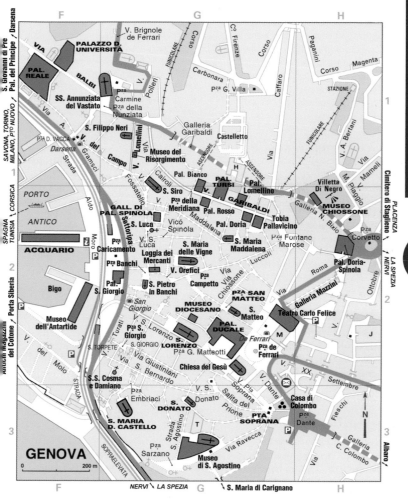

GENOVA

0 _____ 200 m

biedt een heel mooi uitzicht op de Via Garibaldi en de oude stad.

Palazzo Tursi – In dit paleis bewaart men manuscripten van Christoffel Columbus *(ze zijn normaal gezien niet te zien)*, de beroemde viool van Paganini die werd gemaakt door *Guarneri del Gesù*, decoratieve kunst (faience, wand-tapijten, meubelen) en een collectie munten, gewichten en maten uit de oude republiek Genua.

★ Via Balbi F1
In de meest westelijk gelegen straat van de nieuwe straten die in de gou-den eeuw werden aangelegd, staan interessante paleizen. Op nr. 1 staat het 17de-eeuwse Palazzo Durazzo Pallavicini. Op nr. 5 staat het indrukwek-kende **Palazzo dell'Università★** (ook uit de 17de eeuw) met een binnentuin en een majestueuze trap. Het **Palazzo Reale** *(Koninklijk paleis – ℘ 010 27 10 236 - www.palazzorealegenova.it - € 4)* op nr. 10 werd in 1650 gebouwd en was vanaf 1824 de officiële verblijfplaats van het huis van Savoie in Genua. Het bezit een prachtig interieur.

★ Chiesa en Commenda di San Giovanni di Prè buiten F1
Van de romaanse kerk die in 1180 werd opgericht voor de Orde van Malta bleef de stenen spits bewaard. Nu is in de kerk een van de maritieme musea van de stad ondergebracht.

★★ De oude stad
De oude stad strekt zich ten oosten van de oude haven uit en bestaat uit een wirwar van smalle, schilderachtige steegjes waarin hoge huizen staan. Het is nog altijd een populair stadsdeel, met veel winkels en veel bedrijvigheid.

★★ Cattedrale di San Lorenzo G2
℘ 010 24 71 831 - € 6.
Deze kathedraal werd in de 12de eeuw gebouwd en tot de 16de eeuw regelmatig veranderd. Ze heeft nu een prachtige, gotische **voorgevel★★** in Genuese stijl, met witte en zwarte stroken. Het **interieur★** bestaat uit een centraal schip dat bovenaan werd voorzien van een vals matronaeum (vrouwengalerij) en op marmeren zuilen rust. Het skelet van de heilige wordt bewaard in de **Cappella di San Gio-vanni Battista★**. Tot de **kerkschat★** behoort de bekende **'Sacro Catino'**, volgens de legende de heilige graal. In de **kloostergang★** van de kanunniken (Chiostro dei Canonici) bevindt zich nu het **Museo diocesano★** *(Bisschoppe-lijk Museum, € 6).*

★ Piazza San Matteo G2
Klein, harmonieus plein met veel paleizen (13de-15de eeuw) in het hart van de stad.

Piazza Banchi
Aan dit plein staat de **Loggia dei Mercanti** (handelaarsloggia) van eind 16de eeuw, en de verbazingwekkende **Chiesa di San Pietro in Banchi** met trompe-l'œilgevel.

★★ Galleria Nazionale di Palazzo Spinola G2
Piazza Pellicceria, 1 - ℘ 010 27 05 300 - www.palazzospinola.it - € 4.
In dit paleis dat de familie Grimaldi eind 16de eeuw liet bouwen, bleef de **interieurdecoratie★** bewaard. Op de twee bovenverdiepingen ziet u de evolutie van de stijl van meubelen van de 16de tot de 18de eeuw en u ziet er mooie fresco's op de **plafonds★**, zoals

de weelderige barokfresco's van Tava-rone (17de eeuw), de luchtigere fresco's van Ferrari en Galeotti (18de eeuw). Daarnaast wordt een **collectie schil-derijen★** uit de Italiaanse en Vlaamse renaissance tentoongesteld.

★ Santa Maria di Castello G3
Deze kerk, een parel uit de romaanse kunst, werd in de 12de eeuw gebouwd op de resten van een oudere kerk.

★ San Donato G3
Het oorspronkelijke portaal van deze kerk uit de 12de-13de eeuw bleef bewaard, net zoals een achthoekige **campanile★** in romaanse stijl.

★★★ Promontorio di Portofino
De kaap van Portofino ligt ongeveer 40 km ten oosten van Genua, aan de S 1. U vindt hier een van de mooiste land-schappen van de Ligurische Riviera.

Parco naturale regionale di Portofino
Toegang: Viale Rainusso, 1 - Santa Marg-

Portofino, aan de Ligurische kust

 — caption credit: *Jon Arnold/hemis.fr*

herita Ligure - ☏ 0185 28 94 79 - www.parcoportofino.it.
Het regionale natuurpark omvat de hele kaap die op het hoogste punt 610 m hoog is. Dit natuurlijke balkon strekt zich over meer dan 3 km in de zee uit en scheidt de Golfo Paradiso in het westen van de **Golfo del Tigullio** in het oosten. Het natuurgebied (1200 ha) telt 680 inwoners, die in Camogli, Portofino en Santa Margherita Ligure wonen. Het park is een overgangsge-bied tussen de Apennijnse bossen en de maquis, de kastanje- en de olijventeelt, de landbouw en de zeevaart. De vele wandelpaden bieden u alle kansen om dit unieke landschap met een erg bijzondere flora te verkennen. Waar de kaap de zee induikt, bevinden zich grote kolonies rood koraal, waardoor deze plek een van de mooiste in het Middellandse Zeegebied is. Op achttien plaatsen kunt u duiken.

★★★ Portofino
U bereikt dit vissersdorpje via de **over-hangende kustweg★★** die schitte-rende uitzichten biedt op de rotsachtige kust van het schiereiland. De kleurrijke huisjes van Portofino liggen achter in een natuurlijke kreek.
De mooie **wandeling naar de vuurtoren★★★** *(1 uur te voet H/T)* leidt u langs prachtige uitzichtpunten te midden van de olijfbomen, taxussen en dennenbomen. Vanaf het **kasteel**, het voormalige Castello San Giorgio *(bereik-baar via de trappen vanuit de haven bij het kerkje San Giorgio)*, geniet u van een prachtig **uitzicht★★★** op Portofino en de **Golfo di Rapallo★**. Loop door naar de vuurtoren, vanwaar u tot La Spezia kunt zien.

Livorno

Hoewel tijdens de Tweede Wereldoorlog veel schade werd aangericht in Livorno, bewaarde de schilderachtige wijk La Venezia met de vele kanalen haar charme. De stad ademt de smaak en geur van de zee en dat uit zich ook in de gastronomie. Vanuit deze stad kunt u een van de beroemdste Italiaanse gebouwen bezoeken, namelijk de toren van Pisa.

Excursie van een halve dag

De oude stad

★ Monument 'I quattro mori'

Dit monument werd opgericht op de Piazza Micheli ter herdenking aan de overwinning op de Moren door de Orde van Sint-Stefanus. De bronzen beelden werden omstreeks 1623 gemaakt.

Duomo

De kathedraal werd na de Tweede Wereldoorlog aan de Piazza Grande gebouwd. Binnen hangt een schilderij van Fra Angelico.

Piazza del Municipio

Dit plein met verschillende paleizen uit de 17de-18de eeuw vormt het administratieve hart van de stad. Een beetje verderop staat het Palazzo del Governo (1939), een functionalistisch gebouw.

★ Quartiere della Venezia

Een beetje verder naar het westen, tussen de **oude vesting** (Forterezza Vecchia) uit de 16de eeuw en de **nieuwe vesting** (Forterezza Nuova) van eind 16de eeuw, werd in 1629 deze schilderachtige wijk door de familie Medici gebouwd. De hoofdstraat is de sierlijkste straat van de wijk, de **Via Borra**.

Synagoge

Piazza Benamozegh - ☏ *0586 83 97 72 - www.amarantaservice.it.*

De synagoge in barokstijl werd tijdens de Tweede Wereldoorlog vernield en in 1962 vervangen door dit rationalistische betonnen gebouw, een werk van de architect Angelo di Castro.

★ Museo Civico Giovanni Fattori

V. San Jacopo in Acquaviva 65, in de Villa Mimbelli - ☏ *0586 80 80 01 - € 4.*
Dit museum bezit een mooie collectie werken van Giovanni Fattori (1825-1908), de grootste vertegenwoordiger van de stroming van de **Macchiaioli** in de schilderkunst.

Excursie van een dag

★★★ Pisa

★★★ Piazza dei Miracoli

Op deze met gras begroeide, prestigieuze esplanade, waar het altijd erg druk is, staan vier gebouwen die een indrukwekkend en wereldberoemd geheel vormen.
Scheve toren ★★★ (Torre Pendente) *– € 15. De beklimming van de toren is zwaar (300 treden).* De 58 m hoge **Toren van Pisa** is het symbool van Pisa.
Bonanno Pisano begon met de bouw van de klokkentoren in 1173. Een eeuw later zette **Giovanni di Simone** de werken voort en hij probeerde de kanteling van de toren tegen te gaan (de bodem was niet geschikt om het zware gewicht van de toren te ondersteunen).

De Pisaanse zuiltjes van de 'scheve toren', een unieke klokkentoren op de Piazza dei Miracoli, in Pisa
Stefano Torrione/hemis. fr

LIVORNO EN PISA PRAKTISCH

Dienst voor Toerisme in Livorno –
Piazza del Municipio - ✆ 0586 204 611 -
www.costadeglietruschi.it.
Dienst voor Toerisme in Pisa –
V. C. Cammeo 2 - ✆ 050 56 04 64 -
www.pisaunicaterra.it.

VERVOER
**Van de haven naar het centrum
van Livorno** – De haven ligt op ongeveer 500 m van het stadscentrum.
Van Livorno naar Pisa –**Treinstation** – Piazza Dante - Livorno -
✆ 89 20 21. Goede verbinding met Pisa.
www.ferroviedellostato.it.
Per bus – Busmaatschappij ATL
verzorgt de verbinding met Pisa.
✆ 800 570 530 - www.atl.livorno.it.
In Livorno – **Giro in Battello dei
Fossi Medicei** – Vertrek: Piazza del
Municipio - ✆ 348 73 82 094. Boot-

tocht over de kanalen van de familie
Medici en door de schilderachtige wijk
Quartiere della Venezia.
In Pisa – **Eco Voyager** – V. U. della
Faggiola 41 - ✆ 050 56 18 39 - www.
ecovoyager.it. Rondrit per fiets of riksja.
Radio-taxi – ✆ 050 54 16 00.

UIT ETEN
Baracchina Rossa – V. le Italia 106 -
Livorno - ✆ 0586 50 21 69 - www.
baracchinarossa.it. Dit grote, rode
gebouw te midden van een fleurige tuin
is een van de weinige gebouwen dat de
oorlogen heeft overleefd en is nu een
tearoom annex ijssalon.

WINKELEN
Antiek – Livorno. Er zijn veel antiek-
winkels in de Quartiere della Venezia, de
Via Borra en de Scali Rosciano.

Duomo★★ – € 2 - gratis nov.-febr.
Buscheto begon in 1063 met de bouw
van de kathedraal en **Rainaldo** werkte
die midden 12de eeuw af. De **voorgevel**★★★ is versierd met verfijnde,
geometrische motieven. De Porta di
San Ranieri, tegenover de scheve toren,
heeft schitterende bronzen **deuren**★★
van eind 12de eeuw. Het indrukwekkende interieur bezit een prachtige
preekstoel★★★.
Battistero★★★ – € 5. Dit indrukwekkende gebouw heeft een omtrek van
bijna 110 m en is bijna net zo hoog als
de scheve toren. De bouw van de doopkapel duurde van 1153 tot 1400.
De **preekstoel**★★ is van **Nicola
Pisano** (13de eeuw).
★★ **Camposanto** – € 5. Dit indrukwekkende kerkhof (13de-15de eeuw)
was oorspronkelijk ontworpen als een
kathedraal waarvan het centrale schip
in de openlucht zou blijven, maar ziet
er nu uit als een grote kloostergang.
In het midden van de *camposanto*
(dat heilig veld betekent) zou heilige
grond van de berg Golgotha liggen
dat door de kruisvaarders begin 13de
eeuw werd aangevoerd. In de galerijen
liggen 600 grafstenen, waaronder heel
mooie Grieks-Romeinse sarcofagen.
Op de muren zijn **fresco's** (14de-15de
eeuw) te zien, onder andere **Triomf
van de dood**★★, toegeschreven aan
Buffalmacco, die ook **Het laatste
oordeel**★★ en de **Hel**★ maakte.

★ **Van de Piazza dei Cavalieri
tot de Arno**
De ruime **Piazza dei Cavalieri**★ in
het hart van de middeleeuwse stad is
een van de chicste en best bewaarde
plekken in Pisa. Aan het plein staan

16de- en 17de-eeuwse gebouwen,
zoals het **Palazzo dei Cavalieri**★,
waar de prestigieuze **Scuola Normale
Superiore** is gevestigd, de hogeschool
die Napoleon I oprichtte. De **Chiesa di
Santo Stefano dei Cavalieri**, gewijd
aan de Orde van Sint-Stefanus, heeft
een voorgevel in wit, groen en roze
marmer. De **Chiesa di Santa Caterina**
heeft een heel luchtige **voorgevel**★.
Binnen bevinden zich twee marmeren
graftomben (14de-15de eeuw).
De **Borgo Stretto** voert u naar het
oudste en meest karakteristieke deel
van Pisa. De **voorgevel**★ van de
Chiesa di San Michele in Borgo vlak
bij de Arno is een opmerkelijk voorbeeld
van de overgang tussen de romaanse en
gotische stijl in Pisa.

★ **De Lungarno en de linkeroever**
De kade langs de Arno kreeg de naam
Lungarno.
Op de rechteroever staat het **Museo Nazionale di San Matteo**★★
(℘ 050 54 18 65 - 9.00-19.00 u, € 5.).
De collectie beelden en schilderijen, allemaal werken van plaatselijke
kunstenaars, tonen dat de stad van de
13de tot de 15de eeuw een bloeiend
artistiek centrum was. Ertegenover,
op de linkeroever, staat de **Chiesa di
Santa Maria della Spina**★★ (€ 2),
een kleine, romaans-gotische kerk,
opgetrokken in marmer en voorzien van
spitsen, frontons, pinakels, nissen en
roosvensters.
Langs de kaden staan veel interessante
gebouwen, zoals het **Palazzo Blu** (eind
14de en 16de eeuw), dat een **collectie
Pisaanse kunst**★ (14de-20ste eeuw)
herbergt, en de **loggia di Banchi**
(17de eeuw), de vroegere stoffenmarkt.

Civitavecchia

Vanuit de haven van Civitavecchia, die bewaakt wordt door het schitterende fort, kunt u naar Tarquinia, met de Etruskische necropolis, en Rome. Rome, de 'eeuwige stad', de hoofdstad van een rijk waaraan ze haar naam schonk en het symbool van het christendom na het verdwijnen van de oude wereld, bewaarde veel indrukwekkende overblijfselen die de stad tot een van de grootste artistieke schatkisten ter wereld maken.

Excursie van een halve dag

Civitavecchia
Civitavecchia, in de oudheid Centumcelae, was vanaf de heerschappij van Trajanus de belangrijkste haven van Rome. Bramante begon met de bouw van het **Forte Michelangelo**, een stevige renaissanceburcht, Sangallo il Giovane en Bernini zetten het werk voort en Michelangelo voltooide de burcht in 1557. **Stendhal** werd in 1831 tot consul benoemd.

Museo Nazionale Archeologico
Largo Plebiscito, 2A - ☏ 0766 23 604 - gratis. In het Nationaal archeologisch museum worden Etruskische en Romeinse voorwerpen tentoongesteld die werden opgegraven in de regio.

Terme di Traiano (Terme taurine)
3 km noordoostwaarts - ☏ 0766 20 299. De thermen omvatten twee gebouwen. Het eerste *(in het westen)* dateert uit de republikeinse tijd, het tweede, dat beter bewaard bleef, werd gebouwd door de opvolger van Trajanus, Hadrianus.

Tarquinia
Deze stad ligt op een rotsplateau tegenover de zee, te midden van de gerst- en graanvelden en de olijfboomgaarden. De legendarische stichting van de stad dateert uit de 12de of 13de eeuw v. Chr.

In de 4de eeuw v. Chr. kwam de stad in de invloedssfeer van Rome terecht, ze werd later uitgedund door malaria en in de 7de eeuw volgde de genadeslag, toen de inwoners ten gevolge van de invallen van de Lombarden de stad verlieten en vluchtten naar de plek waar de huidige stad is gelegen.

★★ Necropoli di Monterozzi
Strada provinciale Monterozzi, 4 km zuidoostwaarts - ☏ 0766 85 63 08 - € 6, combinatiekaartje met het Museo Nazionale € 8.
De necropolis ligt op een verlaten plateau dat parallel ligt aan het plateau waarop Tarquinia ligt. Over een lengte van 5 km en een breedte van bijna 1 km liggen ongeveer **600 graftomben** uit de 6de tot de 1ste eeuw v. Chr.
Op de wanden van de grafkamers staan kleurrijke **schilderijen★★★**. De necropolis werd in 2004 door de Unesco uitgeroepen tot werelderfgoed.

★ Museo Nazionale Etrusco
Piazza Cavour, 1 - ☏ 0766 85 60 36 - € 6. Het Nationaal Etruskisch museum is gevestigd in het **Palazzo Vitelleschi★** van 1439 en bezit een opmerkelijke collectie Etruskische voorwerpen die werden opgegraven in de necropolis, zoals sarcofagen, keramiek, ivoor, ex voto's en Attische vazen uit de 6de eeuw v. Chr.

Excursie van een dag naar Rome

Al brengt u een heel jaar door in Rome, dan nog niet zult u alle mooie plekjes hebben ontdekt. We bieden u twee excursies van een dag waarbij u te voet de twee bekendste wijken van de stad met ontelbare meesterwerken kunt verkennen, namelijk het **Forum Romanum** en **Vaticaanstad**.

Vele andere wijken kunt u in enkele uren tijd bezoeken:

Het **historische centrum**★★★ in het noordwesten heeft als hoogtepunten het **Pantheon**★★★ en de **Piazza Navona**★★★ te bieden.

De wijk **Tridente**★★★ omvat de Via del Corso, de Via di Ripetta, de Via del Babuino en de **Piazza di Spagna**★★★ met de legendarische Spaanse trappen, en in het noorden staat de **Villa Borghese**★★★, een van de grootste openbare parken van Rome. Er zijn veel kunstgalerieën, waaronder de niet te missen Galleria Borghese, een dieren-

Detail van de Neptunusfontein, Piazza Navona

Ludovic Maisant/hemis.fr

tuin en ontelbare banken, ideaal om de vermoeide benen even rust te gunnen. Verderop naar het oosten bevindt zich de **wijk Trevi**★★★ met de bekende Trevifontein en twee van de weelderigste paleizen van de stad: Palazzo Barberini en **Palazzo del Quirinale**★★.

Op de andere oever van de Tiber, ten zuiden van Vaticaanstad, liggen de wijk **Trastevere**★★ en de heuvel **Janiculum**, ideale plaatsen om te ontsnappen aan de warmte en het lawaai.

★★★ Het oude Rome

★★★ Colosseo C3

06 39 96 77 00 - www.pierreci.it - € 9 zonder tijdelijke tentoonstelling, € 11 met tentoonstelling of voor een combinatiekaartje met de Palatijn; € 22 combinatiekaartje voor 10 bezienswaardigheden. Dit amfitheater (met een omtrek van 527 m en een hoogte van 57 m) werd in 80 na Chr. in gebruik genomen. In dit meesterwerk van de architectuur uit de oudheid zijn de drie klassieke orden (Dorische, Ionische, Korinthische) boven elkaar te zien.

De **Arco di Costantino**★★★ is een triomfboog die in 315 werd opgericht voor Constantijn om de overwinning op Maxentius te herdenken.

★★ Domus Aurea C2-3

In het Parco Oppio - 06 39 96 77 00 - www.pierreci.it. Het **'vergulde huis'** is de luxeuze woning die Nero liet bouwen na de brand van Rome (64 na Chr.). De ondergrondse zalen die leken op grotten, werden versierd met geometrische motieven, druiventrossen, gewelven en dieren. Ze vormden de inspiratiebron voor de grotesken van de renaissancekunstenaars.

★★★ Foro Romano C2-3

📞 06 39 96 77 00 - www.pierreci.it - gratis.
De resten van het Forum Romanum, in de oudheid het religieuze, politieke en handelscentrum van Rome, vertellen de twaalf eeuwen waarin de Romeinse beschaving ontwikkelde. Het Forum werd opgegraven in de 19de en 20ste eeuw. De **Basilica Emilia** was de tweede basiliek in Rome (170 v. Chr.).
Volg de **Via Sacra★** naar de **Curia★★**. In dit gebouw, in de 3de eeuw door Diocletianus heropgebouwd, kwam de senaat bijeen en nu zijn er de **bas-reliëfs van Trajanus★★** te zien, gebeeldhouwde panelen uit de 2de eeuw. Vlakbij staat de **Arco di Settimio Severo★★**. De triomfboog werd in 203 gebouwd, na de overwinning van de keizer op de Parthen. Aan de voet van het Capitool stonden de **Tempio di Vespasiano★★** (eind 1ste eeuw), waarvan drie sierlijke, Korinthische zuilen bewaard zijn gebleven, de **Tempio di Saturno★★★**, waarvan acht zuilen uit de 4de eeuw overblijven, en de **Portico degli Dei Consenti★** met zuilen met Korinthische kapitelen die overbleven na een restauratie van 367. De **Colonna di Foca★★** werd in 608 opgericht ter ere van de oosterse keizer Phocas, die het Pantheon schonk aan paus Bonifatius IV. De **Basilica Giulia★★** met vijf schepen werd opgericht door Caesar en afgewerkt door Augustus. Het gebouw was bestemd voor de handel en de rechtspraak. Van de **Tempio di Castore e Polluce★★★** bleven drie mooie, Korinthische zuilen bewaard. De ronde **Tempio di Vesta★★★** staat naast het **Casa delle Vestali★★★** (Huis van de Vestaalse Maagden die het heilige vuur moesten bewaken). De **Tempio di Antonino e Faustina★★** was gewijd aan keizer Antoninus Pius en zijn echtgenote. Het pronaos bezat monolithische zuilen. De prachtige **Basilica di Massenzio★★★** werd door Constantijn voltooid. De **Tempio di Venere e di Roma★** werd tussen 121 en 136 gebouwd door Hadrianus en was een van de grootste tempels van Rome (110 m op 53 m). De **Arco di Tito★★** werd in 81 opgericht voor keizer Titus voor zijn verovering van Jeruzalem.

★★★ Palatino C3

📞 06 39 96 77 00 - www.pierreci.it - € 11, zie 'Colosseo'.
Op de Palatijn, waar Remus en Romulus zouden zijn gevonden, liet Domitianus zijn keizerlijk paleis bouwen met de **Domus Flavia★**, centrum van het openbare leven, de **Domus Augustana★★**, privéwoning van de keizers, en het **stadion★**. Het **Casa di Livia★★** was mogelijk de woning van Augustus (resten van muurschilderingen). De **Orti Farnesiani** (Tuinen van Farnese), in de 16de eeuw aangelegd waar het paleis van Tiberius stond, bieden **uitzicht★★** op het Forum en de stad.

★★★ Fori Imperiali C2

De keizerlijke fora werden aangelegd door Caesar, Augustus, Trajanus, Nerva en Vespasianus. Van de twee laatste fora blijft bijna niets over. De Via dei Fori Imperiali, in 1932 ingewijd door Mussolini, verdeelde de keizerlijke fora.
De **Mercati Traianei★★** (markten van Trajanus) omvatten zo'n 150 winkels. De halfronde voorgevel bleef bewaard. In het **Museo dei Fori Imperiali★** maakt u kennis met de geschiedenis van de fora (*Via IV Novembre 94 - 📞 06 06 08 - www.mercatiditraiano.it - € 6,50*).

De overblijfselen van het Forum Romanum
André Lebrun/age fotostock

CIVITAVECCHIA EN ROME PRAKTISCH

Dienst voor Toerisme in Civitavec-chia – Piazza Guglielmotti 7 - ☎ 0766 59 01 - www.comunecivitavecchia.com
Dienst voor Toerisme in Tarquinia – Piazza Cavour, 23 - ☎ 0766 84 92 92 - www.ufficioturistico.comunetarquinia.it
Informatiekiosken in Rome – ☎ 06 82 05 91 27 - www.comune.roma.it. - dag. 9.30-19.30 u: Castel Sant'Angelo, Piazza Pia; Fontana di Trevi, Via Minghetti; Fori Imperiali, Piazza Tempio della Pace; Piazza di Spagna, largo Goldoni; Piazza Navona, Piazza Cinque Lune; Via Nazionale, tegenover Palazzo delle Esposizioni; Trastevere, Piazza Sonnino.

VERVOER

Van de haven van Civitavecchia naar Rome
Per trein – Vanuit Civitavecchia rijden er treinen naar het centrum van Rome (Roma termini) en Vaticaanstad (elk halfuur, rit duurt 45 min., € 7). www.trenitalia.it
Per taxi – Reken op € 150-170 per rit.

In Rome
Per taxi – ☎ 06 35 70, 06 49 94, 06 88 177, 06 41 57, 06 55 51, 06 66 45.
Per bus, tram en metro – De maatschappij ATAC (www.atac.roma.it) beheert het openbaar vervoer in Rome. Koop een kaartje voor u op de bus stapt. Kaartje geldig voor 75 min.: € 1; dagkaartje: € 4.
Per toeristenbus – www.trambusopen.com.
Archeobus – Vertrek aan station Termini, elk halfuur (9.00-12.30 u, 13.30-16.30 u), duur 1,5 uur, bij elke halte kunt u op- en afstappen, € 12 (48 uur geldig).

110 Open Tour – Met audiogids, vertrek elke 10 min. van 8.00 tot 20.00 uur vanaf station Termini; € 20 (48 uur geldig).

EEN GLAASJE DRINKEN

Rome - Piazza del Popolo
Hotel de Russie – Via del Babuino, 9 - ☏ 06 32 88 70. Geniet op het rustgevende terras van dit schitterende hotel van een koffie of een cocktail.

Rome - Campidoglio/Capitolino
Caffè Capitolino – Piazzale Caffarelli, 4 - ☏ 06 91 90 564 - 9.00-19.00 u - ma. gesl. Op het terras van het Palazzo Caffarelli kunt u bij de bar van de Capitolijnse musea terecht voor broodjes, ijsjes of een drankje... Het prachtige uitzicht krijgt u er gratis bij.

Rome - Piazza Navona
Antico Caffè della Pace – Piazza della Pace, 4 - ☏ 06 68 61 216 - www.caffedellapace.it - ma. 16.00-3.00 u, di.-zo. 8.30-3.00 u. Dit café op een prachtig pleintje vlak bij de Piazza Navona krijgt veel beroemdheden uit de showbizz over de vloer. Neem plaats op het terras of in een van de twee gezellige zalen binnen.

UIT ETEN

Tarquinia
Arcadia – Via Mazzini, 6 - ☏ 0766 85 55 01 - ma. gesl. In dit restaurant vlak bij het historische centrum serveert men uitstekende gerechten met verse vis.

Rome - Pantheon
Eau Vive – Via Monterone, 85 - ☏ 06 68 80 10 95 - 12.30-14.30 u, 19.00-22.30 u - gesl. zo. en aug. - reserveren aanbevolen. Dit unieke restaurant is ondergebracht in het Palazzo Lante (16de eeuw) vlak bij het Pantheon. In de met fresco's versierde salon kunt u genieten van de gerechten van missiezusters van verschillende nationaliteiten.

Rome - Testaccio
Checchino dal 1887 – Via Monte Testaccio, 30 - ☏ 06 57 43 816 - www.checchino-dal-1887.com - gesl. zo., ma., aug. en 24 dec.-2 jan. De beste Romeinse gerechten, geserveerd met wijnen uit het hele land.

Vaticaanstad - Prati
Pasticceria Antonini – Via Sabotino, 19 /29- ☏ 06 37 25 052 - www.antoniniroma.it. Veel Romeinen komen van de andere kant van Rome voor een heerlijk ijsje naar deze *pasticceria-gelateria* die al twee generaties in handen van dezelfde familie is.

WINKELEN
Fratelli Alinari – Via Alibert, 16/a - ☏ 06 679 29 23 - www.alinari.it - ma. 15.30-19.00 u, di.-za. 10.00-19.30 u. In deze winkel van de bekende fotografen (eerste atelier werd in 1852 in Florence geopend) ontdekt u zichten en landschappen van het oude Rome.
Fratelli Viganò – Via Minghetti, 7/8 - ☏ 06 67 95 147 - 10.00-13.00 u, 17.00-19.30 u - gesl. zo. De oudste hoedenmaker van de stad is gevestigd in de wijk rond de Trevifontein.
Mode – In de historische **Via Veneto** bevinden zich de vitrines van luxeuze modewinkels, in de wijk tussen de **Via del Corso** en de **Piazza di Spagna** zijn de winkels van bekende namen uit de Italiaanse haute couture gevestigd. Let in diezelfde wijk aan het begin van de **Via dei Condotti** op de bijzondere vitrines van **Bulgari**.

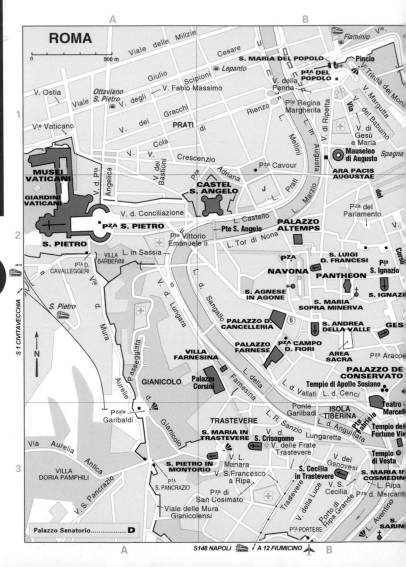

ROMA

0   500 m

Viale delle Milizie

Giulio   Cesare

Scipioni

V. Ostia

Viale   Ottaviano S. Pietro

V. degli

V. Fabio Massimo

Lepanto

S. MARIA DEL POPOLO

Flaminio   V.le

Pincio

P.za DEL POPOLO

V.i Trinità dei Monti

V.le Vaticano

V. dei   Gracchi

PRATI

V. della Penna

Pte Regina Margherita

V. Margutta

V. dei Babuino

Cola   di   Rienzo

Adriana

P.za Cavour

V. di Ripetta

V. In Augusta

V. di Gesù e Maria

Spagna

MUSEI VATICANI

GIARDINI VATICANI

V. dei Bastioni

P.za Adriana

Crescenzio

CASTEL S. ANGELO

Mellini

Prati

Marzio

Mauseleo di Augusto

ARA PACIS AUGUSTAE

P.za del Parlamento

V. d. P.ta Angelica

V. d. Conciliazione

S. PIETRO

P.ZA S. PIETRO

L. Castello

Pte S. Angelo

PALAZZO ALTEMPS

Corso

VILLA BARBERINI

P.te Vittorio Emanuele II

L. Tor di Nona

P.ZA NAVONA

S. LUIGI D. FRANCESI

P.za S. Ignazio

P.ta D. CAVALLEGGERI

L. in Sassia

S. AGNESE IN AGONE

PANTHEON

S. IGNAZI

S. Pietro

V. d. Lungara

Sangallo

S. MARIA SOPRA MINERVA

V.le d. Mura

V. della Lungaretta

PALAZZO D. CANCELLERIA

6

S. ANDREA DELLA VALLE

GES

S 1 CIVITAVECCHIA

N

Aurelia

Passeggiata

VILLA FARNESINA

PALAZZO FARNESE

P.ZA CAMPO D. FIORI

AREA SACRA

P.za Araco

PALAZZO DE CONSERVATO

GIANICOLO

Palazzo Corsini

L. della Farnesina

Tempio di Apollo Sosiano

L. d. Vallati

L. d. Cenci

Teatro Marcel

P.zale Garibaldi

Gianicolo

Ponte Garibaldi

L. R. Sanzio

Lungarina

ISOLA TIBERINA

Pte Fabricio

L. d. Anguillara

Tempio del Fortune Vi

VILLA DORIA PAMPHILI

Via   Aurelia   Antica

TRASTEVERE

S. MARIA IN TRASTEVERE

S. PIETRO IN MONTORIO

S. Crisogomo

V. d. Trastevere

V. delle Frate

V. L. Manara

V. S. Francesco a Ripa

S. Cecilia in Trastevere

V. dei Genovesi

V. S. Cecilia

Tempio di Vesta

S. MARIA I COSMEDIN

L. Ripa

V.le delle Mura Gianicolensi

P.za di San Cosimato

V. della Luce

V. d. Mercant

S. SABIN

V. S. Pancrazio

P.TA S. PANCRAZIO

Porto di Ripa Grande

V.le Aventino

S.

P.TA PORTESE

Palazzo Senatorio.................. **D**

A   B

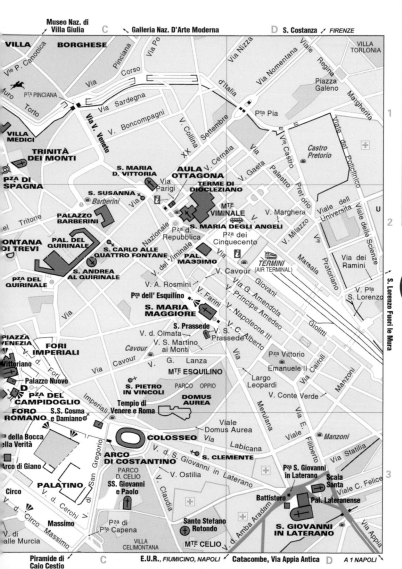

Museo Naz. di Villa Giulia   C   Galleria Naz. D'Arte Moderna   D   S. Costanza   FIRENZE

VILLA BORGHESE

VILLA TORLONIA

Vle P. Canonica

PTA PINCIANA

Via Pinciana

Via Po

Via Nizza

Via Nomentana

Viale

Regina

Margherita

Piazza Galeno

VILLA MEDICI

Via Sardegna

V. Boncompagni

Via V. Veneto

Via Collina

XX Settembre

Via Cernaia

d'Italia

PTA Pia

E Via Castro Pretorio

Viale del Policlinico

Castro Pretorio

TRINITÀ DEI MONTI

PZA DI SPAGNA

S. MARIA D. VITTORIA

AULA OTTAGONA

Via Parigi

TERME DI DIOCLEZIANO

S. SUSANNA

Barberini

PALAZZO BARBERINI

MTE VIMINALE

V. Gaeta

Palestro

Pretorio

V. Marghera

Viale dell' Università

Viale delle Scienze

U

FONTANA DI TREVI

Tritone

PAL. DEL QUIRINALE

S. CARLO ALLE QUATTRO FONTANE

Nazionale

S. MARIA DEGLI ANGELI

PZA d. Repubblica

Pza dei Cinquecento

V. Milazzo

Marsala

Via dei Ramini

2

PZA DI SPAGNA

S. ANDREA AL QUIRINALE

PZA DEL QUIRINALE

V. del Viminale

PAL. MASSIMO

TERMINI (AIR TERMINAL)

Pretoriano

V. Pta S. Lorenzo

S. Lorenzo Fuori le Mura

V. Cavour

V. A. Rosmini

V. Giovanni

Giolitti

PZA dell' Esquilino

S. MARIA MAGGIORE

V. Farini

Via G. Amendola

V. Principe Amedeo

Via Napoleone III

113

PIAZZA VENEZIA

FORI IMPERIALI

Via

V. d. Olmata

S. Prassede

V. S. Prassede

V. S. C. Alberto

Pza Vittorio

Cavour

V. S. Martino ai Monti

G. Lanza

Emanuele II

Pza Vittorio Cairoli

Manzoni

Vittoriano

Palazzo Nuovo

PZA DEL CAMPIDOGLIO

FORO ROMANO

S.S. Cosma e Damiano

Fori

Cavour

Via

MTE ESQUILINO

PARCO OPPIO

Largo Leopardi

V. Conte Verde

Merulana

Via E. Filiberto

S. PIETRO IN VINCOLI

DOMUS AUREA

della Bocca della Verità

Arco di Giano

Tempio di Venere e Roma

Imperiali

Viale Domus Aurea

Via

Manzoni

COLOSSEO

Via Labicana

S. CLEMENTE

PZA S. GIOVANNI in Laterano

Via Statilia

3

ARCO DI COSTANTINO

V. d. S. Giovanni in Laterano

Scala Santa

Viale C. Felice

Circo

PALATINO

V. d. Cerchi

PARCO D. CELIO

SS. Giovanni e Paolo

V. Ostilia

V. Claudia

Battistero

Pal. Lateranense

V. di Circo Massimo

Massimo

V. di Valle Murcia

Pza di Pta Capena

Santo Stefano Rotondo

V. d. Amba Aradam

S. GIOVANNI IN LATERANO

Via Appia

VILLA CELIMONTANA

MTE CELIO

Piramide di Caio Cestio   C   E.U.R., FIUMICINO, NAPOLI   Catacombe, Via Appia Antica   D   A 1 NAPOLI

De **Torre delle Milizie★** is een restant van een 13de-eeuwse vesting.

Op het **Forum van Trajanus★★★** staat de **zuil van Trajanus★★★**, een uniek meesterwerk waarop meer dan honderd taferelen uit de oorlog van Trajanus tegen de Daciërs staan afgebeeld. Van het **Forum van Augustus★★** *(het beste te zien vanuit de Via Alessandrina)* ziet u enkele zuilen van de tempel van Mars Utor (god van de oorlog), resten van de trap en van de muur rond het forum *(achter de tempel)*. Het huis van de johannieters werd in de middeleeuwen gebouwd op resten uit de oudheid, en werd in de 15de eeuw heropgebouwd. Van het **Forum van Caesar★★** *(het beste zichtbaar vanaf de Via del Tulliano)* bleven drie mooie zuilen van de tempel van Venus Genitrix bewaard.

★★★ Campidoglio/Capitolino (Capitool) C2

Op deze heuvel, symbool voor de macht van Rome, staan nu het Capitool en de paleizen: **Palazzo Senatorio★★★**, een gebouw uit de 12de eeuw dat tussen 1582 en 1602 werd verbouwd (nu het stadhuis), **Palazzo dei Conservatori★★★** en **Palazzo Nuovo★★★**. In de laatste twee bevinden zich de collecties van de Capitolijnse musea (*zie hierna*).

★★ Santa Maria in Aracoeli C2

Deze kerk werd in 1250 gebouwd op de plek waar de Sibille van Tibur aan Augustus de komst van Christus voorspelde. Binnen werd de eerste kapel rechts door **Pinturicchio** versierd met **fresco's★** (omstreeks 1485).

★★★ Piazza del Campidoglio C2

Dit plein werd door Michelangelo ontworpen en deels door hem aangelegd

vanaf 1536. Het wordt omgeven door drie paleizen en een balustrade met daarop beelden van de Dioscuren. Vanuit de Via del Campidoglio geniet u van een **uitzicht★★★** op de resten van het Forum Romanum.

★★★ Musei Capitolini C2

Piazza del Campidoglio, 1 - ℘ 06 82 05 91 27 - www.museicapitolini.org of www. museiincomuneroma.it - € 4,50 of € 8 (met tijdelijke tentoonstelling).

De Capitolijnse musea zijn gehuisvest in het **Palazzo Nuovo**, dat in 1655 door Girolamo Rainaldi werd gebouwd, en het **Palazzo dei Conservatori**. Een deel van de collecties werd ondergebracht in de **Centrale Montemartini★★** *(Viale Ostiense, 106)*. Bekijk in het Palazzo Nuovo het **ruiterstandbeeld van Marcus Aurelius★★★** (eind 2de eeuw); de **Stervende Galliër★★★**; de **Keizerszaal** met de portretten van alle keizers; de **Capitolijnse Venus★★★**, een Romeinse kopie van de *Aphrodite van Cnidos* van Praxiteles. In het Palazzo dei Conservatori staat onder andere de **Wolvin★★★** (6de-5de eeuw v. Chr.), de **doornuittrekker★★**, Grieks origineel of een heel goede replica uit de 1ste eeuw v. Chr., en het **borstbeeld van Junius Brutus★★**, een opmerkelijke kop uit de 3de eeuw v. Chr. die in de renaissance op een borstbeeld werd geplaatst. De **pinacotheek★** *(tweede verdieping)* bevat schilderijen uit de 14de-17de eeuw (Titiaan, Caravaggio, Rubens, Guercino, Reni).

★★★ Vaticaanstad

★★★ Vaticaanstad A1-2

Vaticaanstad wordt begrensd door de stadsmuur boven de Viale Vaticano en de zuilengalerij van het Sint-Pietersplein in het oosten. De dwergstaat Vaticaanstad ontstond in 1929 door het Verdrag van Lateranen. Het is de kleinste staat ter wereld (44 ha en minder dan duizend inwoners) en wordt bestuurd door de paus. Het heeft een eigen vlag, een volkslied, postzegels, muntstukken en bankbiljetten en een eigen pers. Het leger werd in 1970 door paus Paulus VI opgeheven. Nu is er alleen nog de Zwitserse garde in haar mooie uniform dat zou zijn ontworpen door Michelangelo.

★★★ Piazza di San Pietro A2
Twee halfronde zuilengangen begrenzen het Sint-Pietersplein. **Bernini**, de meester van de barok, begon in 1656 met de aanleg ervan. In het midden staat de obelisk uit de 1ste eeuw v. Chr. die op bevel van Caligula in 37 van Heliopolis naar Rome werd overgebracht.

★★★ Basilica di San Pietro A2
☏ 06 69 88 37 12 - gratis - opgelet, vaak lange wachtrijen in de zon, ga 's ochtends.

Het interieur van de Sint-Pietersbasiliek

M. Bugg/Fotolia.com

Constantijn, de eerste christelijke keizer, besliste in 324 een basiliek te bouwen op de plek waar Petrus werd begraven nadat hij was gemarteld in het circus van Nero. In de 15de eeuw was het gebouw toe aan renovatie. Het grondplan in de vorm van een Grieks kruis met daarboven een koepel werd ontworpen door **Bramante** en overgenomen door **Michelangelo**, maar werd in 1606 veranderd in een Latijns kruis in opdracht van paus Paulus V. Hij gaf **Carlo Maderno** ook de opdracht twee traveeën en een voorgevel toe te voegen aan het plan van Michelangelo. **Bernini** voorzag de basiliek vanaf 1629 van een weelderige barokversiering. De 115 m brede en 45 m hoge **voorgevel** was in 1614 klaar. Vanaf de centrale loggia geeft de paus zijn zegen *urbi et orbi*.
In de eerste kapel rechts bevindt zich de **Piëta★★★**, het meesterwerk dat **Michelangelo** in 1499-1500 beeldhouwde.
Net voorbij het rechtertransept staat het **grafmonument van paus Clemens XIII★★★**, een neoklassiek werk van **Canova** (1792). In de apsis prijkt de **troon van Petrus★★★** van **Bernini** (1666), een bronzen troon met een bisschopszetel uit de 4de eeuw. In het rechterkoor staat het **monument voor paus Urbanus VIII★★★** van Bernini (1647), een meesterwerk van de grafkunst. Link staat het **monument voor paus Paulus III★★★** van Guglielmo Della Porta (16de eeuw), een leerling van Michelangelo.
Het **baldakijn★★★** boven het pauselijke altaar is 29 m hoog. Het werd ontworpen door **Bernini** en gemaakt met brons uit het Pantheon.

De **koepel**★★★ werd ontworpen door **Michelangelo** en tot de lantaarn ook door hem gerealiseerd. De koepel werd in 1593 afgewerkt door Giacomo Della Porta en Domenico Fontana. Vanaf de **top van de koepel** *(toegang via de rechteruitgang van de basiliek - € 7 met de lift tot de koepel, dan nog 320 treden voor een panoramisch uitzicht - € 4 te voet, 871 treden)*, **uitzicht**★★★ op het Sint-Pietersplein, Vaticaanstad en Rome. Pelgrims kussen de voet van het 13de-eeuwse, bronzen **beeld van Petrus**★★ in het centrale schip. Het **monument voor paus Innocentius VIII**★★★ *(linkerzijbeuk, tussen de tweede en derde travee)* dateert uit de renaissance (1498).

★★★ Musei Vaticani A1-2
Viale Vaticano - ☏ 06 69 88 45 87 - www.vatican.va - € 15.
De Vaticaanse musea zijn gehuisvest in enkele paleizen die de pausen vanaf de 13de eeuw lieten bouwen en die vergroot werden en vernieuwd. Bekijk zeker de volgende afdelingen: op de eerste verdieping het **Museum Pio-Clementino**★★★ (Griekse en Romeinse oudheid); op de tweede verdieping het **Etruskisch Museum**★. De **kamers (Stanze) van Raffaël**★★, vier woonvertrekken van paus Julius II die door Raffaël en zijn leerlingen werden gedecoreerd tussen 1508 en 1517, zijn een meesterwerk van de renaissance. De **collectie religieuze, moderne kunst**★★, verzameld door paus Paulus VI, werd deels ondergebracht in de woonvertrekken van paus Alexander VI. De **Sixtijnse Kapel**★★★ op de eerste verdieping lokt bezoekers uit de hele wereld. Ze kunnen er het gewelf bewonderen dat **Michelangelo** van 1508 tot 1512 beschilderde en dat Bijbelse taferelen voorstelt, van de Schepping van de wereld tot de Zondvloed, en het *Laatste oordeel* dat hij vanaf 1534 aanbracht boven het altaar. Het onderste register van de zijmuren toont composities van Perugino, Pinturicchio en Botticelli. In de **pinacotheek**★★★ bevinden zich belangrijke werken, waaronder drie **werken van Raffaël**★★★ (*Kroning van de maagd, Madonna van Foligno, Transfiguratie* – zaal VIII), een **H. Hiëronymus**★★ van **Leonardo da Vinci** (zaal IX) en de **Kruisafneming**★★ van **Caravaggio** (zaal XII).

★★★ Castel Sant'Angelo B2
☏ 06 39 96 76 00 - www.pierreci.it - € 8.
Dit indrukwekkende gebouw werd in 135 gebouwd als mausoleum voor keizer Hadrianus en zijn familie. Paus Gregorius I voegde in de 6de eeuw een kapel toe. Paus Nicolas V voegde in de 15de eeuw een bakstenen verdieping en donjons op de hoeken toe. Paus Alexander VI (1492-1503) liet achthoekige bastions bouwen.
In 1527, tijdens de plundering van Rome, verschuilde paus Clemens VII zich in een vertrek dat later verfraaid werd door paus Paulus III. Helemaal bovenaan bevinden zich de **pauselijke vertrekken**★. Ze getuigen van het verfijnde leven van de toenmalige pausen. Een lange doorgang verbindt de burcht met het paleis van het Vaticaan.
Het terras biedt een schitterend **panorama**★★★ over de hele stad. De Engelenburcht is met de linkeroever van de Tiber verbonden via de mooie **Ponte Sant'Angelo**★ door **Bernini** versierd met barokke engelen en beelden van Petrus en Paulus (16de eeuw).

Napels★★★

Achter in een baai ligt Napels, een collage van architectuurstijlen met Griekse muren, Romeinse zuilen, barokpaleizen en moderne gebouwen. De krioelende Napolitaanse straten zijn een lust voor het oog. Niemand lijkt er zich zorgen te maken over de constante dreiging van de Vesuvius die in 79 na Chr. het nabijgelegen Pompeji opslokte.

Excursie van een halve dag

De stad groeide rond een centrale as met grote pleinen, de Via Toledo. De oude stad, **Spaccanapoli**, strekt zich ten oosten van de as uit tot de Porta Capuana. Ten zuiden ervan begint aan de Piazza della Carità het **monumentale centrum** om het koninklijke paleis. De **havenwijk** strekt zich uit langs de dokken tussen het Castel Nuovo en de Corso Garibaldi. Ten westen van de hoofdas ligt het plateau met de wijk **Vomero** boven de populaire **Spaanse volkswijken** en de **wijk Montesanto**.

★★★ Spaccanapoli en de Decumanus

Waar het Griekse Neapolis lag, ligt nu Spaccanapoli (van *spaccare*, splijten, en *Napoli*, Napels), hart van de stad en historisch centrum, door de Unesco uitgeroepen tot werelderfgoed. Er zijn veel paleizen, zoals het **Palazzo Cuomo★ (B1)** van eind 15de eeuw, nu het **Museo civico Filangieri** (met wapens, keramiek en porselein, meubelen...). In het voormalige Palazzo Donnaregina is sinds 2005 het **MADRE (Museo d'Arte contemporanea DonnaREgina)★ (B1)** gevestigd. Enkele van de tientallen kerken in de stad zijn de **Santa Anna dei Lombardi★ (A1-2)** in renaissancestijl met Toscaanse invloeden (begin 15de eeuw), de **Santa Chiara★ (A1)** en haar kloostergang, de **San Giovanni a Carbonara★** (14de eeuw) en natuurlijk de **Duomo★ (B1)** uit de 14de eeuw, die vaak werd verbouwd en waar zich de door de bevolking vereerde **Tesoro di San Gennaro★** bevindt.

★★ Het monumentale centrum

Deze wijk, die afdaalt naar de zee, vertelt over de tijd waarin Napels concurreerde met de grote Europese steden.

117

★ Galleria di Palazzo Zevallos Stigliano A2

In dit gebouw van eind 16de eeuw, dat in 1637 werd verbouwd, is nu de Banca Intesa Sanpaolo gevestigd. Hier schilderde Caravaggio in 1610 het prachtige **Martirio di Sant'Orsola★**.

★★ Teatro San Carlo A2

Via San Carlo, 98/F - ℘ 081 55 34 565 - www.teatrosancarlo.it - € 5.
Dit theater werd in 1737 onder Karel van Bourbon gebouwd. Het brandde in 1816 af en werd in slechts zes maanden identiek heropgebouwd, behalve de **koninklijke loge★**.

★ Palazzo Reale A2

Piazza del Plebiscito, 1 - ℘ 081 40 05 47 - www.palazzorealenapoli.it - € 4.
Begin 17de eeuw bouwde de architect Domenico Fontana het **koninklijk paleis**. Het werd verscheidene malen

De Vesuvius torent uit boven de Golf van Napels.
Kaos02/SIME-4Corners/Simeone/Photononstop

118 NAPELS PRAKTISCH

Dienst voor Toerisme – Via San Carlo, 9 - ☎ 081 40 23 94; Piazza del Gesù Nuovo - ☎ 081 55 12 701; Via Santa Lucia, 107 - ☎ 081 24 57 475 - www.inaples.it.

VERVOER

Van de haven naar de stad
De haven ligt op 5 minuten wandelen van de Piazza Municipio.

In de stad
Tickets Unico Napoli – Met deze kaartjes kunt u de bus, tram, kabelbaan en metro nemen. U kunt kiezen tussen een kaartje dat 90 min. geldig is (€ 1,10) en een dagkaartje (€ 3,10 op weekdagen, € 2,60 in het weekend).
Metro – **Lijn 1** verbindt het noorden van de stad en de wijk Vomero met de Piazza Dante in het centrum van Napels.
Lijn 2 doorkruist de stad van oost naar west, van Pozzuoli tot de Piazza Garibaldi en Gianturco.
Kabelbaan – Met de kabelbaan bereikt u de wijk Vomero in amper enkele minuten tijd.
Radio Taxi Napoli – ☎ 081 88 88 of 081 44 44 44.

Naar Pompeji en de Vesuvius
Trein – De **Circumvesuviana** (station aan de Corso Garibaldi) brengt u snel naar Pompeji. Wilt u naar de Vesuvius? Stap dan uit aan de halte Herculanum en neem dan de bus.

EEN GLAASJE DRINKEN
Caffè Mexico – Piazza Dante, 86 - ☎ 081 54 99 330. Dit café is een gevestigde waarde in Napels. De koffie wordt er altijd gesuikerd geserveerd!

Scaturchio – Piazza S. Domenico Maggiore, 19 - ☏ 081 55 16 944. Hier kunt u genieten van *sfogliatella riccia* (bladerdeeggebak gevuld met ricotta, gekonfijt fruit en met het aroma van sinaasappelbloesems) vers uit de oven, of van een baba, een lekkernij van vreemde origine die erg populair is in het rijk van Napels.

Gran Caffè Gambrinus – Via Chiaia, 1/2 - ☏ 081 41 75 82. Het bekendste café van Napels. Sinds meer dan 150 jaar zijn deze luxueus versierde zalen getuige van de belangrijkste gebeurtenissen die in de geschiedenis van Napels plaatsvonden.

Intra Moenia – Piazza Bellini, 70 - ☏ 081 29 07 20 - www.intramoenia.it. Dit is hét trefpunt voor intellectuelen in het hart van de stad Napels. In deze bar annex boekhandel en ijssalon is bovendien een geëngageerde uitgeverij gevestigd.

UIT ETEN

Antica Pizzeria D'è Figliole – Via Giudecca Vecchia, 39 - ☏ 081 28 67 21 - gesl. zo. - 🍴. In deze gevestigde waarde in het hart van de wijk Spaccanapoli verdringen de mensen zich om de bekende *pizza fritte* (gebakken pizza) te eten, een Napolitaanse specialiteit die iedereen moet hebben geproefd!

Antica Pizzeria Da Michele – Via Cesare Sersale, 1/3 - ☏ 081 55 39 204 - gesl. zo. en 3 weken in aug. - 🍴. Een populair en authentiek adres waar pizzaliefhebbers op alle uren van de dag heerlijke margherita's of marinara's kunnen eten.

Gino Sorbillo – Via Tribunali, 32 - ☏ 081 44 66 43 - gesl. zo. en 3 weken in aug. In deze zaak bakten al 21 generaties pizzabakkers van vader op zoon heerlijke pizza's!

'A Tiella – Riviera di Chiaia, 98/100 - ☏ 081 76 18 688 - gesl. wo. Na een wandeling langs de kust kunt u in dit kleine restaurant genieten van visspecialiteiten en versgemaakte pastagerechten.

Trianon da Ciro – Via Pietro Colletta, 42/46 - ☏ 081 55 39 426 - gesl. 1 jan. en 25 dec. Dit restaurant werd ingericht in de stijl van de jaren twintig van de vorige eeuw, met plafonds met stucwerk en okergele muren. Het is een gezellig adres met een lange geschiedenis. De eigenaar van de zaak verwent u niet alleen met overheerlijke pizza's, hij zal u ook duidelijk maken dat passie het belangrijkste ingrediënt is van een 'echte' pizza.

Napoli Mia – Via Schilizzi - 081 55 22 266 - www.ristorantenapolimia.it - gesl. zo. en 10-31 aug. - € 18/20. Kleine, gezellige familiezaak, waar men de gasten verwent met authentieke streekgerechten.

WINKELEN

Raffaele Russo – Via S. Biagio dei Librai, 116 - ☏ 081 55 17 090. In deze winkel uit de jaren dertig van de vorige eeuw kunt u de beroemde madonna's kopen die terug te vinden zijn in de traditionele, Napolitaanse kerststallen.

Ferrigno – Via S. Gregorio Armeno, 8 - ☏ 081 55 23 148 - www.arteferrigno.it. Deze winkel is bekend om zijn kerststalfiguren. Het is een waar museum!

Marinella – Riviera di Chiaia, 287 - ☏ 081 76 44 214 - www.marinellanapoli.it. Dit is de bekendste dassenwinkel van Italië, die al sinds 1914 bestaat.

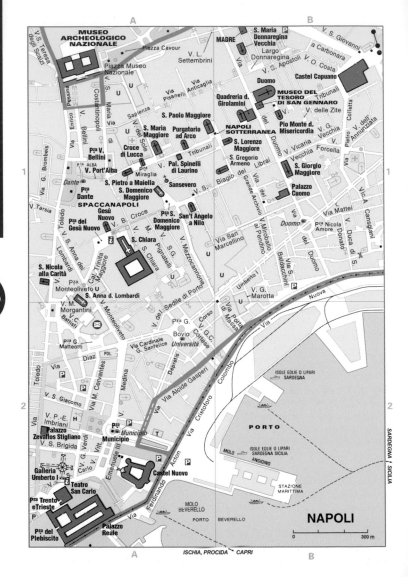

NAPOLI

ISCHIA, PROCIDA — CAPRI

SARDEGNA / SICILIA

verbouwd, maar de voorgevel bleef grotendeels ongewijzigd. De **woonvertrekken★** en de **Palatijnse kapel** werden weelderig gedecoreerd.

★ Castel Nuovo (Maschio Angioino) A2
Piazza Municipio - ✆ 081 79 55 877 - € 5.
Het indrukwekkende Castel Nuovo werd in 1282 gebouwd naar het model van het kasteel van Angers en is omringd door een diepe slotgracht. Aan de ingang aan de kant van de stad staat een opmerkelijk **triomfboog★★**. Vanaf het panoramaterras geniet u van een mooi **uitzicht** op de stad en de haven.

Quartieri spagnoli A2
De Spaanse wijken werden in de 16de eeuw in enkele weken gebouwd voor de Spaanse troepen van vicekoning don Pedro van Toledo. Het is een dichtbevolkte wijk waarboven het trotse Certosa di San Martino (kartuizerklooster San Martino) uittorent. Elke straat komt wel uit bij een kerk of een vroom plekje. Er zijn geen opvallende bezienswaardigheden, maar de straten in dambordpatroon zijn op zich een bezoek waard.

★★ Certosa di San Martino buiten A2
Largo San Martino, 5 - ✆ 081 55 86 408 - www.polomusealenapoli.beniculturali. it - € 6.
Dit immense kartuizerklooster op de heuvel Vomero werd in de 14de eeuw door het huis van Anjou gesticht en in de 16de en 17de eeuw verbouwd. In het **interieur★★** in weelderige barokstijl hangen doeken van Carracciolo, Guido Reni en Simon Vouet.
Museo★ – Behalve zalen gewijd aan decoratieve kunst, theater en Napolitaanse schilderkunst uit de 19de eeuw,

is er een **afdeling kerststallen★★** *(presepi)*, met een buitengewone collectie Napolitaanse, polychrome, aardewerken figuren (18de-19de eeuw).

★★★ Museo Archeologico Nazionale A1
Piazza Museo, 19 - ✆ 081 44 22 149 - € 6,50.
Het Nationaal archeologisch museum bezit een van de rijkste collecties ter wereld over de Griekse en Romeinse oudheid.
Grieks-Romeinse beelden★★★ – De bekende collectie Farnese werd verzameld op initiatief van paus Paulus III. De zuilengang van het rechteratrium geeft toegang tot de **afdeling epigrafen** en de **Egyptische collectie**.
Mozaïeken★★ – Ze zijn vooral afkomstig uit Pompeji, Herculaneum en Stabiae. In zaal 60 en 61 ziet u mozaïeken uit het Casa del Fauno (Huis van de Faun) en de **Slag van Alexander**.
Zaal van de villa dei Papiri★★★ – Hier ziet u foto's van enkele van de 800 papyrussen uit de bibliotheek van deze villa in Herculaneum.
Zilver, ivoor, geglazuurd aardewerk en glaswerk★ – Voorwerpen vooral uit Herculaneum en Pompeji, zoals de **maquette van Pompeji** in kurkeik op schaal 1/100, van 1879.
Zalen van de tempel van Isis★★★ – Voorwerpen en schilderijen uit de tempel die ontdekt werden in Pompeji.
Zalen met fresco's★★★ – Heel mooie fresco's, vooral uit Pompeji, Herculaneum en Stabiae.

★★ Palazzo e Galleria nazionale di Capodimonte Buiten de kaart
Via Miano, 2 - ✆ 081 74 99 111 - www. museo-capodimonte.it - € 7,50.

In het hooggelegen deel van de stad ligt dit voormalige **koninklijke land-goed★**. Het omvat een sober, massief paleis dat tussen 1738 en 1838 werd gebouwd, en een groot park. In het paleis zijn de pinacotheek en de koninklijke vertrekken te bezichtigen.

Excursies van een dag

★★★ De Vesuvius
De Vesuvius is onlosmakelijk verbonden met het Napolitaanse landschap en is een van de weinige nog actieve vulkanen in Europa. Er zijn twee toppen: in het noorden de **Monte Somma** (1132 m), in het zuiden de Vesuvius zelf (1277 m). Sinds 1995 is de vulkaan een **nationaal park** en door de Unesco uitgeroepen tot biosfeerreservaat. In 79 werden Herculaneum en Pompeji bedolven onder de lava. De laatste uitbarsting, in 1944, veranderde het profiel van de krater. Daarna heeft de Vesuvius alleen nog damp en gas uitgeademd.

Detail van de villa del Misteri in Pompeji

Beklimming – *vanuit Herculaneum, terug via Torre del Greco: 27 km, plus 45 min. te voet H/T (stevig schoeisel vereist). De rand van de krater is alleen met gids toegankelijk - ℘ 081 77 75 720 of 337 94 22 49 - www.vesuviopark.it - € 6,50.* U beklimt de flank van de vulkaan langs een goede en indrukwekkende weg te midden van as en vulkanisch gruis. Vanaf de top geniet u van een schitterend **panorama★★★** over de Golf van Napels, de eilanden, het schiereiland Sorrento in het zuiden, de Capo Miseno in het noorden en de Golf van Gaeta.

★★★ Pompeji
℘ 081 85 75 347 - www.pompeiisites.org - 8.30 u-1 uur voor zonsondergang - € 11. Pompeji, dat sinds de 8ste eeuw v. Chr. bestond, telde bij de uitbarsting van de Vesuvius 25.000 inwoners en was de favoriete verblijfplaats van rijke, Romeinse families. De vele ateliers en winkels, de heel brede straten en de diepe karrensporen tonen aan dat het een erg bedrijvige stad was. Tijdens de uitbarsting, die begon op 24 augustus 79 en drie dagen duurde, werd de stad onder een 4-6 meter dikke laag as en vulkanisch gruis bedekt. De stad werd verlaten en pas in 1748 ontdekt bij opgravingen.

De straten
De rechte straten vormden rechte hoeken. Ze werden omgeven door hoge trottoirs en werden regelmatig onderbroken door grote stenen waarover voetgangers konden oversteken.

De openbare gebouwen
Het **Foro ★★★** (forum), dat in het westelijke deel van de stad ligt, was het

hart van de stad en het centrum van het openbare leven. Op het plein vonden religieuze ceremonies plaats en er werd rechtgesproken. Het grote, autovrije plein was bedekt met grote, marmeren stenen en er stonden standbeelden van de keizers.

Aan het plein staan de **Tempio di Apollo** (tempel van Apollo)★★, de **Tempio di Giove** (tempel van Jupiter) ★★, gewijd aan de drie goden van het Capitolium (Jupiter, Juno en Minerva), de **basilica**★★, het grootste gebouw van Pompeji (67 x 25 m) waar handel werd gedreven en werd rechtgesproken, en de overdekte markt (**macellum**). In het zuidelijke deel van de stad ligt het **Foro triangolare**★ (driehoekige forum), aan drie kanten omgeven door een zuilengang. Hier stond ook een tempel.

Vanaf de 2de eeuw v. Chr. stonden er aan het aangrenzende plein een **theater** en later een **odeion**★★ (een overdekte concertzaal), maar ook de kleine **Tempio di Iside**★ (tempel van Isis) en de tempel van Zeus Meilichios. In het oostelijke deel van de stad stond het **amfitheater**★. Het is het oudste theater uit de Romeinse tijd dat bewaard is gebleven (80 v. Chr.). De toeschouwers werden beschermd tegen de zon door een velum, een linnen zeil dat ondersteund werd door houten masten. Er waren in Pompeji drie thermen, waaronder de **Terme Stabiane**★★★, de oudste thermen van Pompeji (2de eeuw v. Chr.).

De huizen

De meeste huizen in Pompeji werden gebouwd tussen de 1ste eeuw v. Chr. en de 1ste eeuw na Chr. en bestonden doorgaans uit één ruimte, die soms heel groot was, en een groot atrium met een waterbekken. Via de twee langste zijden betrad men de kamers. Sommige huizen hadden een echte tuin, met daarin standbeelden en waterpartijen. Enkele voorbeelden zijn het **Casa degli Amorini Dorati**★ (Huis van de Vergulde Amoretten), het **Casa di Loreius Tiburtinus**★, en het **Casa del Fauno**★★ (Huis van de Faun).

De villa's

In de omgeving van Pompeji stonden veel residentiële woningen. Sommige daarvan waren eigendom van leden van de keizerlijke familie.

Villa dei Misteri★★★ – Deze villa bestaat uit twee delen: het woongedeelte *(aan de westkant)*, dat opvalt door de luxe en de verfijndheid, en de bijgebouwen *(aan de oostkant)* die waren bestemd voor huishoudelijk werk, landbouwactiviteiten en de huisvesting van de bedienden. In de eetzaal in het woongedeelte van de eigenaars bevindt zich het schitterende **fresco** waaraan de villa haar bekendheid en haar naam dankt. De grote compositie die de wanden van het hele vertrek siert, toont hoe een jonge bruid wordt ingewijd in de Dionysus-mysteriën.

Er zijn ook mooie mozaïeken en muurschilderingen te zien in het **Casa del Menandro**★★, een grote patriciërswoning, en vooral in het **Casa dei Vettii**★★★, de woning van rijke handelaars, de gebroeders Vettius. De **fresco's** in het triclinium *(rechts van het peristilium)* tonen mythologische taferelen en amoretten die huishoudelijke taken uitvoeren. De schilderingen behoren tot de mooiste uit de oudheid.

Sorrento★★

Deze prachtige stad in een grote baai aan de Amalfitaanse kust is een van de populairste vakantieoorden van Zuid-Italië. De hotels en villa's staan verspreid tussen prachtige tuinen vol bloemen. De streek is ook bekend om de weelderige sinaasappel- en citroenboomgaarden.

Excursies van een halve dag

★★ De stad

Het historische centrum

De Via San Cesareo loopt naar de **Sedile Dominova★**, waar het stadsbestuur zetelde ten tijde van het huis van Anjou. Het is een met fresco's versierde loggia met een 17de-eeuwse koepel bekleed met majolica. Haaks op deze straat loopt de Via San Giuliani naar de barokke **Chiesa di San Francesco**. De kerk bezit een klokkentoren met bolvormige koepel en een betoverende **kloostergang★** uit de 13de eeuw. De tuinen van de **Villa Comunale** (het stadhuis) ernaast bieden een schitterend **uitzicht★★** op de Golf van Napels.

★ Museo Correale di Terranova

Via Correale 50 - ℘ 081 87 81 846 - http://nuke.museocorreale.it- dag. behalve di. 9.30-13.30 u, gesl. feestd. - € 7.
Dit museum, gevestigd in een 18de-eeuws paleis, bezit enkele opmerkelijke voorbeelden van inlegwerk en mozaïeken uit Sorrento en een kleine archeologische collectie. Loop door de tuin van het museum naar het terras vanwaar u geniet van een magnifiek **uitzicht★★** op de baai.

★ Museo bottega della Tarsialignea

Via San Nicola, 28 - ℘ 081 87 71 942 - www.alessandrofiorentinocollection.it - € 8.

Dit museum in een 17de-eeuws paleis is gewijd aan het bekende **inlegwerk van Sorrento**. U krijgt eerst een historisch overzicht, daarna ziet u een opmerkelijke collectie 18de-eeuwse **voorwerpen★** die vooral door de drie bekendste lokale kunstenaars uit die tijd werden gemaakt, namelijk Luigi en Giuseppe Gargiulo, en Michele Grandville.

Marina Grande

Het grootste strand van de stad biedt vanaf het grijze zand een schitterend uitzicht op de Golf van Napels.

★★ Het schiereiland

Verlaat Sorrento westwaarts via de S 145 en ga bij de splitsing rechtsaf naar Massa Lubrense.
Vanaf de **Punta del Capo di Sorrento** *(te voet bereikbaar vanaf de Chiesa di Capo di Sorrento via een weg rechts en voorbij een school het verharde pad volgen; 1 uur H/T)* geniet men van een schitterend **uitzicht★★** op Sorrento.
In **Sant'Agata sui Due Golfi**, op een bergkam boven de Golf van Napels en de Golf van Salerno, biedt de **Belvedere del Deserto** (benedictijnenklooster, 1,5 km ten westen van het dorp) een schitterend **panorama★★**.
Voorbij Sant'Agata volgt de spectaculaire afdaling naar Colli di San Pietro. Keer terug naar Sorrento via de S 163. Onderweg geniet u van schitterende **uitzichten★★** op de Golf van Napels.

Prachtig uitzicht vanuit Sorrento op de Golf van Napels
Ivan Vdovin/Insadco/age fotostock

SORRENTO PRAKTISCH

Dienst voor Toerisme
Penisola sorrentina – Via De Maio, 35 -
Sorrento - ℘ 081 80 74 033 -
www.sorrentotourism.com.

VERVOER
Per trein – De Circumflegrea rijdt
tussen Sorrento en Napels (centraal
station), de rit duurt 1 uur.
Per auto – **Sorrento Autonoleggio** -
Corso Italia 322 - ℘ 081 87 82 459.
Metrò del Mare – ℘ 199 600 700 -
www.metrodelmare.net. In de zomer
(april-half okt.) verbinden deze boten
de belangrijkste havens in de Golf van
Napels (van Bacoli tot Sorrento) en van
de Amalfitaanse kust tot Salerno.

UIT ETEN
Taverna Azzurra – Via Marina
Grande, 166 - ℘ 081 87 72 510 - gesl.
ma. in de winter. Een drukbezocht
adres tegenover de kleine vissershaven.
Kraakverse vis en zeevruchten, afhankelijk van de vangst van de dag.
Taverna del Capitano – Piazza delle
Sirene, 10/11 - Marina del Cantone -
8 km ten zuidwesten van Sant'Agata
sui Due Golfi - ℘ 081 80 81 028 - www.
tavernadelcapitano.com - gesl. jan.-
febr., ma., di. buiten het seiz. Eenvoudige, verfijnde eetzaal met grote ramen
die uitzicht bieden op de zee. Typisch
mediterrane gerechten.

WINKELEN
**Museo bottega della Tarsialig-
nea** – In de winkel van het museum
dat gewijd is aan het inlegwerk van
Sorrento, worden hedendaagse werken
aangeboden, van accessoires voor
woninginrichting tot meubelen.

Capri★★★

Keizer Augustus en keizer Tiberius bezweken al voor de schoonheid, het milde klimaat en de gevarieerde, weelderige vegetatie... Het zal niemand verbazen dat Capri vanaf de 19de eeuw het favoriete vakantieoord van beroemdheden uit de kunstwereld en de showbizz werd. Ondertussen wordt die voorliefde voor Capri gedeeld met de duizenden toeristen die zich het hele jaar door verdringen op de beroemde 'Piazzetta'.

Excursies van een halve dag

★★★ Capri

De stad lijkt wel een theaterdecor, met haar pleintjes, witte huisjes en smalle steegjes in Moorse stijl. De kleine huizen liggen vaak rond gesloten pleinen die worden doorkruist door smalle, over- welfde straten die konden worden afge- sloten bij invallen van de Saracenen.

★ La Piazzetta (Piazza Umberto I)

In dit piepkleine hart van de stad verzamelen de inwoners van Capri zich in de vooravond. Boven het plein torent de koepel van de **Chiesa di Santo Stefano** van 1685 uit. Binnen bestaat de vloer van het hoofdaltaar uit veelkleurig marmer dat afkomstig is uit de Villa Jovis.

Ernaast staan het Palazzo Cerio (14de- 17de eeuw) en het **Centro Caprense Ignazio Cerio**, waarin een bibliotheek en een museum zijn gevestigd. Het museum bezit paleontologische, zoölo- gische en archeologische overblijfselen die werden gevonden op het eiland Ca- pri. *Piazzetta Cerio, 5 - ℰ 081 83 76 681 - http://centrocaprense.org - € 1.*

In de drukke steegjes rond de Piazzetta, zoals de smalle **Via Le Botteghe★**, zijn er veel souvenirwinkels en winkels met luxegoederen.

★★ Belvedere Cannone

*Bereikbaar via de Piazza Umberto I, de bijna volledig overwelfde **Via Madre Serafina★** en de Via Castello (20 min.).*

Dit uitzichtterras dankt zijn naam aan het kanon dat er in 1808 door de Fransen werd geplaatst om de zuidkant van het eiland te beschermen. Vanaf het uitzichtpunt ziet u uit op de Marina Pic- cola, het kartuizerklooster en de tuinen van Augustus, Tragara en de Faraglioni.

★★ Belvedere di Tragara

Bereikbaar via de Piazza Umberto I, de Via Vittorio Emanuele, de Via Camerelle en de Via Tragara (20 min.).

Volg de panoramische route tot het uitzichtterras dat boven de Faraglioni uitsteekt. De Via Pizzolungo loopt ver- der tot de Arco Naturale *(zie blz. 128).*

Certosa di San Giacomo

Viale Certosa, 40 - ℰ 081 83 76 218 - dag. behalve ma. 9.00-14.00 u.

Dit **kartuizerklooster** werd tussen 1371 en 1374 gesticht. Het werd in 1553 geplunderd en platgebrand door de vrijbuiter Dragut, maar werd in 1563 gerestaureerd en vergroot. Het klooster bepaalde eeuwen lang de landbouw en de handel op het eiland, tot Joseph Bo- naparte in 1807 het verbod op kloosters uitvaardigde.

De beroemde Faraglioni van Capri
Stéphane Frances/hemis.fr

CAPRI PRAKTISCH

Dienst voor Toerisme –
Piazza Umberto I, 1 - ✆ 081 83 70 686 -
www.capritourism.com.

VERVOER

Van de haven naar het centrum van de stad
Kabelbaan en UnicoCapri – Verbinding tussen de haven (Marina Grande) en de stad Capri: enkel kaartje: € 1,40, kaartje dat een uur geldig is: € 2,20, dagkaartje: € 6,90. Info: ✆ 081 83 70 420.

Boottocht naar Napels
Per glij- en veerboot (€ 17 heen).
Alilauro – ✆ 081 49 72 201 -
www.alilauro.it.
SNAV – ✆ 081 42 85 555 - ww.snav.it.
NLG – ✆ 081 552 07 63 - www.navlib.it.
Neapolis – ✆ 081 552 72 09 -
www.caprinfo.it.

Caremar – ✆ 081 551 38 82 -
www.caremar.it.

UIT ETEN
Pulalli Wine Bar – Piazza Umberto I -
✆ 081 83 74 108 - gesl. di. Als u de trap naast de Dienst voor Toerisme naar beneden loopt, ontdekt u de tafeltjes op het panoramische terras van deze mooie wijnbar. Het moderne en geraffineerde interieur is ook erg gezellig. U kunt er uitstekende wijnen en proeven en u hebt er een ruime keuze aan gerechten.

WINKELEN
Carthusia - I profumi di Capri –
Viale Matteotti, 2D - Capri - ✆ 081 83 70 368 - www.carthusia.com. De legendarische parfums van Capri, samengesteld met typische ingrediënten van het eiland: citroen, rozemarijn, rozen, anjers.

Net voor de ingang van het klooster kunt u via het steegje links dwars door de tuin naar de mooie **belvédère★**.

★ Giardini di Augusto en Via Krupp

De tuinen van Augustus bieden een mooi **uitzicht★★** op de Punta di Tragara en de Faraglioni. Een beetje lager loopt de **Via Krupp★★** met zijn karakteristieke bochten naar de Marina Piccola.

★ Marina Piccola

Aan de voet van de steile flank van de Monte Solaro ligt de Marina Piccola met kleine kiezelstranden en vissersboten. Hier bevindt zich ook de bekende **Scoglio delle Sirene** (rots van de sirenen).

★★ Villa Jovis

Viale Amedeo Maiuri, 45 min. te voet vanuit het centrum via de Via Tiberio - ℘ 081 83 74 549 - € 2.

De voormalige woning van keizer Tiberius, die er van 27 tot 37 na Chr. verbleef, staat op de oostelijke kaap van het eiland en steekt ongeveer 300 m boven de zee uit, aan de zee-engte Bocche di Capri. Bij opgravingen ontdekte men dat de villa een oppervlakte van ongeveer 7000 m² besloeg.

Een beetje verderop naar het zuiden, op enige afstand van de villa, staat de Torre del Faro. De toren werd ten tijde van Tiberius gebouwd als uitzichttoren en als signalisatietoren om boodschappen te ontvangen en te sturen. Vervolgens werd de toren tot de 17de eeuw door zeevaarders gebruikt als vuurtoren, daarna stond de toren leeg.

★ Arco Naturale

Bereikbaar vanaf de Piazza Umberto I, de Via Le Botteghe, de Via Croce en de Via Matermania (30 min.).

De Arco Naturale is een reusachtige in de rotsen uitgesleten boog boven de zee. De lagergelegen **Grotta di Matermania** is een natuurlijke grot die in de Romeinse tijd werd omgevormd tot een luxueus nymfaeum.

Voorbij de grot begint een pad naar de Via Pizzolungo en de **Villa Malaparte** *(niet te bezichtigen),* die bekend werd toen Jean-Luc Godard er zijn film *Le Mépris* (1963) draaide. Dit rationalistische bouwwerk werd door Adalberto Libera in de jaren dertig van de 20ste eeuw gebouwd op de Punta Massullo voor schrijver Curzio Malaparte.

Het pad loopt door tot de Belvedere di Tragara. Van daaruit loopt u langs de gelijknamige straat terug naar het centrum.

★★★ Rondvaart om het eiland

Vertrek het hele jaar door in de Marina Grande (behalve bij woelige zee), verschillende maatschappijen - € 14.

Als u de rondvaart in de richting van de wijzers van de klok maakt, komt u eerst bij de **Grotta del Bove Marino** (Grot van de Zeekoe), die haar naam dankt aan het loeiende geluid van de zee in de grot bij storm. Vervolgens vaart u om de punt van de kaap met daarop de **Monte Tiberio**. Voorbij de indrukwekkende klip, **Salto di Tiberio★** genoemd, waar de keizer naar het schijnt zijn slachtoffers in zee gooide, nadert u de Punta di Tragara in het zuiden met de bekende **Faraglioni**, eilandjes met grillige vormen. De **Grotta dell'Arsenale** was een nymfaeum ten tijde van Tiberius. U vaart voorbij de kleine haven Marina Piccola en bereikt dan de westkust. De rondvaart eindigt langs de noordelijke kust, waar zich de Grotta Azzura bevindt.

Bari★

Bari ligt in een landbouw- en industriegebied, maar de belangrijkste activiteit dankt de stad aan haar haven die vooral naar het oosten is gericht. De oude stad, die op een kaap boven de zee ligt, is ook een bedevaartsoord voor de Russische orthodoxen door de relikwieën van de H. Nicolaas.

Excursies van een halve dag

Città Vecchia (oude stad)
De oude stad ligt boven op een kaap die boven de zee uitsteekt.

★★ San Nicola
In het hart van de oude stad, in het midden van de zogenoemde *cittadella nicolaiana*, staat deze basiliek. Men begon met de bouw ervan in 1087 en de kerk werd in 1197 gewijd aan de H. Nicolaas nadat een groepje zeelieden uit Bari in de stad Myre de kostbare relikwieën van de H. Nicolaas had gestolen om ze terug te brengen naar zijn geboortestad. De kerk is een van de opmerkelijkste voorbeelden van de romaanse kunst en stond model voor de religieuze bouwkunst in de streek. Het **feest van de H. Nicolaas** duurt meestal drie dagen, van 7 tot 9 mei. Met een historische optocht wordt de legendarische heldendaad herdacht van de 62 zeelieden die de relikwieën van de H. Nicolaas terugbrachten.

★ Cattedrale di San Sabino
De romaanse kathedraal (11de-12de eeuw) werd later verbouwd. De zijbeuken werden verlengd door kapellen die, net als de apsis, eindigen in halfkoepels. Binnen loopt er een blind triforium boven de arcaden en er zijn veel kunstwerken te zien, waaronder een preekstoel en een baldakijn, gemaakt met elementen uit de 11de, 12de en 13de eeuw. In de linkerzijbeuk ziet u een kopie van de **Exultet** (het origineel wordt bewaard in het Palazzo della Curia naast de kerk), een kostbaar perkament uit de 11de eeuw van Byzantijnse oorsprong. De tekst is opgetekend in het 'beneventana', een middeleeuws geschrift dat in Zuid-Italië algemeen werd gebruikt.

★ Castello Normanno-Svevo
𝒞 080 52 86 260 - www.puglia.
beniculturali.it - € 2.
Dit kasteel is in 1233 door Frederik II op overblijfselen van Byzantijnse en Normandische gebouwen opgetrok-

129

imagebroker/hemis.fr

De trulli zijn hét kenmerk van deze streek.

In de oude stad van Bari
Aldo Pavan/age fotostock

BARI PRAKTISCH

Dienst voor Toerisme –
Piazza Aldo Moro, 32 - ✆ 080 52 42 244 -
www.comune.bari.it.

VERVOER
Per auto – **Autonoleggio Nicotra** -
Via Giovanni Amendola, 147 -
✆ 080 55 04 064.

EEN GLAASJE DRINKEN

Bari
Stoppani – Via Roberto da Bari, 79. Dit
historische café van 1860 is het trefpunt
van de beau monde van Bari.

UIT ETEN

Bari
Al Sorso Preferito – Via Vito Nicola
De Nicolò, 40 - ✆ 080 52 35 747 - gesl. zo.
avond en aug. Traditionele gerechten van
goede kwaliteit voor een redelijke prijs.

Alberobello
Trullo d'Oro – Via F. Cavalloti, 27 -
✆ 080 43 23 909 - www.trullodoro.it -
gesl. ma. behalve maart-okt., 7-28 jan.
Unieke kans om te dineren in een trullo.
Bovendien serveert men hier uitstekende gerechten.

Matera
Ristorante Il Terrazzino –
Vico San Giuseppe, 7 - ✆ 0835 33 41 19 -
www.ilterrazzino.org - gesl. di. Vanaf
het terras van dit restaurant geniet u
van een schitterend uitzicht op de *sassi*.

WINKELEN
Alberobello
Matarrese – Via Monte Pertica, 9 -
Zona Trulli - ✆ 080 42 21 431 - www.
trullo.net. U vindt hier niet minder dan
9000 *fischietti* (terracotta fluitjes)!

ken. Uit de periode van de Zwaben zijn een trapeziumvormige binnenplaats en twee torens overgebleven. In de 16de eeuw werd het gebouw versterkt.

Excursies van een dag

★★★ Terra dei Trulli
Kleine, witte, kegelvormige huisjes waarvan de bedekt zijn met grijze, platte stenen, zo zien de *trulli* eruit. Ze staan langs de smalle wegen die door de Valle d'Itria slingeren, een klein plateau dat 400 m boven de zee en een zestigtal kilometer ten zuidwesten van Bari ligt.
Vanuit Bari bereikt u Alberobello via de SS 100 en de SS 172 (56 km). Reken op een halve dag voor elk van de drie steden (Alberobello, Martina Franca, Ostuni).

★★★ Alberobello
Hoogte 416 m. Dit stadje werd in 1996 door de Unesco uitgeroepen tot werelderfgoed dankzij de grote wijk *trulli* omvat (ongeveer 1400 huizen). De vele toeristen bederven een beetje de schoonheid van het stadje, want veel *trulli* werden omgevormd tot souvenirwinkels. De oude stad strekt zich uit over twee heuveltjes die aan weerszijden van de hoofdstraat liggen. De **Rioni Monti** is het toeristische deel van de stad. U kunt er veel *trulli* bezoeken en vanaf de daken uitzien over de stad. Helemaal boven staat de **Chiesa di Sant'Antonio**. De kerk heeft de vorm van een *trullo (toegang in de Via Monte Sant'Angelo)*. Boven aan de Via Monte Nero kunt u de **Siamese trullo** bekijken met de twee daken.
In het andere stadsdeel, **Aia Piccola**, wonen vooral ouderen. Achter de be-

langrijkste kerk op deze tweede heuvel staat aan de Piazza Sacramento de **Trullo Sovrano★** (midden 18de eeuw), de enige *trullo* met twee verdiepingen en niet minder dan twaalf daken.
℘ 080 43 26 030 - www.trullosovrano.it - € 1,50.

Daal af naar de Piazza XXVII Maggio, waar u het **Museo del Territorio** (streekmuseum) ziet. Dat omvat circa vijftien *trulli*. De oudste daarvan dateren uit de 18de eeuw. Verschillende voorwerpen geven de bezoeker een beeld van het dagelijkse leven in het land van de trulli. *℘ 380 41 11 273 - € 3, combinatiekaartje met het Museo del Vino.*
U kunt ook het **Museo del Vino** (wijnmuseum) in de wijnkelder van Alberobello bezoeken. U maakt er kennis met de wijnbouwtradities in Apulië.

★ Martina Franca
15 km ten zuidoosten van Alberobello via de SS 172 Via Locorotondo. Hoogte 431 m. Dit compleet witte stadje ligt op een heuvel van het Murge-gebergte. Op de top ligt de ommuurde oude stad, een parel van de barok. Op de gezellige **Piazza Roma** staat het voormalige **Palazzo Ducale** (hertogelijk paleis) van 1668, dat nu dienstdoet als stadhuis. Volg de Corso Vittorio Emanuele naar de Piazza Plebiscito met de witte gevel van de indrukwekkende kathedraal **San Martino**, waarvan het portaal versierd is met een haut-reliëf met de beeltenis van de H. Martinus, de patroonheilige van de stad. Aan de Piazza Maria Immacolata ernaast, waar zich een booggalerij bevindt, begint de **Via Cavour★**. In deze straat staan veel paleizen (Palazzo Fanelli-Torricella, Palazzo Magli, Palazzo Motolese, Palazzo Maggi). Vlakbij,

in de Via Principe Umberto, staat de Chiesa di San Domenico met een mooie barokgevel. Een beetje verderop naar het westen, richting Via Donizzetti en de toren Mulini di San Martino, is het de moeite waard even een ommetje te maken langs de **Via Mazzini**, waarin enkele mooie paleizen staan.

★ Ostuni

35 km ten oosten van Alberobello via de SS 172 tot Locorotondo, dan de SP 134 (die overgaat in de SP 11 en de SP 17). Hoogte 207 m.

Deze grote stad strekt zich uit over enkele heuvels en omvat een oude stadskern met een Aragonese omwalling en witte steegjes. De **kathedraal**, die eind 15de eeuw werd gebouwd, omvat romaanse en gotische elementen. De **voorgevel★** eindigt in een ongewoon spel van holronde *(in het middendeel)* en bolronde lijnen *(aan de zijkanten)* dat nog wordt versterkt door een versiering met kleine boogjes. In het midden zit een heel mooi **roosvenster★**.

Het verderop gelegen klooster van de Chiesa San Vito herbergt een klein **Museo archeologico**. In dit archeologische museum wordt een afgietsel bewaard van Delia, een jonge vrouw die

25.000 jaar geleden leefde en die net voor haar bevalling stierf (het skelet bevat de botjes van een ongeboren baby).

★★★ Matera

65 km ten zuiden van Bari via de S 96 (afrit Matera Nord) en de SS 7.

Matera, de stad van de *sassi*, in de rotsen uitgehouwen grotwoningen met verschillende verdiepingen, werd in 1993 door de Unesco uitgeroepen tot werelderfgoed. In de jaren vijftig van de vorige eeuw kwamen de woningen leeg te staan toen de bewoners naar betere woningen verhuisden.

De twee belangrijkste wijken met *sassi* zijn **Sasso Barisano** in het noorden, die bijna volledig is gerestaureerd en waar de **Duomo★** in romaans-Apulische stijl (13de eeuw) staat, en **Sasso Caveoso** in het zuiden. In deze wijk bevinden zich de **rotskerken★★** (10de-13de eeuw), waarvan er enkele Byzantijnse fresco's bevatten, en het **Casa Grotta** (grotwoning), waarin de oorspronkelijke meubelen en voorwerpen werden bewaard. De **Strada Panoramica dei Sassi★★** biedt u een mooi uitzicht over de *sassi* en voert u langs enkele rotskerken.

Ancona★

De hoofdstad van Le Marche is tegenwoordig vooral een belangrijke handelshaven, maar in de oude stad bleven veel overblijfselen uit het rijke verleden bewaard in de smalle straten. Enkele kilometers verderop naar het zuiden ligt de Riviera del Conero, een van de mooiste en spectaculairste kuststroken aan de Adriatische Zee.

Excursies van een halve dag

Het oude stadscentrum

Het oudste deel van de stad is het westelijke deel rond de haven en de heuvel Guasco, waar de kathedraal staat. Daarna breidde de stad uit naar het oosten, In de 19de eeuw werden grote, rechte lanen toegevoegd, waardoor de stad naar de andere kant van de kaap en naar het zuiden uitbreidde.

Piazza del Plebiscito

Dit mooie plein, ook Piazza del Papa genoemd, is een van de oudste van de stad. Hier staan het Palazzo del Governo (14de eeuw, nu de prefectuur), het Palazzo Mengoni Ferretti (16de eeuw) en de Chiesa di San Domenico (18de eeuw) met ervoor een indrukwekkend standbeeld van paus Clemens XII van 1738. In het voormalige hospitaal van Thomas Becket *(ingang rechts van het standbeeld)* is het **Museo della Città** (Stedelijk Museum) gevestigd, gewijd aan de geschiedenis van de stad. *Piazza del Plebiscito - ℘ 071 22 25 037 - € 3.*

★ Pinacoteca civica Francesco Podesti

Palazzo Bosdari - V. Ciriaco Pizzecolli 17 - ℘ 071 22 25 04 51 - € 4,60.
Deze pinacotheek werd ondergebracht in een 16de-eeuws gebouw, het Palazzo Bosdari, en beslaat drie verdiepingen.

Op de eerste twee ziet u oude kunst, onder andere *Maagd met kind* van Carlo Crivelli (1430-1494), *Heilige conversatie* van Lorenzo Lotto, de 'Pala Gozzi' van Titiaan (met op de achterkant van het schilderij schetsen van de schilder), *Onbevlekte ontvangenis* en *Santa Palazia* van Guercino. De afdeling moderne kunst op de derde verdieping omvat werken van kunstenaars die woonden of werkten in deze streek (L. Bartolini, M. Campigli, B. Cassinari, G. Tamburini).

San Francesco delle Scale

Deze 15de-eeuwse kerk bezit een schitterend gotisch-Venetiaans portaal, een meesterwerk van Giorgio Orsini. Binnen is er *Tenhemelopneming* van Lorenzo Lotto (1550) te zien.

Museo Archeologico Nazionale delle Marche

Aan de zuidkant van de Piazza del Senato - ℘ 071 20 26 02 - www. archeomarche.it - € 4.
Dit nationaal archeologisch museum is ondergebracht in het Palazzo Ferretti (16de eeuw). Het omvat boeiende collecties prehistorische voorwerpen en archeologische vondsten van verschillende volkeren die deze streek bewoonden van het paleolithicum tot het begin van de middeleeuwen. Het museum bezit een buitengewone collectie **Romeinse bronzen beelden van Cartoceto**.

Aan de Piazza del Senato staan nog twee oude paleizen, het **Palazzo del Senato**, waarvan de 13de-eeuwse gevel is voorzien van tweelingvensters, en het Palazzo Arcivescovile.

★ Cattedrale di San Ciriaco
De kathedraal, het symbool van de stad, staat op de heuvel Guasco, boven de haven. Ze is gewijd aan de H. Cyriacus, een 4de-eeuws martelaar en de beschermheilige van de stad. De kathedraal werd opgetrokken in romaanse stijl, maar vertoont zowel Byzantijnse (grondplan in de vorm van een Grieks kruis) als Lombardische kenmerken (lisenen en rondboogfriezen op de buitenmuren). Voor de voorgevel staat een indrukwekkend gotisch **portaal** van roze steen, dat steunt op leeuwen.
De sobere, 14de-eeuwse campanile hier vlakbij is het enige wat overblijft van de voormalige versterkingen.

★ Santa Maria della Piazza
Het romaanse kerkje uit de 10de eeuw heeft een mooie voorgevel (1210) die rijkelijk werd versierd met beeldhouwwerk. De kerk werd gebouwd op de resten van twee **primitieve heiligdommen** uit de 5de en 6de eeuw, waarvan de mozaïekvloeren bewaard bleven.

★ Loggia dei Mercanti
Deze 15de-eeuwse handelaarsloggia heeft een mooie bakstenen gevel in Venetiaans-gotische stijl, een werk van G. Orsini (door vervuiling helaas zwart geworden).

Passetto
Als u wilt kennismaken met de stad uit de 19de eeuw, neemt u het beste een kijkje in een van de winkelstraten in het centrum, zoals de Corso Mazzini,

de Corso Garibaldi of de Corso Stamira. Steek daarna de Piazza Cavour over naar de Viale della Vittoria, een brede laan met welgestelde huizen en villa's. Zo komt u bij Passetto *(bereikbaar via de trap aan de voet van het monument voor de oorlogsslachtoffers)*, een klein strand aan de voet van de helling waarin vissers opslagplaatsen voor hun boten hebben uitgegraven en die hebben voorzien van kleurrijke poorten.

★ Arco di Traiano
Deze triomfboog werd opgericht voor Trajanus, die de haven in 115 aanlegde.

Mole Vanvitelliana (Lazzaretto)
Banchina Giovanni da Chio, Molo sud - ☏ 071 22 25 039.
Dit grote, vijfhoekige gebouw, ontworpen door Luigi Vanvitelli (18de eeuw), was veldhospitaal, hospitaal, kazerne, douanegebouw en tabaksopslagplaats. Nu is het gerestaureerd en wordt het gebruikt voor tentoonstellingen en culturele evenementen.

★ Riviera del Conero
10 km ten zuiden van Ancona ligt de Monte Conero in een beschermd natuurgebied. Volg de kustweg, die adembenemende uitzichten biedt, tot **Portonovo★**, een schilderachtig plekje in het Massief van de **Conero** dat boven de zee uitsteekt.
Een privéweg door het bos voert u naar de lieflijke **Chiesa Santa Maria** *(rondleiding - ☏ 071 56 307)* uit de 11de eeuw. De **panoramische route** volgt de kust een twintigtal kilometer zuidwaarts langs enkele bekoorlijke dorpen, zoals **Sirolo** en **Numana**, vanwaar u per boot mooie kreken met **zand- of kiezelstranden** bereikt.

De Mole Vanvitelliana te midden van de haven van Acona
SIME/Ripani Massimo/Simeone/Photononstop

ANCONA PRAKTISCH

Dienst voor Toerisme – V. della Loggia 50 - ✆ 071 35 89 91 - www.comune.ancona.it/turismo/it - www.libertadivacanza.it - www.turismo.marche.it.

VERVOER

Per taxi
Stazione Centrale F.S. – ✆ 071 43 321.
Ospedale zona Torrette di Ancona – ✆ 071 88 94 87.

Per auto
Avis – Luchthaven - ✆ 071 20 31 00

UIT ETEN

Sot'aj Archi – V. Marconi 93 - ✆ 071 20 24 41 - gesl. zo. en aug. In dit restaurantje onder de zuilengalerijen heerst een ontspannen sfeer. Het is de ideale plek om dagverse zeevruchten en visgerechten te eten.

La Moretta – Piazza del Plebiscito 52 - ✆ 071 20 23 17 - gesl. zo., 1-10 jan. en 13-18 aug. Dit restaurant met een rijke geschiedenis is al sinds 1897 in handen van dezelfde familie. Men serveert er vooral streekgerechten en vis en zeevruchten. Het rustieke interieur is gezellig om te eten, maar vooral op het terras, met uitzicht op de Piazza del Plebiscito geniet u het meest van de heerlijke gerechten.

WINKELEN

Bontà delle Marche – Corso Mazzini 96 - ✆ 071 53 185 - www.bontadellemarche.it - gesl. zo. middag. Ruime keuze aan culinaire streekproducten en wijnen uit de streek.

Lunstgaleries – Aan de sierlijke Piazza del Plebiscito zijn enkele interessante kunstgalerijen gevestigd.

Ravenna★★★

Dit aangenaam rustige provinciestadje bezit nog enkele prachtige overblijfselen uit de periode waarin het de hoofdstad was van het West-Romeinse Rijk en vervolgens Byzantijns exarchaat, zoals de betoverende mozaïeken op de muren van de religieuze gebouwen. Vanuit Ravenna bereikt men gemakkelijk stranden en badsteden. De bekendste badstad is Rimini, een stad met een rijk verleden, zoals blijkt uit de vele bezienswaardigheden in het historische centrum.

Excursie van een halve dag

★★★ De mozaïeken in Ravenna

In 404 verliet Honorius, de eerste monarch van het West-Romeinse Rijk, Rome en koos Ravenna als hoofdstad. Dankzij de gunstig gelegen haven werd al snel contact gelegd met Byzantium, de stad die vanaf 476 de hoofdstad van het Byzantijnse Rijk zou zijn. Nadat Ravenna onder Byzantium viel, werd ze onder de heerschappij van **Justinianus I** (482-565) zetel van een exarchaat. De oudste **mozaïeken★★★** ziet u in het **baptisterium van de orthodoxe christenen★ (2)** en het **mausoleum van Galla Placidia★★★ (1)** (5de eeuw). In chronologische volgorde zijn er nog de mozaïeken van het **baptisterium van de Arianen (1)**, de **Sant' Apollinare Nuovo★★ (2)**, de **San Vitale★★ (1)** en de **Sant'Apollinare in Classe★★ (buiten 2)** (6de eeuw). De Grieks-Romeinse stijl, gekenmerkt door plasticiteit en aandacht voor realisme en landschappen, werd gemengd met de Byzantijnse stijl, waarin personen zeldzamer en schematischer werden en verstarden tegen goudkleurige achtergronden. De vroegchristelijke monumenten werden in 1996 door de Unesco uitgeroepen tot werelderfgoed.

★★ Rimini
50 km van Ravenna via de SS 16.

★★ Tempio Malatestiano

De franciscanen bouwden deze kerk in de 13de eeuw. Ze was vanaf de 14de eeuw mausoleum van de familie Malatesta en **Leon Battista Alberti** verbouwde ze vanaf 1447. In de kapel van de relikwieën is er een **fresco★★** van **Piero della Francesca**, achter het altaar een **kruisbeeld★★** van **Giotto**.

Het historische centrum

Aan de Piazza Cavour staan het Palazzo Communale (stadhuis), het Palazzo dell'Arengo en het Palazzo del Podestà uit de 13de-14de eeuw. De **Chiesa di Sant'Agostino** bezit werken van de school van Rimini uit de 14de eeuw. Aan de Piazza Malatesta staat het sobere **Castel Sismondo** (1446).

Museo della Città

Via Luigi Tonini, 1 - ℘ 0541 21 482 - www.museicomunalirimini.it - € 5. Archeologische vondsten uit het Romeinse Ariminum en een uitgebreide collectie werken uit de 14de-19de eeuw.

Ponte di Tiberio

Men begon aan deze brug van massieve stenen van Istrië onder Augustus en ze was klaar in 21 na Chr., onder Tiberius.

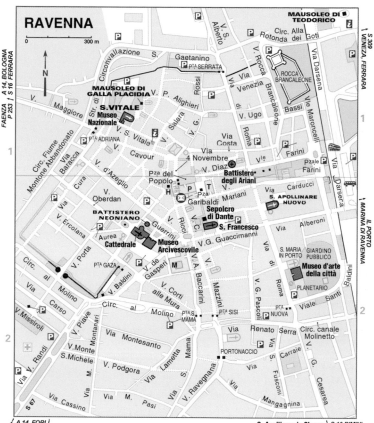

RAVENNA

0   300 m

N

FAENZA   A 14, BOLOGNA
P 253 | S 16 FERRARA

S 309
VENEZA, FERRARA

IL PORTO
MARINA DI RAVENNA

A 14, FORLÌ

S. Apollinare in Classe
S 67, A 14, FORLÌ

S 16 RIMINI
E 45 CESENA
ROMA

MAUSOLEO DI
TEODORICO

Circ. Alla
Rotonda dei Goti

V. S. Alberto

V. Rocca Brancaleone

Via Darsena

Via Maroncelli

LA ROCCA
BRANCALEONE

PTA SERRATA

Gaetanino

Circonvallazione S.

Str. di

V. Maggiore

V. Fiume Montone Abbandonato

Circ.

MAUSOLEO DI
GALLA PLACIDIA

S. VITALE

Museo
Nazionale

V. P. Alighieri

Rossi

Via Venezia

V. Ugo

V. Costa

Via
Roma

Farini

Pzale
Farini

PTA ADRIANA

V. S. Vitale

Cavour

V. d'Azeglio

Salara

V. G.

Via
4 Novembre

V. Diaz

Battistero
degli Ariani

Carducci

Bassi

CURA

V.
Oberdan

Via
Baracca

Pza del
Popolo

Pza
Mariani

S. APOLLINARE
NUOVO

Garibaldi

Via Ercolana

BATTISTERO
NEONIANO

V. Ricci

Sepolcro
di Dante

S. Francesco

Via   Alberoni

Aurea

Guerrini

V.G. Guaccimanni

Via

V. Porta

Cattedrale

Museo
Arcivescovile

V. de Gasperi

M

V. A. Baccarini

S. MARIA
IN PORTO

GIARDINO
PUBBLICO

Museo d'arte
della città

Circ.   al
Molino

PTA GAZA

V. Baldini

V. Corti
alle Mura

Mazzini

Roma

PLANETARIO

Via
Carso

Circ.   al
Molino

PTA S.
MAMA

PTA SISI

V. G. Pascoli

PTA
NUOVA

Viale   Santi

V. Missiroli

Via

V. Plave

V. Piave

V. Montanari

Via Montesanto

Mama

Via
Renato Serra

Circ. canale
Molinetto

S 67

Via V. Randi

V. Monte
S. Michele

M.

V. Podgora

Lametta

S.

PORTONACCIO

V. S. Fusconi

Carraie

V. Molinetto

Via Cassino

Via

Via M. Pasi

V. Ravegnana

Via

Mangaginna

Cesarea

V. Balpin

De Ponte di Tiberio in Rimini
P. Caneli/Sime/Photononstop

RAVENNA EN RIMINI PRAKTISCH

Dienst voor Toerisme in Ravenna –
Via Salara, 8/10 - ☎ 0544 35 404 -
www.turismo.ravenna.it.
Dienst voor Toerisme in Rimini –
Piazzale Federico Fellini, 3 (jachthaven) -
☎ 0541 53 399 - www.riminiturismo.it.

VERVOER
Per auto – U vindt autoverhuurbedrijven op de www.turismo.ravenna.it.
Per taxi – ☎ 0544 33 888.
Per trein – Er rijdt in de zomer elk uur
een trein tussen Ravenna en Rimini, de
rit duurt 1 uur - www.trenitalia.com.

UIT ETEN
Ravenna
Ca'de'Vén – Via C. Ricci, 24 - ☎ 0544
30 163 - www.cadeven.it - gesl. ma. - reserv. aanbev. De bekoorlijke kruidenierszaak (1876) werd omgevormd tot een
gerenommeerde trattoria-vinotheek.
Men serveert de koude en warme gerechten aan lange, houten tafels. Proef
vooral de *piadine romagnole* (een soort
gevulde pannenkoek van ongezuurd
deeg). Uitstekende Italiaanse wijnen.

Rimini
Osteria De Borg – Via Forzieri, 12 -
☎ 0541 56 074 - www.osteriadeborg.
it - gesl. 's middags in juli-aug. In deze
osteria in de karakteristieke wijk San
Giuliano serveert men traditionele
gerechten.

WINKELEN
Rimini
Stamperia Ruggine – Via Bertani, 36 -
☎ 0541 50 811. Grote bloemenmotieven
op stof en aardewerk. Ze worden voor
uw ogen op traditionele wijze gedrukt.

Venetië★★★

Deze legendarische, unieke stad houdt mensen al meer dan tweeduizend jaar in de ban. De stad is gebouwd op een honderdtal kleine eilandjes die met ongeveer 400 bruggen met elkaar zijn verbonden. Het is heerlijk om te flaneren door de steegjes en langs pleintjes of de vaporetto te nemen op de kanalen. Onderweg ziet u prachtige paleizen, kerken en goedverborgen plekjes die tot ieders verbeelding spreken.

Excursies van een halve dag

★★★ Het Canal Grande

Het 3,8 km lange Canal Grande vormt de hoofdas van de stad. Neem de vaporetto om de paleizen te bewonderen die zo gebouwd zijn dat ze worden weerspiegeld in het water.

Linkeroever B1-2

Neem de vaporetto *(lijn 1, vertrek: Piazzale Roma)* en bewonder het **Palazzo Labia★★** en het **Palazzo Vendramin Calergi★** (waar Wagner woonde en stierf) voor u het **Ca'd'Oro★★★** *(Cannaregio, 3932 - ℘ 041 52 00 345 - www.cadoro.org - € 6,50)* bezoekt, een verfijnd gotisch gebouw waarin de **Galleria Franchetti** gevestigd is (met werken van Tintoretto, Titiaan, Bordone...). Voorbij de **Ponte di Rialto★★** (1591), de belangrijkste verbinding tussen de twee oevers, ziet u het **Palazzo Grassi★** *(Campo San Samuele 3231- ℘ 199 139 139 - www.palazzograssi.it - € 15).* In 2005 kocht de Franse zakenman François Pinault het en hij toont er zijn collectie hedendaagse kunst (meer dan 2000 werken) in wisselende tentoonstellingen. Daarna ziet u het **Palazzo Cavalli Franchetti★** (tweede helft 15de eeuw) en het **Palazzo Corner della Ca'Granda**, de huidige prefectuur.

Rechteroever AB2

De **Fondaco dei Turchi**, een voormalige opslagplaats van Turkse handelaars, is een van de oudste paleizen in Venetiaans-Byzantijnse stijl in de stad (13de eeuw). In het **Ca'Pesaro★** *(Santa Croce, 2076 - ℘ 041 72 11 27 - www.museiciviciveneziani.it - € 6,50)* is het **Museo d'Arte Orientale** en de **Galleria internazionale d'Arte moderna** gevestigd. Vervolgens komt u voorbij de zuilengangen van de **Pescheria**, waar elke ochtend de kraampjes van de **vismarkt** staan, het gotische **Palazzo Bernardo** (1442) en het **Ca'Foscari★** (15de eeuw). In het **Ca'Rezzonico★★** *(Dorsoduro, 3136 - ℘ 041 24 10 100 - www.museicivicivene-ziani.it - € 7)* bevindt zich het **Museo del Settecento Veneziano** (werken van Tiepolo, Canaletto, Francesco Guardi, Pietro Longhi). Het **Ca'Dario★**, een klein paleis van eind 15de eeuw, vertoont een geraffineerde decoratie in veelkleurig marmer.

★★★ Rond de Piazza San Marco

★★★ Piazza San Marco B2

Het San Marcoplein, het symbool van de stad, bereikt u het vlotst via de lagune. Neem de vaporetto tot de halte San Zaccaria of San Marco Vallaresso, zo ontdekt u dit architecturale wonder met het

De basiliek Santa Maria della Salute en de Punta della Dogana
imagebroker/hemis.fr

VENETIË PRAKTISCH

Dienst voor Toerisme –
Calle Ascensione, San Marco 71/f,
30124 - ☎ 041 52 98 711 -
www.turismovenezia.it.

VERVOER
Van de haven naar het centrum –
Vanaf de haventerminal bereikt u na
15 minuten wandelen of na een taxirit
van 5 minuten de Piazzale Roma, vanwaar een bootbus of vaporetto (lijn 1) u
naar het centrum van Venetië brengt.
Per vaporetto – Dit is het beste
vervoermiddel in Venetië. Lijn 1 doet
alle haltes aan het Canal Grande aan en
vaart tot het Lido, de Piazzale Roma, het
treinstation (Stazione Santa Lucia) en
het San Marcoplein.
Een overzicht van de boten die naar de
eilanden varen, vindt u op de website
www.actv.it.

De **kaartjes zijn geldig** vanaf het eerste gebruik (verplichte ontwaarding). Er
zijn kaartjes die 60 min. (€ 6,50), 12 uur
(€ 16), 24 uur (€ 18), 36 uur (€ 23)... geldig
zijn. www.hellovenezia.com.
Per taxi – Een taxirit is erg duur. Neem
alleen een officiële taxi, met een gele
strook waarop in het zwart het symbool
van de stad en het nummer van de taxi
staat, en controleer of de taximeter
goed zichtbaar is.
Traghetto – De traghetto is een grote
gondel met twee roeiers. Ze brengen
u in 1 of 2 min. naar de overkant voor
€ 0,50. Ze vertrekken aan acht aanleg-
steigers verspreid over de stad: het
treinstation (Stazione), San Marcuola,
Santa Sofia (Ca'd'Oro), Rialto, San Tomà,
San Samuele, Santa Maria del Giglio en
Dogana.

Gondels – Het officiële tarief voor een rondvaart op de kanalen van 40 min. is € 80 per gondel (tot 6 passagiers). Reken op € 40 per extra 20 min. Een rondvaart 's avonds (tussen 19.00 en 8.00 u) kost € 100/40 min. en € 50/elke 20 min. extra. Info en tarieven : ℘ 041 52 85 075 - www.gondolavenezia.it (Italiaans en Engels).

Met de **Venice-card** kunt u gebruik-maken van de belangrijkste toeristische diensten van de stad (zoals openbaar vervoer, musea, kerken, toiletten). www.hellovenezia.com.

EEN GLAASJE DRINKEN

Caffè Florian – Piazza San Marco, 55 - ℘ 041 52 05 641 - www.caffeflorian. com.
Iedereen die Venetië bezoekt, moet in Florian zijn geweest (wel duur) op het San Marcoplein. Gezellige, 18de-eeuwse salonnetjes, obers die ook uit die tijd lijken te komen en een prachtig terras.

Caffè Quadri – Piazza San Marco, 120 - ℘ 041 52 22 105 - www.quadrivenice. com. Dit luxueuze café-restaurant op het San Marcoplein lokt doorgaans minder bezoekers dan Florian.

Harry's Bar – San Marco (Calle Vallaresso), 1323 - Piazza San Marco - ℘ 041 52 85 777 - www.cipriani.com. Vlak bij het San Marcoplein bevindt zich de legendarische Harry's Bar, het cocktailparadijs. De bar werd in 1931 ge-opend door Giuseppe Cipriani, en kreeg ooit Ernest Hemingway over de vloer.

Gran Caffè Lavena – Piazza San Marco, 133-134 - ℘ 041 52 24 070 - www.lavena.it. Vergelijkbaar met de twee adressen hiervoor, maar dan met een ietwat volkser sfeer, is dit kleine café met door de tijd vergeelde ramen.

UIT ETEN

Eten in een van de *trattorie* van Venetië is een waar genoegen. U kunt er heerlijke visgerechten en zeevruchten eten, maar ook kalfslever met uien. Deze gerechten worden vergezeld door heerlijke wijnen uit de omgeving van Venetië (zoals de rode wijnen valpoli-cella, bardolino, amarone en de witte wijnen soave en prosecco).

Alla Campana – Calle dei Fabbri, San Marco, 4720 - ℘ 041 52 85 170 - gesl. zo. Typisch Venetiaanse bistro die ondanks de ligging tussen de Ponte Rialto en het San Marcoplein erin slaagt nog steeds authentieke gerechten te serveren.

Vecio Fritolin – Calle della Regina (achter de Campo San Cassiano), Santa Croce, 2262 - ℘ 041 52 22 881 - www. veciofritolin.it - gesl. ma. en di. middag. Deze kleine zaak met een uitstekende reputatie biedt de gasten gerechten met marktverse producten en heerlijke, verse pastagerechten. Dit adres is ook bekend om zijn gefrituurde gerechten.

Ai Promessi Sposi – Calle dell'Oca, Cannaregio, 4367 - ℘ 041 24 12 747 - gesl. wo. Deze zogenoemde *bacaro* vlak bij de Campo Sant'Apostoli beschikt ook over een gezellige tuin. Men serveert er visspecialiteiten.

Algiubagiò – Fondamenta Nuove, Cannaregio, 5039 - ℘ 041 52 36 084 - www.algiubagio.com. Terwijl u op de boot naar de eilanden wacht, kunt u in dit restaurant, een oude, rustieke *osteria*, een hapje eten en genieten van het uitzicht op de lagune.

Alle Testiere – Calle del Mondo Novo, 5801 (Castello) - ℘ 041 52 27 220 - www.osterialletestiere.it. In dit piepklei-ne, eenvoudige restaurant serveert men gerechten van uitstekende kwaliteit.

bijzondere kleur-en-lichtspel stap voor stap. In de zuilengalerijen van de **paleizen der Procuratoren** zijn er cafés, zoals Florian (sinds 1720) en Quadri (in 1775 door Giorgio Quadri geopend als Turks café), en luxeboetieks.

★★★ Basilica San Marco B2

www.basilicasanmarco.it - gratis toegang, museum € 4, Pala d'Oro € 2, kerkschat € 3.

Deze basiliek vertoont zowel Byzantijnse als westerse invloeden. Men begon met de bouw ervan net na 1000. Bij de inwijding (1094) werd het stoffelijk overschot van de evangelist Marcus op wonderbaarlijke wijze teruggevonden. De basiliek met een grondplan in de vorm van een Grieks kruis heeft een bolvormige, centrale koepel en vier andere koepels met verschillende hoogtes boven de armen van het kruis. De verwondering die elke bezoeker overvalt als hij de basiliek binnenstapt, wordt veroorzaakt door het marmer en de **mozaïeken★★★** (met een oppervlakte van meer dan 4000 m^2), waarvan de oudste dateren van 1071.

★★ Campanile B2

San Marco - www.basilicasanmarco.it - € 8.
Deze klokkentoren is het herkenningsteken van de stad (96 m). Het is een exacte replica van de 16de-eeuwse campanile die in 1902 instortte. Vanaf de top van de toren geniet u van een schitterend **uitzicht★★**.

★★★ Palazzo Ducale (Dogepaleis) B2

Toegang voor bezoekers: Porta del Frumento, Piazzetta San Marco - ☏ 041 27 15 911 - www.visitmuve.it - € 13.
Het Dogepaleis is het symbool van de glorie en de macht van Venetië. Hier woonde meer dan tien eeuwen lang de doge (de hoogste magistraat van de republiek) en het was de zetel van de macht, zowel de staatsmacht als de economische en de kerkelijke macht. Het huidige gebouw dateert uit de 12de eeuw en werd tussen eind 13de en de 16de eeuw grondig veranderd.
Itinerari secreti★★ – *Rondleiding ook in het Frans en Engels ☏ 041 42 73 08 92 of www.visitmuve.it - € 20.* Deze 'geheime routes' voeren u langs zalen waarin geheime activiteiten plaatsvonden, zoals de folterzaal en de gevangenis **Piombi** waaruit Casanova ontsnapte.

★★ Ponte dei Sospiri B2

De bekende 'brug der zuchten' dateert uit de 16de-17de eeuw en verbindt het Dogepaleis met de Prigioni Nuove (nieuwe gevangenissen) achter het paleis.

★★ Museo Correr B2

Toegang voor bezoekers: Piazza San Marco, Ala Napoleonica - www.visitmuve.it - € 13.
Dit museum vormt een boeiende kennismaking met de geschiedenis en de kunst van Venetië. Op de tweede verdieping omvatten de grote kunstcollecties vooral werken van Brueghel de Jonge, Giovanni Bellini, Lorenzo Lotto en Vittore Carpaccio.

★ Gran Teatro La Fenice B2

Campo S. Fantin, 1965 - kassa: ☏ 041 786 672 - www.teatrolafenice.it of www.festfenice.com - raadpleeg de websites voor het aanbod.
In 1996 werd dit prestigieuze operagebouw, dat sinds 1792 bestaat, het slachtoffer van een brand, maar kreeg zijn pracht terug.

Campo Santo Stefano B2

Dit plein is een van de sierlijkste van Venetië en de cafés en ijssalons lokken veel bezoekers. De **Chiesa di Santo Stefano** in gotische stijl heeft een mooie, bakstenen gevel en bezit verschillende werken van **Tintoretto**.

★★ De nabijgelegen eilanden

★★ Isola di San Giorgio Maggiore

U bereikt dit eilandje tussen het San Marcoplein en het eiland Giudecca per vaporetto (nr. 82). Vanaf de **campanile** van de **kerk★** van **Palladio** hebt u een mooi **uitzicht★★★** op Venetië.

★ Giudecca

Op dit rustige eiland staat **Il Redentore★**, de kerk die **Palladio** ontwierp.

★ Isola di San Michele

Neem op de Fondamenta Nuove vaporetto 41/42.

Dit eiland, dat gedomineerd wordt door de renaissancekerk, is vooral bekend om het kerkhof dat **Napoleon** hier om

De huizen aan het Canal Grande

hygiënische redenen aanlegde, en is een echte oase van rust.

★★ De eilanden in de lagune

★ Het Lido

Dit is het strand waar de Venetianen zelf naartoe trekken. Het is een recreatieoord met een nogal decadente sfeer. Hier staat het casino en het filmfestival, de Mostra, vindt hier plaats.

★★ Murano

Eind 13de eeuw besloot de Grote Raad vanwege de grote branden de glasblazerijen over te brengen naar Murano, dat sindsdien bekend is om zijn glasindustrie, waaraan het **Museo del Vetro★** (☏ 041 73 95 86 - *www.visitmuve.it* - € 6,50) is gewijd.

★★ Burano

Dankzij de felgekleurde huizen is dit het kleurrijkste eiland van de lagune.

★★ Torcello

Op dit spookeiland onthullen de stenen het ooit glorierijke verleden, toen het in 639 zetel van een bisdom werd. Tussen het gras staat de ruïne van de **Santa Maria Assunta** en de **Santa Fosca**. In de **basiliek** wordt de pracht van de **mozaïeken★** extra in de verf gezet door de soberheid waarvan het hele eiland doordrenkt is. *Basiliek: www.assap. provincia.venezia.it* - € 3, campanile € 2.

★ San Lazzaro degli Armeni

Bereikbaar per vaporetto (lijn 20), halte San Zaccaria. Duur: 1 uur.

Het klooster **(Monastero mechitarista)** werd opgericht door Pierre Manouk, een Armeniër die priester werd en zich in 1717 met zijn gemeenschap op het eiland vestigde. ☏ 041 52 60 104 - *rondleiding na afspraak - duur 1,5 uur* - € 6.

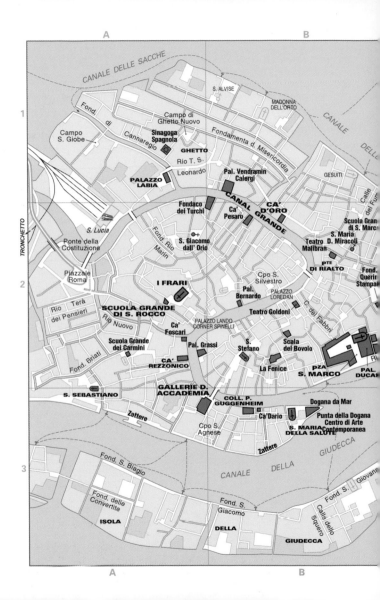

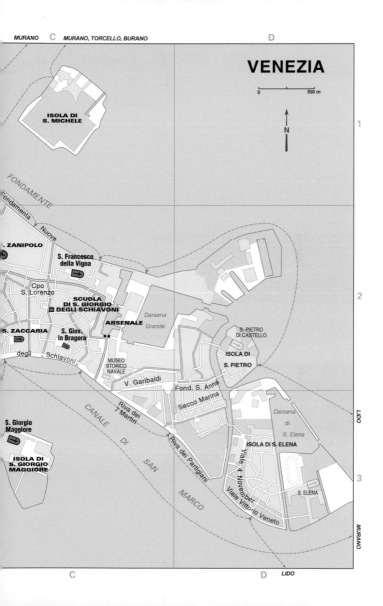

VENEZIA

0   300 m

N

ISOLA DI
S. MICHELE

FONDAMENTE

Fondamenta Nuove

. ZANIPOLO

S. Francesco
della Vigna

Cpo
S. Lorenzo

SCUOLA
DI S. GIORGIO
DEGLI SCHIAVONI

Darsena
Grande

ARSENALE

S. ZACCARIA

S. Giov.
in Bragora

degli Schiavoni

MUSEO
STORICO
NAVALE

S. PIETRO
DI CASTELLO

ISOLA DI

S. PIETRO

V. Garibaldi

Fond. S. Anna

Secco Marina

S. Giorgio
Maggiore

CANALE

DI

SAN

MARCO

Riva dei
7 Martiri

Riva dei Partigiani

Darsena
di
S. Elena

ISOLA DI
S. GIORGIO
MAGGIORE

ISOLA DI S. ELENA

Viale 4 Novembre

Viale Vittorio Veneto

S. ELENA

145

LIDO

MURANO

Taormina met op de achtergrond de Etna

SICILIË

Sicilië, het eiland dat vaak in de zon baadt en waarop zich de Etna verheft, ligt in het centrum van het Middellandse Zeegebied en biedt bezoekers een gevarieerd landschap met zandstranden, kreken, kliffen, bergen en valleien. Het eiland was gegeerd bij vele volkeren. Grieken, Arabieren, Normandiërs en Spanjaarden lieten er hun sporen na, net zoals recenter de maffia. Sicilië is een bezoek waard om het landschap en de bezienswaardigheden, maar ook om de gastronomie en de feesten, zowel heidense als katholieke, want het katholicisme is hier nog nadrukkelijk aanwezig.

Land: Italië

Officiële naam: Autonome Regio Sicilië

Plaatselijke naam: Sicilia

Hoofdstad: Palermo

Officiële taal: Italiaans. 91% van de Sicilianen spreekt Siciliaans.

Oppervlakte: 25.708 km^2

Inwoners: 5,3 miljoen

Munteenheid: euro

Telefoneren naar Sicilië: Kies 00 + 39 + het nummer van de correspondent.

Tijdsverschil: Er is op Sicilië, net zoals in de rest van Italië, geen tijdsverschil met België en Nederland.

Klimaat: een mediterraan klimaat met zachte winters waarin veel neerslag valt, en warme, droge zomers.

Winkelen/openingstijden: De winkels zijn doorgaans open van maandag tot zaterdag van 9.00 tot 13.00 u en van 15.30 tot 19.30 u. Op de eilandjes zijn veel winkels 's middags langer gesloten, maar ze blijven wel vaak open tot 22.00 u 's avonds, vooral in de zomer.

Winkelen/kledingmaten: Houd er rekening mee dat de Italiaanse kleding- en schoenmaten afwijken van die in België en Nederland. Om de Italiaanse maten om te zetten naar de Nederlandse/Belgische, moet u er enkele maten aftrekken. Bij de schoenmaten moet u een maatje bijtellen. Passen is de boodschap!

Enkele Italiaanse woorden...

Ja **Sì** / Nee **No** / Goedendag **Buongiorno** / Goedenavond **Buonasera** / Hallo **Ciao** / Tot ziens **Arrivederci** / Alstublieft **Per favore** / Dank u wel **Grazie** / Excuseer **Scusi** / Oké **Va bene** / Proost! **Cin-cin!** / Eten **Mangiare** / Drinken **Bere** / Toiletten **Il bagno** / Restaurant **Ristorante** / Dienst voor Toerisme **Ufficio di turismo** / Geld **Denaro** / Spreekt u Frans? **Parla francese?** / Spreekt u Engels? **Parla inglese?** / Ik begrijp het niet **Non capisco** / Kunt u me helpen? **Potrebbe aiutarmi?** / Hoeveel kost het? **Quanto costa?** / Haven **Porto** / Boot **Barca** / Strand **Spiaggia**

Palermo★★★

Sicilië heeft een erg veelzijdige hoofdstad die niemand onverschillig laat. De stad dankt haar schoonheid en charme zowel aan de kraampjes met fruit en groenten als aan de kerken met de prachtige mozaïeken en de wirwar aan krioelende steegjes waarin kinderen tussen oude paleizen spelen. Na jaren van leegstand werd het historische centrum nieuw leven ingeblazen en de bezienswaardigheden die zo lang in vergetelheid waren geraakt, zijn eindelijk nauwgezet gerestaureerd.

Excursies van een halve dag

De oude stad wordt in het noorden begrensd door de Via Cavour en in het zuiden door de Corso Tukory en de Via Lincoln. Het kruispunt **Quattro Canti**, waar de twee hoofdstraten van Palermo elkaar kruisen, namelijk de Corso Vittorio Emanuele en de Via Maqueda, vormt het hart van de oude stad.

★★★ De monumentale wijk C4-5
In het zuidwesten ligt **Palazzo Reale** of **Albergheria**, de wijk met het Palazzo dei Normanni die ook het oudste deel van de stad is. Volg vanaf de Quattro Canti de Via Vittorio Emanuele, met aan de linkerkant de indrukwekkende **Chiesa di San Giuseppe ai Teatini** in barokstijl, de **Chiesa del Santissimo Salvatore★** (17de eeuw) en het **Palazzo Asmundo**. Vlak bij het Palazzo dei Normanni liggen de tuinen van de **Villa Bonanno★** en de **ruïnes van Romeinse huizen**. Achter het paleis staat het **Palazzo d'Orléans**, waar Lodewijk Filips I, later koning van Frankrijk, verbleef tijdens zijn ballingschap, en de prachtige **Chiesa di San Giovanni degli Eremiti★** (12de eeuw), die in Arabisch-Normandische stijl werd gebouwd.

★★ Cattedrale C4-5
☎ 091 33 43 76 - www.cattedrale. palermo.it.
De kathedraal is een indrukwekkend gebouw dat eind 12de eeuw in Italo-Normandische stijl werd opgetrokken en in de loop der eeuwen vaak werd verbouwd. De **koorafsluitingen★** werden in de oorspronkelijke stijl bewaard, met Arabisch geïnspireerde, geometrische motieven.

★★★ Il Palazzo dei Normanni en de Cappella Palatina C5
☎ 091 62 62 833 en 091 70 54 096 - www.ars.sicilia.it - € 8,50/7.
Oorspronkelijk werd dit gebouw opgericht voor de Arabische emirs. De Normandiërs maakten er in de 11de eeuw hun koninklijk paleis van en nadat het een tijd had leeggestaan, werd het paleis in de 17de eeuw de residentie van de Spaanse vicekoningen. De **Cappella Palatina★★★** *(eerste verdieping)* werd tussen 1130 en 1140 gebouwd. Het buitengewone **houten plafond met muqarnas★★** in het centrale schip is een meesterwerk van Arabische kunstenaars. Er zijn ook schitterende **mozaïeken★★** uit de 11de eeuw te zien. De **voormalige koninklijke vertrekken★★★** omvatten de **Sala d'Ercola**

Een kleurrijke straat in het historische centrum
John Frumm/hemis.fr

PALERMO PRAKTISCH

149

Dienst voor Toerisme – Piazza Castelnuovo 34 - ☏ 091 60 58 351/111 - www.palermotourism.com, www.regione.sicilia.it.

VERVOER
Van de haven naar het centrum – De nieuwe haven ligt op enkele minuten wandelen van het centrum.
Per bus – ☏ 091 35 01 11 en 848 800 817 - www.amat.pa.it - 2-uurskaartje: € 1.
Per taxi – Autoradio Taxi - ☏ 091 51 27 27 en Radio Taxi Trinacria - ☏ 091 22 54 55.
Per koets – Vooral bij het centraal station staan altijd enkele koetsen, maar u mag ze ook elders in de stad aanhouden. Onderhandel vooraf over de prijs.
Van Palermo naar Monreale
Bus nr. 389 vertrekt op de Piazza dell'Indipendenza naar Monreale.

EEN GLAASJE DRINKEN
Antico Caffè Spinnato – Via Principe di Belmonte 107. Sinds 1860 een gevestigde waarde in Palermo. Geniet op het mooie terras van heerlijke zoetigheden.

UIT ETEN
Casa del Brodo – Via Vittorio Emanuele 175 - ☏ 091 32 16 55 - www.casa delbrodo.it - gesl. zo. in de zomer en di. in de winter. Dit eenvoudige restaurant dat al meer dan honderd jaar bestaat, is een gevestigde waarde met klasse.

WINKELEN
La Bottega d'Arte di Angela Tripi – Via Vittorio Emanuele 450/452 - ☏ 091 65 12 787 - www.angelatripi.it. Dit atelier in het Palazzo Santa Ninfa is wereldberoemd om zijn aardewerken kerststalfiguren.

MONDELLO ↘ Grotta dell' Addaura, Villa Igiea,

AIR TERMINAL

Teatro Politeama

Pza R. Settimo

S. Oliva

Pza S. Francesco de Paola

Immacolata Concezione

Teatro Massimo

Pza Verdi

MUSEO ARCHEOLOGICO REGIONALE

V. Orologio

ORATORIO DI S. FILIPPO NERI

Oratorio di S. Caterina d'Alessandria

Prefettura

S. Giorgio dei Genove

S. Cita

S. Maria di Valverde

V. S. Sebastiano

S. Domenico

Mercato Vucciria

V. Bandiera

Pal. Oneto di Sperlinga

Pal. Termine

S. Agostino

Mercato del Capo

V. d. Cappuccinelle

Pza Beati Paoli

Monte di Pietà

Pza S. Isidoro alla Guilla

S. Matteo

Pza Cassa di Risparmio

PZA PRETORIA

QUATTRO CANTI

Discesa d. Giudici

Mercato Lattarini

Pza D. Peranni

CATTEDRALE

S. Giuseppe ai Teatini

Pza BELLINI

Pza S. Anna

Pal. Arcivescoville

Pza d. Cattedrale

Emanuele

Pal. Riso

Pza Bologni

MARTORANA

S. CATALDO

SS. Salvatore

Porta Nuova

Pal. Asmundo

Vittorio

VILLA BONANNO

Pal. Sclafani

Pzetta S. Giovanni Decollato

Chiesa d. Gesù

Ponticello

Pal. Marchesi

S. Orsola

Pal. S. Croce-S. Elia

Pza d. Vittoria

Porta

S. Chiara

Casa Professa

Pal. Comitini

Via. del Bosco

PALAZZO DEI NORMANNI

CAPPELLA PALATINA

Piazza Indipendenza

S. GIOVANNI DEGLI EREMITI

Lav. in Corso

V. d. Benedettini

Pza Pta Montalto

Chiesa d. Carmine

Mercato di Ballarò

Pal. Filangeri di Cutò

Pza S. Antonir

S. ANTONINO

Parco d'Orléans

Pal. d'Orléans

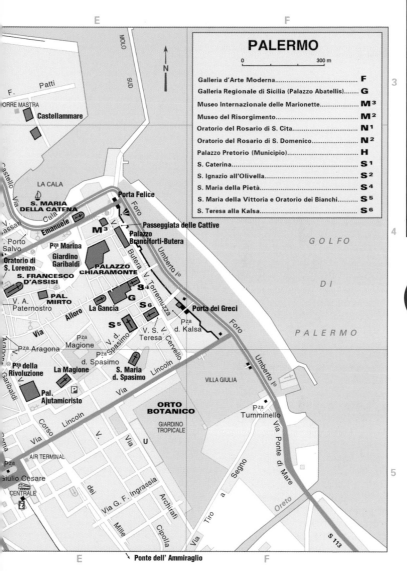

PALERMO

0 ——————— 300 m

(1560), de **zaal waar het Siciliaanse parlement vergadert** en de **Sala Re Ruggero**, waarvan de inrichting lijkt op die van de Cappella Palatina.

★★ Rond de Quattro Canti D4-5

Het vierkante plein dankt zijn schoonheid aan de prachtige fonteinen en aan de 17de-eeuwse paleizen eromheen. De piepkleine **Piazza Pretoria★★** ernaast bezit een spectaculaire **fontein★★**, een mooi voorbeeld van de Toscaanse renaissance (16de eeuw). Ze grenst aan de **Piazza Bellini★★**, een van de mooiste pleinen van de stad, waar oosterse en westerse architecturale kenmerken op subtiele wijze werden gecombineerd. Het plein wordt omringd door drie kerken: **Martorana★★**, **San Cataldo★★** en **Santa Caterina**. In deze wijk staan ook veel paleizen. Breng een bezoekje aan het **Palazzo Comitini** (*Via Maqueda 100 - ☎ 091 66 28 368 - gratis*) om een idee te krijgen van hun weelderigheid. Aan de overkant staat het indrukwekkende **Palazzo Santa Croce-Sant'Elia**, een van de verfijndste voorbeelden van de barok in Palermo. Er worden werken bewaard van de collectie Guggenheim. Achter aan de Via Maqueda staat het grote, 18de-eeuwse **Palazzo Filangeri di Cuto**. Ook **Via del Bosco** telt veel paleizen. De straat komt uit bij een pleintje waar de schilderachtige **markt Ballarò** elke dag veel volk lokt. Bewonder van ver de met majolica bedekte **koepel★** van de **Chiesa del Carmine**. Binnen sluiten twee weelderige **altaars★** het transept af. Vervolgens ziet u de **Chiesa del Gesù**, die de jezuïeten midden 16de eeuw bouwden. Hoewel de buitenkant sober is, herbergt de kerk een weelderige barokinrichting met stucwerk en halfedelstenen.

In deze wijk kunt u op 8 m onder de 15de-eeuwse kloostergang van het **Palazzo Marchesi** de **Camera dello Scirocco** bezichtigen. Het is een van de kunstmatige grotten die ten laatste in de 15de eeuw werden aangelegd om te schuilen tegen de sirocco, de hete zuidoostenwind.

★★★ Monreale

8 km ten zuidwesten van het centrum van Palermo via de N 186.

Monreale is schitterend gelegen boven de Conca d'Oro (gouden vallei). De stadskern ontwikkelde zich om de **Duomo★★★** en het paleis dat Willem II van Sicilië in 1174 liet bouwen. Het is een meesterwerk waarin Arabische, Normandische en Byzantijnse kenmerken worden gemengd. Ook nu is de wijk rond de kathedraal de levendigste van de stad. In de steegjes zijn veel winkels met snuisterijen, cafés en restaurantjes. In de Via dell'Arcivescovado werden de **restanten van het oorspronkelijke koninklijke paleis** opgenomen in het **aartsbisschoppelijk paleis**.

Twee massieve torens in Normandische stijl begrenzen de gevel. Het interieur in de vorm van een Latijns kruis, is uniek. Het hoogtepunt is de cyclus **mozaïeken★★★** met een vergulde achtergrond. Ze werden tussen 1180 en 1190 gemaakt en beslaan een oppervlakte van meer dan 6300 m². Vanaf de **terrassen★★★** geniet u van een schitterend uitzicht op de prachtige **apsissen★★** en de **kloostergang★★★**, een geslaagde combinatie van de christelijke sfeer en de Arabisch-islamitische architectuur.

Trapani★

Trapani, het voormalige Drepanon, ligt helemaal in het noordwesten van Sicilië en strekt zich uit tot op de landtong die omringd wordt door de zee en waarop zich de middeleeuwse wijken bevinden. Wandel door de oude steegjes of in de haven, verken het platte landschap van de zoutpannen en de langgerekte stranden en maak een unieke uitstap naar Erice en Segesta. Trapani biedt het u allemaal.

Excursies van een halve dag

★★★ Het historische centrum
De landtong eindigt in twee sikkelvormige punten die in zee steken. Op de meest zuidelijke punt staat een veldhospitaal, op de andere ligt de middeleeuwse wijk die de Spanjaarden in de 14de eeuw bouwden (wijk Palazzo) en die in de barok werd veranderd. Helemaal aan het eind van de punt staat de vierkante, gedrongen **Torre de Ligny**. In deze donjon van 1671 bevindt zich nu het **Museo della Preistoria e di Archeologia Marina**. Er worden

De zoutpan van Nubia, tussen Trapani en Marsala

middeleeuwse voorwerpen tentoongesteld die in scheepswrakken in de buurt werden gevonden.

De **Rua Nova** (nu de Via Garibaldi) en de **Rua Grande** (nu de Corso Vittorio Emanuele) waren de twee hoofdstraten die de Aragonezen in de 13de eeuw aanlegden. Ze worden omzoomd door mooie **paleizen**, zoals het **Palazzo Senatorio (of Cavarretta)**, waarvan de rijkelijk versierde gevel op twee verdiepingen werd voorzien van zuilen en standbeelden en die twee grote klokkentorens kreeg.

De **kathedraal** is gewijd aan de H. Laurentius en werd in de 17de eeuw gebouwd ter vervanging van een 13de-eeuws gebouw. De gevel werd later toegevoegd (1740) en is een typisch voorbeeld van de barokstijl. Nog een opmerkelijk religieus gebouw is de **Chiesa del Collegio dei Gesuiti** uit de 18de eeuw. Ze heeft een indrukwekkende gevel in maniëristische stijl met Lombardische stroken en vrouwenbeelden die dienstdoen als kariatiden. De **Santa Maria del Gesù**, een kerk van begin 16de eeuw, heeft een mooi portaal in Catalaanse stijl.

Aan de oostrand van het centrum staat in de Via Pepoli de grote **Annunziata** die de karmelieten bouwden. Het **heiligdom★** zelf (gebouwd in de 14de

Bruno Morandi/hemis.fr

De tempel van Segesta
René Mattes/hemis.fr

TRAPANI PRAKTISCH

Dienst voor Toerisme –
Via Torrearsa - ☎ 0923 54 45 33 -
www.comune.trapani.it/turismo.

VERVOER
Per bus – € 0,80 voor een kaartje dat
90 min. geldig is.
Per taxi – Piazza Stazione -
☎ 0923 228 08; Via Ammiraglio Staiti -
☎ 0923 232 33.
Van Trapani naar Erice – Per dag
rijden er 8-10 bussen van AST tussen
Trapani en Erice (☎ 0923 210 21).
Van Trapani naar Segesta –
De bussen vertrekken op de Piazza
Montalto (€ 2,50, 25 min.).

EEN GLAASJE DRINKEN
Pasticceria Colicchia – Via delle
Arti 6 - ☎ 0923 54 76 12 -gesl. zo.
middag. In deze zaak die al heel lang

bestaat, kunt u de beste *cannoli* en
granite van de stad proeven.

UIT ETEN
Een traditioneel gerecht is *cuscus di
pesce*, een oorspronkelijk Arabisch
gerecht met couscous en vis.
Le Mura – Viale delle Sirene 15 -
☎ 0923 87 26 22 - gesl. ma. In dit
gezellige restaurant beschut door de
omwalling van de oude haven, serveert
men verfijnde visgerechten, waaronder
pappardelle van inktvisinkt en met
zee-egel.
Cantina siciliana – Via Giudecca 36 -
☎ 0923 28 673 - reserv. 's avonds
aanbevolen. Deze *cantina* vlak bij de
Chiesa di San Pietro bestaat al sinds
midden vorige eeuw en biedt de gasten
specialiteiten uit Trapani, zoals *busiate*
(een pastasoort) en visgerechten.

eeuw, veranderd en vergroot in de 18de eeuw) staat naast het voormalige klooster waarin het **Museo Pepoli★** is gevestigd. Het museum bezit een collectie historische voorwerpen en kunst van de prehistorie tot de 19de eeuw.

★ De zoutroute

De zoutpannen langs de kust tussen Trapani en Marsala in het zuiden dateren uit de tijd van de Feniciërs en er wordt nog altijd zout gewonnen.

De route van Trapani naar Marsala biedt mooie **uitzichten★★** op de zoutpannen die een onregelmatig, veelkleurig schaakbord vormen met hier en daar een windmolen. In Nubia bevindt zich het **Museo del Sale** *(zoutmuseum, ℘ 0923 86 71 42 - € 2 €)* in een drie eeuwen oude zoutopslagplaats. U maakt er kennis met de verschillende fasen in het zoutwinnen.

Vanuit Nubia loopt de route voort naar de spectaculairste zoutpannen: **Ettore** en **Infersa**. U kunt het eilandje **Mozia★** bezoeken in de lagune van het natuurreservaat Stagnone. Het minuscule eilandje was ooit de hoofdplaats van een welvarende Fenicische kolonie, Motya, waarvan nog resten te bewonderen zijn *(℘ 0923 71 25 98 - € 3 voor de boottocht, € 6 voor het museum)*. De bezoekers worden er nu verwelkomd door een zee van geuren en kleuren gevormd door de weelderige, mediterrane vegetatie, vooral in de lente.

★★★ Erice

12 km ten noordoosten van Trapani via de SP3.

Erice heeft een unieke **ligging★★★** 750 m hoog op de gelijknamige berg. De middeleeuwse stad wordt be-

schermd door bastions en een omwalling en omvat meer dan zestig kerken en kloosters die verscholen liggen in een wirwar van steegjes, geplaveid in geometrische motieven.

De stad heeft de vorm van een perfecte rechthoekige driehoek, een symbolisch en mysterieus kenmerk. Op twee heuvels staan de **Chiesa Matrice★** (in het zuidwesten), een versterkte kerk uit de 14de eeuw, en het **kasteel van Venus** (in het zuidoosten). Het kasteel ligt boven de zee en de vlakten en werd in de Normandische periode (12de eeuw) gebouwd op de plek van een tempel voor Venus Frycina, de godin die in de oudheid veel werd vereerd. Geniet van de mooie **uitzichten★★★** op de versterkingen van de stad, Trapani en de Egadische Eilanden in het zuidwesten.

★★★ Segesta

37 km ten oosten van Trapani.

Het oude Segesta werd waarschijnlijk gesticht door de Elymiërs, net als Erice. Het groeide al snel uit tot een van de meest invloedrijke hellenistische steden in het Middellandse Zeegebied.

Te midden van de okerkleurige en bruinrode heuvels strekt zich het **archeologische park** *(℘ 0924 95 23 56 - € 9)* uit met daarin een sierlijke Dorische **tempel★★★**. Hij werd in 430 v. Chr. opgericht en is een van de best bewaarde tempels uit de oudheid. De 36 gladde zuilen zijn nog bijna intact. Geniet van het schitterende uitzicht vanaf de weg *(ca. 2 km, regelmatige pendeldienst, € 1,50)* die naar het **theater★** loopt. Het werd in de 3de eeuw v. Chr. ten tijde van de Romeinse bezetting gebouwd en bestaat uit een halve cirkel met een diameter van 63 m.

155

Catania★★

Deze stad van de Etna verrees meerdere malen als een feniks uit haar as na vulkaanuitbarstingen, aardbevingen of oorlogen. Ze is onlosmakelijk verbonden met de vulkaan, die de stad al vele malen tot binnen de stadsmuren overspoelde met lava. Niet alleen het silhouet van de altijd aanwezige vulkaan herinnert daaraan, ook de donkere kleur van de pleisterlaag op de huizen en van de lavasteen waarvan de poorten en monumenten zijn gemaakt, zorgen ervoor dat de vulkaan niet wordt vergeten.

Excursie van een halve dag

Catania werd in 2002 door de Unesco uitgeroepen tot werelderfgoed als stad uit de late barok. Sindsdien wordt het historische centrum langzaam maar nauwgezet gerestaureerd en komt de schoonheid van de bezienswaardigheden opnieuw ten volle tot uiting. Zowel de componist **Vincenzo Bellini** (1801-1835) als de kunstenaar **Emilio Greco** (1913-1995), beiden afkomstig van Catania, kregen er een museum.

★★ De wijk rond de kathedraal

★ Piazza del Duomo

Dit plein werd ontworpen door de architect G.B. Vaccarini (1702-1768) uit Palermo en vormt het hart van de stad. Het dankt zijn harmonieuze barokke uiterlijk aan de gebouwen die het omringen. De **Fontana dell'Elefante** (1735), het symbool van Catania, staat tegenover de 19de-eeuwse **Fontana dell'Amenano**. De noordkant van het plein wordt bijna volledig in beslag genomen door de sierlijke gevel van het **Palazzo degli Elefanti**, nu stadhuis.

★ Duomo
℘ 095 32 00 44 - gratis.
De kathedraal is gewijd aan de patroonheilige van de stad, de H. Agatha. Ze

werd eind 11de eeuw gebouwd door de Normandiër Rogier I, maar werd na de aardbeving van 1693 volledig heropgebouwd. De **voorgevel★★** is een meesterwerk van Vaccarini. Buiten zijn rechts van het portaal de resten te zien van de **thermen van Achilles** uit de 3de eeuw, bereikbaar via een valluik. Binnen ziet u de grafzuil van de componist Bellini. Hij overleed in zijn woning in Puteaux en werd eerst in Parijs begraven. De rechterapsis omvat de **kapel van de H. Agatha** in renaissancestijl. In de sacristie is een groot (helaas beschadigd) fresco te zien waarop de stad van voor 1669 te zien is met op de achtergrond de Etna.

★ Palazzo Biscari
Via Museo Biscari 16 - ℘ 095 71 52 508 - www.palazzobiscari.com - rondleiding (20 min.) alleen na afspraak.
Dit mooiste burgerlijke gebouw van de stad ligt achter de kathedraal en werd gebouwd na de aardbeving van 1693. Vooral de zuidkant heeft een rijkelijke **decoratie★★**.

★ Teatro Antico en het Odeion
Via Vittorio Emanuele II 260 - ℘ 095 71 50 405 - € 3.
Het huidige gebouw dateert uit de Romeinse tijd, maar het is duidelijk dat

De uitbarstende Etna
Franco Barbagallo/hemis.fr

CATANIA PRAKTISCH

Servizio turistico regionale –
Via Alberto Mario 32 - ✆ 095 74 77 415 -
www.turismo.catania.it.
Informatieloket in het centrum (Palazzo
Minoriti, Via Etnea 63/65 - ✆ 095 40
14 070).

VERVOER
Van de haven naar de stad – De
haven ligt vlak bij het centrum. Ga te
voet of neem een taxi.
Per auto – De meeste autoverhuurbedrijven zijn vertegenwoordigd in de
luchthaven van Fontanarossa (7 km ten
zuiden van de stad).
Rondrit rond de Etna – Wie het
graag rustig aan doet, kan de **Circumetnea** per auto of per trein afleggen.
De trein vertrekt in Catania en rijdt naar
Riposto (ca. 5 uur). Vanaf daar kunt u
met de bus of met een gewone treinver-

binding naar Catania terugkeren. Voor
meer info richt u zich tot de Ferrovia
Circumetnea (Via Caronia 352/A, Catania - ✆ 095 54 12 50).

UIT ETEN
Focacceria Turi Finocchiaro – Via
Euplio Reina 13 - ✆ 095 71 53 573 -
dag. behalve wo. vanaf 19 uur. In deze
unieke zaak, die al sinds 1900 bestaat,
serveert men de bezoeker Siciliaanse
streekgerechten, waaronder lekkere
grillgerechten en heerlijke visgerechten
en zeevruchten.
La Siciliana – Viale Marco Polo 52 -
✆ 095 37 64 00 - www.lasiciliana.it -
gesl. zon- en feestd. ('s avonds) en
ma. Nog een niet te missen adres als u
traditionele Siciliaanse gerechten wilt
proeven.

het werd gebouwd in de plaats van een oud Grieks theater. Het theater werd opgetrokken in lavasteen en voorzien van kalkstenen of marmeren (voor belangrijke personen) zitjes voor 7000 toeschouwers.

Het kleinere **odeion** naast het theater werd later gebouwd. Het was bestemd voor muziekvoorstellingen en redevoeringen.

Het kloostercomplex San Nicolò l'Arena
Gratis.

De benedictijnenorde, een van de machtigste en rijkste van de stad, bouwde een prachtig klooster (16de-18de eeuw) naast een indrukwekkende **kerk** waarvan de voorgevel helaas nooit werd voltooid. In het huidige **klooster★**, dat dateert van begin 18de eeuw, is nu de Faculteit Letteren gevestigd. In de bibliotheek, die open is voor het publiek, ziet u de goedbewaarde **Sala Vaccarini**, die verlicht wordt door grote ronde vensters en waar een prachtige vloer ligt van 18de-eeuwse faience van Napels.

Excursie van een dag

★★★ De Etna
De Etna is het hoogste punt van Sicilië en hoewel de vulkaan in de winter onder een dikke laag sneeuw verdwijnt, is het een van de bekendste actieve vulkanen van Europa. Bij elke uitbarsting verandert de hoogte van de vulkaan. Tegenwoordig is hij ongeveer 3350 m hoog.

Omdat de vulkaan altijd actief is, verandert ook het landschap rond de vulkaan voortdurend. Wie niet voldoende tijd

heeft om beide kanten van de vulkaan te verkennen, informeert het beste bij de centra die rondleidingen organiseren welke flank op dat moment de meest interessante is.

★★★ De zuidflank van de Etna
Normaal gezien begint deze excursie met de kabelbaan vanaf **Rifugio Sapienza**, die u tot op 1923 m brengt en van daaruit gaat u met een gids te voet *(2 uur)* of met een terreinwagen verder. Sinds de uitbarstingen van 2001-2002, toen veel voorzieningen werden vernield, kunt u de top alleen nog bereiken met de terreinwagens van Funivia dell'Etna *(℘ 095 91 41 41 - www. funiviaetna.com - ca. 2 uur H/T- € 55 met gids)*, die u vanaf Rifugio Sapienza tot op een hoogte van circa 2700 m brengen, of te voet *(4 uur klimmen)*. Vanaf 2700 m gaat de tocht te voet verder, maar om veiligheidsredenen mag u de centrale krater niet te dicht benaderen.

★★★ De noordflank van de Etna
Om de kraters aan de top via de noordflank te bereiken laat u de wagen achter op de **Piano Provenzana** (ernstig beschadigd tijdens de uitbarsting van 2002) en gaat u te voet of met een terreinwagen en een gids voort *(duur: ca. 2 uur H/T - € 45 met gids - neem enkele dagen vooraf contact op met STAR voor het precieze tijdstip - ℘ 095 37 13 33)*. In de buurt van het observatorium, op een hoogte van circa 2750 m, geniet u van een schitterend **uitzicht★★**. Klim vervolgens tot een hoogte van 3000 m, laat de wagen daar achter en ga te voet voort om de vreselijke 'gapende muilen' die rook uitbraken, van dichtbij te bekijken.

Taormina★★★

Taormina ligt halverwege tussen Messina en Catania op een 200 m hoog rotsplateau met uitzicht op de zee en de Etna. Dankzij het onvoorstelbaar prachtige landschap en het rijke aanbod artistieke overblijfselen dat de stad bezit (het theater is het meest frappante voorbeeld), is Taormina een wereldberoemde stad geworden.

Excursies van een halve dag

★★ De stad

★★★ Il Teatro greco
℘ 094 22 32 20 - €6.
De Grieken bouwden dit theater, de Romeinen veranderen en vergrootten het later. Wat er nu nog van overblijft, dateert uit de 2de eeuw. Het theater werd in het landschap geïntegreerd, bepaalde rijen trappen van de *cavea* werden zelfs uit de rotsen uitgehouwen. Boven aan de *cavea* (tribune) geniet de bezoeker van een prachtig **uitzicht★★★** op de Etna. Het magische uitzicht is overal op de *cavea* anders en aan het linkse uiterste kijkt men over heel Taormina uit.

Het centrum
Het autovrije centrum van de stad ligt rond de rustige **Corso Umberto I★**, waar restaurants, cafés en verfijnde boetieks zijn gevestigd. De corso begint beneden aan de **Porta di Messina** en eindigt boven bij de **Porta di Catania**. Aan weerszijden van de straat ligt een wirwar aan steegjes. Net voorbij de Porta di Messina staat de **Chiesa di San Pancrazio**, genoemd naar de eerste bisschop van Taormina. Deze kerk werd in de 17de eeuw gebouwd op de overblijfselen van een tempel voor Zeus Serapis.
De Corso Umberto I loopt langs drie mooie pleinen. Het eerste, de **Piazza Vittorio Emanuele**, ligt op de plek waar vroeger het stadsforum lag. Hier staat het Palazzo Corvaja, waarin verschillende stijlen werden gecombineerd. De kroonlijst van de toren is in Arabische stijl, de tweelingvensters van de 13de-eeuwse salon en het portaal bij de ingang van het paleis zijn in gotisch-Catalaanse stijl en de Sala del Parlamento is in Normandische stijl ingericht. Achter de **Chiesa di Santa Caterina**, met een mooi barokportaal in roze marmer en natuursteen van Taormina, ziet

Antonello Lanzellotto/Tips/Photononstop

Detail van de fontein op de Piazza Duomo

Het Griekse theater van Taormina
René Mattes/hemis.fr

TAORMINA PRAKTISCH

160

Dienst voor Toerisme – Piazza Santa Caterina (Palazzo Corvaja) - ✆ 094 22 32 43 - www.gate2taormina.com en www.taorminanetwork.it

VERVOER
De **CST** (Compagnia Siciliana Turismo) biedt excursies naar Syracuse, Agrigente, Piazza Armerina, Palermo, de Eolische Eilanden, de kloven van de Alcantara en de Etna aan. Info: Corso Umberto 101 - ✆ 094 26 26 088.

EEN GLAASJE DRINKEN
Caffe Wunderbar – Piazza IX Aprile 7 - ✆ 094 26 25 302. Greta Garbo en Tennessee Williams dronken graag een cocktail in dit historische café aan de voet van de klokkentoren, een van de mooiste plekken van Taormina. Het interieur is heel verfijnd ingericht en vanaf het terras geniet u van een schitterend uitzicht.

UIT ETEN
De wijk ten westen van de Corso Umberto I is de place to be om kennis te maken met de Siciliaanse keuken. Er zijn veel karakteristieke restaurantjes met tafeltjes op straat of op een terras in de tuin.

WINKELEN
La Bottega del Buongustaio – Via G. di Giovanni 17 - ✆ 094 26 25 769. Een beetje afgelegen van de drukke Corso Umberto I kunt u in deze voedingswinkel terecht voor Siciliaanse producten met een gecontroleerde herkomstbenaming, met onder andere wijnen, likeuren, sauzen, conserven, honing, deegwaren, olie...

u de resten van een **odeion**, een klein, overdekt theater van rode baksteen dat dateert uit de Romeinse tijd (1ste eeuw).

Volg de Corso tot voorbij de Naumachia, een reeks blinde bogen in rode baksteen die dateert uit de Romeinse tijd. U komt dan bij de **Piazza IX Aprile★**, vanwaar u geniet van een prachtig **uitzicht★★** op de baai en de Etna. Een beetje hoger ligt de Piazza Duomo met een mooie **barokfontein** in natuursteen van Taormina. Daarop staat het symbool van de stad, een centaur (hier in vrouwelijke versie). De **Duomo** dateert uit de 13de eeuw. De heel eenvoudige voorgevel werd versierd met een renaissanceportaal waarboven een roosvenster en enkele gotische ramen zitten. Door de gekanteelde kroonlijst lijkt het een versterkte kathedraal.

★ De paleizen

Het historische centrum van Taormina is bezaaid met paleizen die allemaal een combinatie van de gotische stijl en Arabisch-Normandische invloeden zijn. Zwarte lavasteen wordt afgewisseld met witte natuursteen uit Syracuse in geometrische figuren, en zet de bogen, de boogjes en de portalen extra in de verf.

Palazzo di Santo Stefano – ☏ 094 26 10 273 - gratis. Dit paleis uit de 15de eeuw lijkt wel een versterkte woning. Boven aan de gevel werd een fries met ruiten in zwarte lavasteen en witte natuursteen uit Syracuse aangebracht.

Palazzo Badia Vecchia – Via Dionisio I. Dit paleis herinnert aan de toren die de hertogen van Santo Stefano bouwden door de massieve structuur, de stijl en de tweekleurige fries die als kantwerk tussen de eerste en tweede verdieping werd aangebracht, zodat de mooie tweelingvensters beter uitkomen. Hier bevindt zich het **Museo archeologico** (☏ 094 26 23 700 - gratis).

Palazzo Ciampoli – *Een beetje voor de Piazza Duomo.* Dit paleis vertoont twee ordes die van elkaar gescheiden worden door een decoratieve strook van bewerkte steen. Boven de mooie, gotische spitsboog rond de ingang zit een schild met daarop het bouwjaar, 1412.

★ Le spiagge (de stranden)

U bereikt de stranden per kabelbaan vanaf het centrum (€ 2,50 per rit, € 5 voor een dagkaart, € 25 voor een weekkaart). Vanuit Mazzarò kunt u de bus nemen (€ 3,50 voor de Funibus, een combinatiekaartje voor de kabelbaan en de bus H/T) naar de andere stranden. De kabelbaan vertrekt elk kwartier, de bussen elk halfuur.

Hoewel Taormina hoog gelegen is, strekken zich aan de voet van de stad mooie stranden uit. De kleine baai van **Mazzarò** wordt in het zuiden begrensd door de **Capo Sant'Andrea**, met daarin grotten, zoals de bekende Grotta Azzura. Overal op het strand bieden vissers hun diensten aan om een boottochtje te maken.

Voorbij de kaap ligt een prachtige **baai★★** met het **Isola Bella**, dat door een smalle landtong met het vasteland verbonden is. Het eilandje maakt deel uit van het natuurreservaat Isola Bella van het WWF *(ingang bij km 47,2 van de SS 114; info: viale San Pancrazio 25, Taormine - ☏/fax 094 26 28 388).*

De grootste stranden, **Spisone** en **Mazzeo**, liggen ten noorden van Mazzarò.

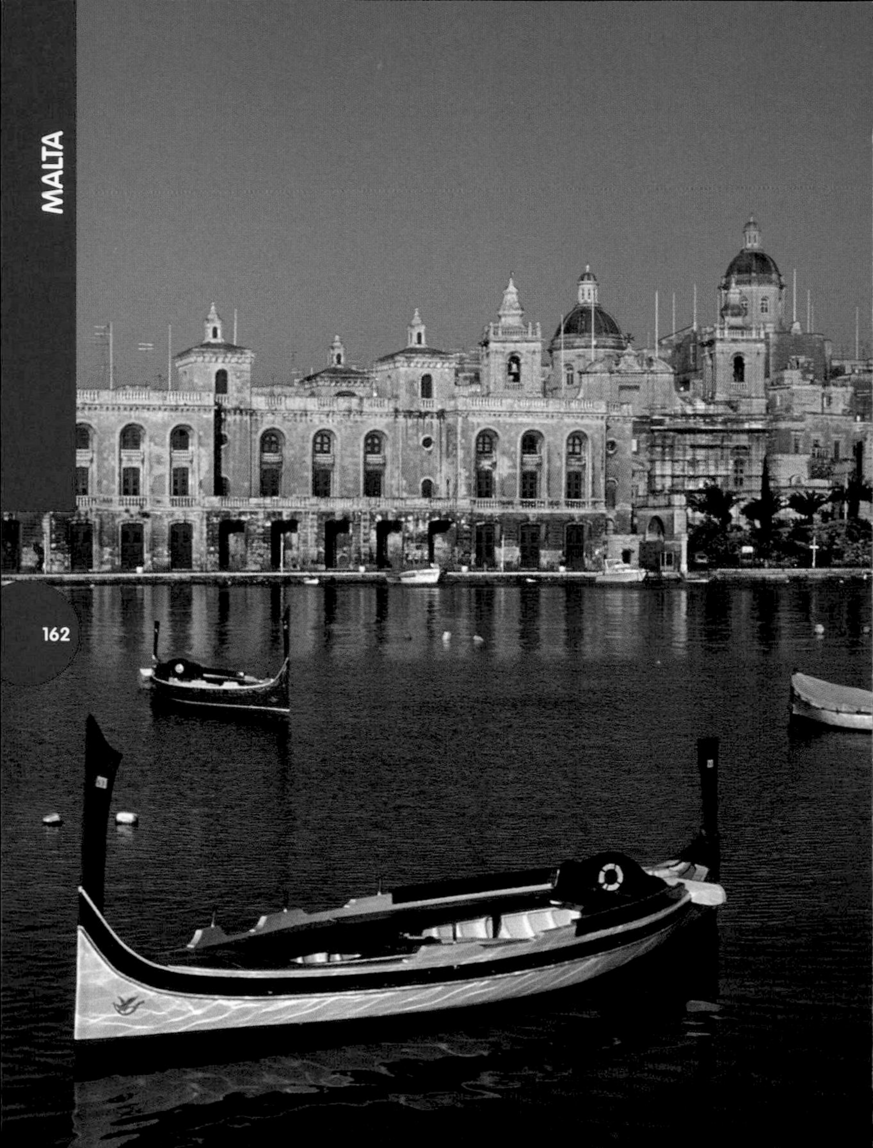

MALTA

Malta ligt midden in het Middellandse Zeegebied. Deze unieke ligging maakt van Malta een Afrikaans eiland, dat in de buurt van de kust van Tunesië en Libië ligt, maar een Europees hart heeft. Want sinds 2004 is Malta lid van de Europese Unie. Het is een van de kleinste lidstaten. Malta was lange tijd een begeerd doelwit van vele volkeren en is dan ook een openluchtmuseum over de geschiedenis van het Middellandse Zeegebied. Het opmerkelijke architecturale en artistieke erfgoed getuigt van het soms gewelddadige verleden, maar de rijkdom ervan bevestigt ook het bijzondere karakter van de stad op verschillende vlakken.

Officiële naam: Republiek Malta
Plaatselijke naam: Malta
Hoofdstad: Valletta
Officiële talen: Maltees en Engels
Oppervlakte: 316 km^2
Inwoners: 408.333
Munteenheid: euro
Telefoneren naar Malta: Kies 00 + 356 + het nummer van de correspondent.
Tijdsverschil: Er is op Malta geen tijdsverschil met België en Nederland.
Klimaat: Op Malta heerst een typisch mediterraan klimaat. In de zomer is het er erg warm en in de winter zijn de temperaturen zacht. In juli en augustus loopt de temperatuur regelmatig op tot 30-35 °C, maar een aangename zeebries maakt die temperatuur goed verdraagbaar. De sirocco daarentegen is een hete wind die lucht vanuit de Sahara aanvoert.
Winkelen/openingstijden: De meeste winkels zijn van maandag tot zaterdag open van 9.00 tot 13.00 u en van 16.00 tot 19.00 u. In het hoogseizoen zijn de winkels vaak doorlopend, tot laat op de avond en op zondag open.
Autorijden op Malta: U moet aan de linkerkant van de weg rijden en u moet voorrang van rechts geven, al lappen veel bestuurders deze regel aan hun laars.

Enkele Engelse woorden...

Ja **Yes** / Nee **No** / Goedendag **Good morning** / Goedenavond **Good evening** / Hallo **Hello** / Tot ziens **Goodbye** / Alstublieft **Please** / Dank u wel **Thank you** / Excuseer **Excuse me** / Graag gedaan **You're welcome** / Proost! **Cheers!** / Eten **To eat** / Drinken **To drink** / Toilet **Toilet** / Restaurant **Restaurant** / Geld **Money /** Spreekt u Frans? **Do you speak French ?** / Ik begrijp het niet **I don't understand** / Kunt u me helpen? **Can you help me ?** / Hoeveel? **How much ?** / Waar? **Where ? /** Haven **Harbour /** Boot **Boat /** Strand **Beach**

Valletta★★★

Deze levendige stad vormt het politieke hart van de eilandengroep. Hier zetelen de belangrijkste politieke leiders van de staat. Valletta ligt op een rotsachtige uitloper en is op zichzelf al een bezoek waard. Laat u meevoeren door haar charme door op goed geluk af te dalen naar de zee en weer omhoog te klimmen via een van de steegjes waar de tijd lijkt stil te staan.

Excursies van een halve dag

★★ Wandeling langs de stadsmuur

Valletta is een van de grootste versterkte steden ter wereld. In 1530 besloot keizer Karel V het eiland toe te kennen aan de Orde van Malta. De orde had als doel het christendom te beschermen tegen de islam en de zieken te verzorgen. Na het Beleg van Malta in 1565, toen bijna 60.000 Ottomanen en Berbers het opnamen tegen 400 Ridders van Malta, liet de Franse grootmeester Jean de La Valette de stad versterken. Na deze overwinning werd de grootmeester beschouwd als de gelijke van de Europese monarchen. Frankrijk oefende een grote invloed uit omdat meer dan de helft van de ridders Fransen waren.

★★★ Upper Barrakka Gardens

Terwijl u langs de stadsmuur wandelt, kunt u de prachtige architectuur van de stad bewonderen. Vanaf **Grand Harbour★★★**, de grootste natuurlijke haven van Europa en de spectaculairste haven ter wereld, bereikt u deze schaduwrijke tuinen met bijzondere **uitzichten★★** op het eiland.

St Ursula Street

Deze smalle, erg karakteristieke straat daalt af naar de Lower Barrakka Gardens boven op het St. James bastion.

Fort Saint Elmo

Op de punt van het schiereiland staat Fort Saint Elmo, een voormalige wachttoren die door de grootmeester Claude de La Sengle werd vergroot. Het stervormige fort werd in 1552 opgetrokken en speelde een belangrijke rol tijdens het Beleg van Malta. Op 23 juni 1565, na 31 dagen bezetting, werden de 600 overlevenden overwonnen en vermoord door de Turken. In een ander deel van het fort (met afzonderlijke ingang) bevindt zich het **National War Museum** (Nationaal oorlogsmuseum - ℘ 2122 2430 - € 6).

★★★ Marsamxett

Links van Fort Saint Elmo ziet u uit over de haven Marsamxett en daartegenover **Manoel Island**, een schiereiland met een fort en San Rocco, dat tijdens epidemieën als quarantaineplaats diende.

★★ Republic Street

Deze autovrije hoofdstraat van Valletta begint bij de stadspoort, **Main Gate** (meteen rechts ziet u de ruïne van de voormalige opera, gebombardeerd tijdens de Tweede Wereldoorlog). De poort staat tussen twee vestingen: het mooie, grote **St James Cavalier** uit de 16de eeuw (omgevormd tot cultureel centrum met bioscoop-, concert- en theaterzaal) en **St John Cavalier**, een immens bastion dat nog altijd eigendom van de Orde van Malta is.

De typische bussen van Malta
imagebroker/hemis.fr

VALLETTA PRAKTISCH

Dienst voor Toerisme –
229 Merchants Street - ☎ 229 15 440/2 -
www.visitmalta.com.

VERVOER

Van de haven naar het centrum
Reken op 30 minuten wandelen, maar er
zijn ook veel taxi's.

De Drie Steden
Vanuit Valletta – Bus 1, 2 of 6 naar
Vittoriosa, 3 naar Senglea.
Per boot – Boottochten vanuit Grand
Harbour. In de zomer pendelen kleine,
traditionele bootjes, *dgħajsa* genoemd,
tussen Vittoriosa en Senglea.

Gozo
Gozo Channel Company vaart dagelijks
tussen Malta en Gozo. Er vertrekt
ongeveer elk uur een boot, van 5.00

tot 23.00 uur. De boottocht duurt ongeveer een half uur. Tarief: voetgangers
€ 5, auto met bestuurder € 16 (Mġarr
Harbour, Mġarr Gozo - ☎ 2155 6114,
Cirkewwa - ☎ 2158 0435 -
www.gozochannel.com).
Compagnie Harbour Air pendelt
met een watervliegtuig tussen Malta en
Gozo vanaf de haventerminal van Valletta in Marsamxett naar de haven van
Mġarr en terug. Duur: 20 min. / tarief:
€ 45/pers. (enkel). (Valletta Terminal -
☎ 2122 8302 - www.harbourairmalta.
com).

Zuiden van het eiland
Er rijden bussen naar het zuiden van het
eiland: 27 naar Marsaxlokk, 38 en 138
naar de Blauwe Grot.
Buslijnen 65, 80, 81 en 84 rijden naar
Mdina en Rabat.

EEN GLAASJE DRINKEN

Valletta

Caffé Cordina – 244/5 Republic Street 🖉 2123 4385 - www.caffecordina. com - ma. za. 8.00-19.00 u, zo. 8.00-15.00 u. Sinds 1837 is dit een mondaine zaak in de hoofdstad van Malta. Het interieur met het beschilderde plafond en de zinken toonbank is indrukwekkend, maar vooral op het terras is het aangenaam vertoeven.

Vista Lobby Bar – Portomaso, St Julian's 🖉 2138 3383 - dag. 8.30-23.30 u. Zelfs als u niet in het Hiltonhotel verblijft, moet u een bezoekje brengen aan de bar van het hotel. U geniet er van een ongelooflijk mooi uitzicht op de zee.

Gozo

Gleaneagles Bar – 10 Triq il-Vittorja, Mġarr - 🖉 2155 6543. Zodra u hier binnen bent, kunt u zich levendig voorstellen hoe Ernest Hemingway hier een biertje dronk na een partijtje vissen. Prachtig uitzicht op de haven.

UIT ETEN

Valletta

Rubino – 53 Old Bakery Street - 🖉 2122 4656 - gesl. 15-31 aug., zo., ma. middag en za. middag - reserv. aanbev. Deze voormalige kruidenierszaak is nog ingericht zoals begin 20ste eeuw. De sfeer van weleer is nog op te snuiven in de drie zaaltjes op drie verdiepingen, waar traditionele Maltese gerechten worden geserveerd.

Vittoriosa

Don Berto – The Treasury, Birgu Waterfront, Vittoriosa - 🖉 2180 8008 - dag. 12.00-23.00 u. Dankzij de bijzondere ligging aan de haven van Vittoriosa is dit een van de gezelligste restaurants van Malta. Op de menukaart staan pizza's, pastagerechten en salades.

Mdina

The Medina – 7 Holy Cross Street, Mdina - 🖉 2145 4004 - www.mol.net. mt/medina - ma.-za. 19.00-22.30 u - zo. gesl. In een oud, traditioneel gebouw bevindt zich een van de beste restaurants van de streek. Internationale en nationale gerechten.

WINKELEN

Valletta

Republic's Street en **Merchant's Street** zijn de grootste winkelstraten. **St Lucy's Street** – In deze straat volgen de juwelenwinkels elkaar op.

Mdina/Rabat

Ta' Qali Crafts Village – Weg naar het nationaal stadion - ma.- vr. 9.30-16.00 u, za. 9.30-12.30 u. Dit toeristische ambachtendorp werd ondergebracht op een voormalig vliegveld van de RAF vlak bij Mdina. U kunt er handwerkers aan het werk zien en er souvenirs voor een voordelige prijs kopen. De verfijnde zilveren juwelen zijn bijzonder origineel en verfijnd.

Gozo

Ta'Dbiegi Crafts Village – Aan de rand van San Lawrenz - ma.-za. 9.00-17.00 u - zon- en feestd. gesl. Dit ambachtendorp is kleiner dan dat van Ta'Qali, met als specialisatie kant en glaswerk. Het is erg boeiend om de glasblazers aan het werk te zien.

Bastion Lace – Bieb I-Imdina Street, Citadel, Victoria - 🖉 5614 71. De kantwerkers van Gozo zijn bekend om hun verfijnd werk. Het kantwerk is van uitstekende kwaliteit en wordt volledig met klossen gemaakt.

★★★ St John's Co-cathedral

St John St Misraf L-Assedju L-Kbir, zij-ingang Republic Street - ☎ 2122 0536 - www.stjohnscocathedral.com - € 6,50.
De grootste kerk van Malta (1573-1577) is een uniek barokmeesterwerk. De sobere buitenkant staat sterk in contrast met het interieur waarin prachtige beeldhouwwerken, vergulde beelden, schilderijen en andere decoratie te zien is. De kerk werd pas een eeuw na de bouw ervan ingericht. De vloer van veel-kleurig marmer omvat **400 grafste-nen** waaronder bisschoppen en ridders van de orde van Malta werden begra-ven. Zij waren meestal afstammelingen van adellijke families uit heel Europa. In het oratorium hangen twee indrukwek-kende schilderijen van Caravaggio.

★★★ Grand Master's Palace

Palace Square - ☎ 2124 9349 - € 5.
Het paleis werd in 1571 gebouwd en door de grootmeesters gebruikt tot de orde in 1798 Malta verliet. Nu wordt het paleis gebruikt door de president van

Het prachtige interieur van de St John's Co-cathedral

de republiek en het parlement. Op de benedenverdieping bevindt zich het **Armoury Museum** (Wapenmuseum). Hier ziet u een van de meest uitgebreide collecties wapens en wapenrustingen met ongeveer 6000 voorwerpen.

★★ National Museum of Archeology

Republic Street - ☎ 2123 9375 - www.heritagemalta.org - € 5.
Dit mooie museum werd ondergebracht in de voormalige Auberge de Provence (1571), waar de Franse ridders van de Orde van Malta verbleven. Een bezoek aan dit museum is warm aanbevolen als u de prehistorische vindplaatsen op het eiland wilt bezoeken.

★★ De Drie Steden

De Drie Steden, Vittoriosa (Birgu), Sen-glea (L'Isla) en Cospicua (Bormla), zijn al meer dan 3000 jaar bewoond. Ze liggen tegenover Valletta aan de andere kant van Grand Harbour.

★★ Vittoriosa

Deze mooie middeleeuwse stad werd door de ridders van de Orde van Malta Birgu genoemd en uitgeroepen tot hun hoofdstad (tot 1565). Aan de punt van het schiereiland staat het pronkstuk van Vittoriosa, het indrukwekkende **Fort St Angelo**, het hoofdkwartier van de Orde tijdens het Beleg van Malta. Vanaf de vestingmuur geniet u van een weids **uitzicht★★** op Grand Harbour. Hier bevindt zich het **Maritime Museum★** (Maritiem museum - *Vittoriosa Water-front - ☎ 2166 0052 - € 5*).
De indrukwekkende, barokke **Church of St Lawrence★** is uniek gelegen. Een beetje hoger ligt het hoofdplein, **Vit-toriosa Square**, met het **Inquisitor's**

John Frumm/hemis.fr

Palace★★ (Paleis van de Inquisiteur). Hier was de inquisitie van 1574 tot 1798 gevestigd. Nu is het een museum *(Main Gate Street - ℘ 2182 7006 - € 6)*.

Senglea

Tegenover Vittoriosa ligt het populairdere Senglea, dat officieel **Isla** heet, maar een nieuwe naam kreeg ter ere van de Franse grootmeester Claude de La Sengle. Het versterkte schiereiland was een wandelgebied voor de ridders. Het biedt mooie **uitzichten**★★ op Vittoriosa en aan de andere kant Valletta. Als u Senglea verlaat, ligt links het minder interessante **Cospicua**.

Excursies van een dag

★★ Het zuiden van het eiland

Marsaxlokka

Bezoek dit vissersdorp 's ochtends vroeg om te kijken naar het lossen van de *luzzu*, kleine, traditionele, houten vissersboten in felle kleuren.

Bruno Gardel/hemis.fr

De Blauwe Grot

★★ Għar Dalam

Bus 11, 12, en 115 - Zejtun Road, Birżebbuġa - ℘ 2169 5578 - € 5.
Deze indrukwekkende, natuurlijke grot is toegankelijk via een museum. In de grot werden dierenskeletten uit het paleolithicum opgegraven, waaronder dat van een dwergolifant. Later, 7000 jaar geleden, werd de grot bewoond door mensen en hun huisdieren. Ze waren vermoedelijk afkomstig van Sicilië.

★★ Blue Grotto

De opmerkelijke Blauwe Grot bestaat uit baaien, overwelfde passages en onderwatergrotten. U kunt ze bezoeken aan boord van een bootje *(25 min., in de zomer de hele dag, vertrek aan de haven van Wiedlz-Zurrieq)*.

★★★ De tempels van Ħagar Qim en Mnajdra

℘ 2142 4231 - € 9.
Deze twee prehistorische tempels staan een beetje afgelegen, midden in de natuur, boven het water. Ze dateren uit de periode tussen 3000 en 2500 v. Chr. **Ħagar Qim** ('opgerichte stenen') is de indrukwekkendste met immense stenen (een van die stenen is 7 bij 3 m groot). **Mnajdra**★★ ('klein erf') bestaat uit drie gebouwen en was mogelijk het eerste instrument om de tijd te meten. Bij de zonnewende en nachtevening verlichten de stralen van de opkomende zon het interieur van de tempel in steeds hetzelfde patroon.

★★ Mdina en ★ Rabat

★★ Mdina

In het midden van het eiland werd Mdina, de 'stad van de stilte', op een rotsachtige uitloper gebouwd. Het is de voormalige hoofdstad van Malta en een van de parels van de eilandengroep. De stad dankt haar naam aan de Arabische bezetting van het eiland in 870 (*al madina* betekent 'de stad'). De Arabieren versterkten de stad en legden er een slotgracht omheen aan. In de 11de eeuw vestigden de Normandiërs, die van Sicilië kwamen, er zich. Later was Mdina de verblijfplaats van de vertegenwoordigers van de verschillende besturen die het eiland in bezit namen (huis van Anjou, Aragonezen, Castilianen). Er werden paleizen en kerken gebouwd.

Mdina is een autovrije stad (alleen bewoners zijn toegelaten met de auto). De hoofdstraat, **Villegaignon Street★**, waarin veel paleizen en kerken staan, leidt naar de schitterende **St Paul's Cathedral★★** (1697-1707), en het **Palazzo Falzon★**, een prachtige aristocratische woning die al 700 jaar oud is. Aan het eind van de straat, vlak bij de omwalling, ligt het mooie plein **Bastion Square★**. U geniet er van indrukwekkende uitzichten.

★ Rabat

In de Romeinse tijd waren Rabat en Mdina één stad. De Arabieren scheidden de twee delen door een slotgracht en zo werd Rabat een voorstad van Mdina. Kijk goed rond in de pittoreske straten. Verschillende religieuze ordes bouwden er kloosters.

Buiten de citadel van Mdina, voorbij de Griekse poort, bevinden zich de resten van een Romeinse woning, **Domus Romana**, die werd omgevormd tot **Museum of Roman Antiquities** (Museum van de Romeinse oudheid, *Museum Esplanade - ℘ 2145 4125 - € 6*). Onder de straten van Rabat ligt een groot netwerk van catacomben, onder-

grondse heidense, joodse en christelijke graven uit de 2de tot de 5de eeuw, zoals de **St Paul's Catacombs★★** *(St Agatha Street - ℘ 2145 4562 - € 5)* en **St Agatha's Catacombs★★**.

★ Gozo

Het op één na grootste eiland van de eilandengroep ligt op ongeveer 8 km ten noordwesten van het eiland Malta. Hier trekken de Maltezen naartoe om te ontspannen.

Het eerste wat de bezoekers zien, is de vissers- en handelshaven **Mġarr**, waar *luzzu* en andere kleurrijke boten liggen.

★ Victoria (Rabat)

(Bus 25 vanaf Mġarr).

De hoofdplaats van het eiland wordt vooral gekenmerkt door de prachtige **citadel★ (Il-Kastell)**, waarvan de verdedigingswerken door de inwoners gebruikt werden als schuilplaats als er gevaar dreigde. Het belangrijkste gebouw is de barokke **Cathedral of Assumption★** (Kathedraal van de Maria-Hemelvaart). Net als in Valletta is er een groot contrast tussen de mooie, eenvoudige voorgevel en het rijkelijk versierde interieur.

★★★ Ġgantija

Bus 64 en 65.

De **Ġgantija Temples★★★** *(Temples Xagħra - ℘ 2155 3194 - € 8)* dateren uit het 4de millennium v. Chr. en werden gebouwd naar het voorbeeld van Karnak of Stonehenge. Ze behoren tot de oudste verdedigingswerken van de archipel en waarschijnlijk van de hele wereld. Sommige steenblokken zijn wel 6 m hoog en wegen enkele tonnen. De linkertempel, groter en ouder dan de andere, omvat vijf apsissen.

Karakteristieke gevels in Sidi Bou Saïd

TUNESIË

Tunesië is erin geslaagd haar authenticiteit te bewaren, zelfs onder het juk van Feniciërs, Romeinen, Byzantijnen, Arabieren, Ottomanen en later Fransen. Sinds 1956 is het een onafhankelijk land. Op de kleine kaap tussen de westelijke en de oostelijke Middellandse Zee lag ooit Carthago, haar sporen zijn nooit helemaal uitgewist. Nadat u de unieke sfeer hebt opgesnoven van de soeks en hebt kennisgemaakt met het jachtige leven in de hoofdstad, doet het deugd het open landschap in te trekken. De naam Sidi Bou Saïd roept een beeld van dolce far niente, blauwe hemels en uitnodigende stranden op, terwijl Carthago ons een lesje geschiedenis vertelt.

Officiële naam: Republiek Tunesië
Plaatselijke naam: Tūnus
Hoofdstad: Tunis
Officiële taal: Tunesisch-Arabisch
Oppervlakte: 163.610 km²
Inwoners: 10,7 miljoen
Munteenheid: Tunesische dinar (€ 1 = 2 TD)
Telefoneren naar Tunesië: Kies 00 + 216 + het nummer van de correspondent.
Tijdsverschil: In de winter is er in Tunesië geen tijdverschil met België en Nederland. Omdat men in Tunesië geen zomertijd kent, is het er in de zomer 1 uur vroeger.

Klimaat: In de streek rond Tunis heerst een mediterraan klimaat.
Winkelen/Openingstijden: In de winter zijn de winkels open van 8.30 tot 12.00 u en van 15.00 tot 18.00 u. In de zomer blijven de winkels doorgaans later open omwille van de vele toeristen. Op zon- en feestdagen zijn de winkels gesloten. In de soeks zijn er meer winkels gesloten op vrijdag dan op zondag. Zij volgen wat dat betreft de religieuze voorschriften van de islam.
De meeste wekelijkse soeks zijn 's ochtends open.

171

Enkele Tunesische woorden...

Ja **N'am** / Nee **Lâ** / Goedendag **Sebah el kheir** / Goedenavond **Msa el kheir** / Tot ziens **Besslâma** / Goedenacht **Lila mebrouka** / Alstublieft **Min fadhlak** / Dank u wel **Choukran** / Graag gedaan **Mene ghir mziyya** / Mevrouw **Saïdati** / Meneer **Si** / Hoe gaat het ermee? **Chnoua halek?** / Geld **Flouz** / Hoeveel? **Qaddach?** / Gisteren **Elbarah** / Vandaag **El yoûm** / Morgen **Ghoudwa** / Hoe zegt men ... in het Arabisch? **Kîf'ach tqoû... l b-el-'arbi?** / Ik begrijp het niet **Ma nefhemech /** Toiletten **Bayt el-maa**

Tunis★★★

Witte koepels en minaretten met een lichtkoepeltje staan vlak bij een theater in art-nouveaustijl. Voor ultramoderne banken rijden karren en ouderwetse auto's... In deze hoofdstad van het Oosten ligt de eeuwenoude Arabische wijk naast souvenirs uit het Frankrijk van de jaren vijftig van de vorige eeuw, en moderniteit en traditie gaan er hand in hand.

Excursies van een halve dag

★★ De medina

De medina van Tunis is het historische hart van de stad. Dit was een van de eerste Arabisch-islamitische steden in de Maghreb (698 na Chr.). Van de 12de tot de 16de eeuw was het een van de belangrijkste en rijkste steden in de Arabische wereld. Tot de 19de eeuw bouwden de opeenvolgende heersers er vele paleizen en huizen, grote moskeeën, zaouïa's (religieuze gebouwen) en madrassa's (scholen). In 1979 werd de medina van Tunis opgenomen in de werelderfgoedlijst van de Unesco. Er lopen **twee hoofdstraten** door de Arabische stad: de ene verbindt van oost naar west de Porte de France met de place du Gouvernement; de andere loopt van noord naar zuid, van Bab Souika naar Bab el Jazira. De twee kruisen elkaar bij de **Grote Moskee**, die wordt omringd door een netwerk van **soeks** waarin de ambachten en commerciële activiteiten zijn gegroepeerd.

★★ De Grote Moskee

8.00-12.00 u - voor niet-moslims niet toegankelijk op vr. - bezoekers hebben geen toegang tot het binnenplein - betalend. Van de moskee die omstreeks 732 door de Omejjaden werd gebouwd, blijft bijna niets meer over. **Jamâa ez Zitouna** (moskee van de olijfboom) werd tussen 856 en 863 gebouwd, vervolgens door de Ziriden (10de eeuw) en ten slotte de Turken (1637) gerenoveerd en vergroot. De **gebedszaal★★** met 184 zuilen afkomstig van vindplaatsen uit de oudheid (vooral Carthago), de 15 schepen en de versterkte kapitelen is de indrukwekkendste ruimte in de moskee. Er is plaats voor 2000 gelovigen.

★★ De soeks

Souk el Attarine★★ B2 – De soek van de parfumeurs dateert uit de 13de eeuw en is zonder twijfel een van de mooiste van de oude stad. Een beetje lager ligt de **nationale bibliotheek** met duizenden Arabische boeken en manuscripten uit de Grote Moskee en de madrassa's.
Souk el Trouk★★ B2-3 – De soek van de Turken dankt zijn naam aan de Turkse wevers en kleermakers die er ooit werkten. Nu worden er niet alleen kleren, maar ook meubelen, tapijten, souvenirs en vooral lederwaren verkocht. Veel winkels hebben een terras vanwaar u geniet van een mooi uitzicht op de medina en ez Zitouna.
Moskee Sidi Youssef★ A3 – Deze moskee werd in de 17de eeuw gebouwd door de Ottomanen en het was het eerste gebouw met een achthoekige minaret met een balkon en luifel.

De Grote Moskee gezien vanaf de daken in de medina van Tunis
Mauritius/Photononstop

TUNIS PRAKTISCH

Nationale Dienst voor Toerisme –
1 av. Mohammed V - ✆ 71 341 077 -
www.tourismtunisia.com.
**Regionaal commissariaat voor
toerisme** – 31 r. Hasdrubal, 1002 Tunis
Lafayette - ✆ 71 845 618/840 622.

VERVOER
Vanaf de haven naar het centrum –
De haven La Goulette ligt 15 km van het
centrum van Tunis. Er rijden taxi's.
Per metro – Transtu (de vervoersmaat-
schappij van Tunis). Lijn 4 stopt bij het
Bardomuseum. Kaartje: 0,920 TD voor
het hele traject.
Per taxi – U kunt kiezen tussen een
'grote taxi', de enige die het gouverne-
ment Tunis mag verlaten, of een gele
'kleine taxi', die goedkoper is.
Allô Taxi - ✆ 71 840 840/783 311.
Allô rapide taxi - ✆ 25 83 70 00/83.

Van Tunis naar Carthago
Per auto – Reken op 30 min. via La
Goulette of de weg naar La Marsa.
Per trein – Reken op 20-25 min. Station
Carthago-Salammbô (tofet en Punische
havens); station Carthago-Hannibal
(heuvel Byrsa en thermen van Antonin).

Van Tunis naar Sidi Bou Saïd
Per trein – Het meest praktische
vervoermiddel. Reken op circa 35 min.
voor de lijn TGM (Tunis-La Goulette-La
Marsa). De hele dag elk kwartier.

EEN GLAASJE DRINKEN

Sidi Bou Saïd
Café des Nattes – Hoog op de
heuvel - ✆ 71 749 661. Dit Moorse café
is het bekendste in heel Tunesië. Op de
matjes zaten ooit al André Gide, Paul
Klee en Simone de Beauvoir.

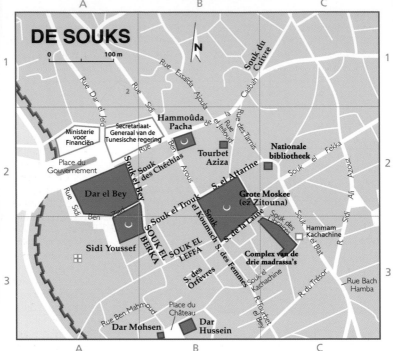

DE SOUKS

0 _____ 100 m

N

Rue Essaïda Ajoula

Rue Dar el Jeld

Rue Sidi

Souk du Cuivre

Casbah

la Rue de el Jeloud

Rue des Tarnis

Ministerie voor Financiën

Secretariaat-Generaal van de Tunesische regering

Hammoûda Pacha

Rue Ben Arous

Tourbet Aziza

Nationale bibliotheek

Souk el Fekka

Place du Gouvernement

Souk el Bey

Souk des Chéchias

S. el Attarine

Souk des Libraires

Ali Azouz

Rue Sidi

Dar el Bey

Rue Sidi Ben Ziad

Souk el Trouk

Souk el Koumach

Souk

S. de la Laine

Grote Moskee (ez Zitouna)

Hammam Kachachine

R. el Bat

Sidi Youssef

SOUK EL BERKA

SOUK EL LEFFA

S. des Femmes

Complex van de drie madrassa's

Souk el Kachachine

S. des Orfèvres

R. du Trésor

Rue Bach Hamba

Rue Ben Mahmoud

Place du Château

R. Tourbet el Bey

Dar Mohsen

Dar Hussein

A   B   C

Souk el Berka★★★ **B3** – Halfweg dit overdekte steegje vond tot 1841 de **slavenmarkt** plaats. Nu worden er juwelen en edelstenen verhandeld.
Souk el Leffa★★★ **B3** – Dit is de soek van de wol met tapijten en dekens. Hier, en in de kleine **souk ed Dziria**, heerst een veel intiemere sfeer dan in de andere soeks. Alles is hier oud, zowel de winkels als de verkopers, stuk voor stuk patriarchen in zondagse kleren.
Souk el Koumach★★ **B2-3** – De 15de-eeuwse soek van de stoffen bevindt zich aan de westkant van de Grote Moskee. De oude kraampjes zijn bedolven onder

kleurrijke stoffen en feestgewaden. Ook in andere soeks wordt kleding verkocht, zoals in de **souk des Femmes**, de vrouwensoek waar vooral tweede-handskleding en nepjuwelen worden verkocht, de **souk de la Laine** (soek van de wol) en de **souk du Coton** (soek van het katoen). De **souk des Orfèvres**, de soek van de goudsmeden, biedt oosterse juwelen.

★★★ Bardomuseum
4 km van het centrum. Verlaat de stad via Bab Saadoun en neem de boulevard du 20-Mars-1956. Neem metrolijn 4. - 4 DT.

Het museum bezit een unieke collectie **mozaïeken** afkomstig van de meest prestigieuze plaatsen in het oude Tunesië, zoals Carthago, Thuburbo Majus, Bulla Regia, Dougga... Vijftig zalen en galerieën werden ermee gevuld. Zelfs Rome heeft er niet zoveel. De collectie omhelst vijf grote perioden: de prehistorie, de Punische periode, de Romeinse periode, de christelijke periode en de Arabisch-islamitische periode. Daarnaast is er een afdeling Griekse beelden die werden opgegraven bij de opdelvingen onder water bij Mahdia.

★★ Carthago
Zomer: 7.30-19.00 u; winter: 8.30-17.00 u - 9 TD (combinatiekaartjes te koop bij de afzonderlijke bezienswaardigheden).

★ Punische tofet
Deze tofet was een openluchttheiligdom dat omgeven was door een 2 meter dikke muur. Het was gewijd aan Baal Hammon en Tanit, de beschermgoden van de stad.

★★ Thermen van Antonin
Deze thermen uit de 2de eeuw zijn de boeiendste overblijfselen van het Romeinse Carthago. In het archeologische park ziet u de resten van een **Romeinse villa met zuilengalerij** (4de eeuw) en een **Punische necropolis** (8ste-6de eeuw v. Chr.).

★ Romeinse villa's
Tegen de flank van de heuvel waarop het odeion staat, staan Romeinse villa's. Ze zijn vooral de moeite waard voor het **uitzicht★** dat ze bieden op Carthago en de Golf van Tunis. Hier en daar zijn mooie **mozaïeken** bewaard gebleven onder een dikke laag stof. Ze kregen hun levendige kleuren terug zodra ze met water werden besproeid. Als u naar de top van de heuvel klimt, ziet u de resten van het **odeion** (3de eeuw). Aan de voet van diezelfde heuvel staat het **theater** (2de eeuw) dat dankzij een grootscheepse renovatie in zijn glorie werd hersteld.

★★ Sidi Bou Saïd
Dit lieflijke dorp met de witte muren en blauwe luiken en mashrabiya's, de geplaveide, hellende steegjes, ligt boven Carthago en de Golf van Tunis. In 1915 kreeg baron d'Erlanger, die in Sidi Bou Saïd woonde, het voor elkaar dat het koloniale bestuur het dorp beschermde, zodat de inwoners de blauw-witte tinten van hun huizen moesten behouden. Verlaat het centrum en verken de minder onderhouden steegjes waar minder toeristen komen.

De hoofdstraat loopt naar het bekende **café des Nattes★**, dat vroeger werd bezocht door Paul Klee en André Gide en ook nu nog beroemdheden lokt. **Dar el-Annabi**, een mooi dorpshuis, dateert uit de 18de eeuw en kan worden bezichtigd (*36 av. Habib Thameur - ✆ 71 740 583 - 3 TD*). Als u verder naar de top van het dorp loopt, in de richting van de vuurtoren, komt u voorbij een klein **kerkhof** met witte grafstenen. De **vuurtoren** staat een beetje lager. Keer terug naar de rue du 2-Mars-1934 beneden in het dorp, vlak bij de parking. In deze straat bevindt zich de ingang van het **Ennejma Ezzahra★★** ('de fonkelende ster'). Het paleis dat **baron d'Erlanger** tussen 1912 en 1922 liet bouwen, werd ondertussen omgevormd tot het Centrum van de Arabische en mediterrane muziek (*✆ 71 740 102 - niet gratis*).

Split
★★★
KROATIË

MONTENEGRO

Dubrovnik ★★★
Kotor ★★

GRIEKENLAND

Corfu ★★★

Argostóli ★

Athene ★★★

Katákolo

Mykonos
★★

Githion

Santorin
★★★

KRETA Iraklion ★

Middellandse

Istanbul ★★★

Izmir ★

Mytilíni ★

TURKIJE

177

Kuşadası ★

Pátmos ★★★

Marmaris

Alanya ★★

Rhodos ★★★

CYPRUS

Limassol ★

Zee

Beiroet ★★

LIBANON

Haifa ★

Ashdod

Alexandrië ★★

Port Said ★

ISRAËL

EGYPTE

178

Het dorp Vis

KROATIË

Een honderden kilometers lange kust grenst aan het turkooizen water van de Adriatische Zee, waarin meer dan duizend prachtige eilanden liggen. Op het vasteland zijn enkele van de mooiste steden van Europa te vinden. Sinds Kroatië in 1995 onafhankelijk werd, slaagt de jonge republiek erin het rijke erfgoed te laten schitteren, van het paleis van Diocletianus in Split tot de indrukwekkende vestingwerken van Dubrovnik. Het vertelt de lange geschiedenis op het kruispunt van de mediterrane en Slavische cultuur.

Officiële naam: Republiek Kroatië
Plaatselijke naam: Hrvatska
Hoofdstad: Zagreb
Officiële taal: Kroatisch
Oppervlakte: 56.542 km^2
Inwoners: 4,4 miljoen
Munteenheid: kuna (€ 1 = 7,69 kn)
Telefoneren naar Kroatië: Kies 00 + 385 + zonenummer zonder de 0 + het nummer van de correspondent. Zonenummers: Dubrovnik 020, Split 021.
Tijdsverschil: Er is in Kroatië geen tijdsverschil met België en Nederland.
Klimaat: Aan de kust heerst een mediterraan klimaat. De gemiddelde temperaturen bedragen 7 °C in de winter en 26 °C in de zomer. In de winter zorgt de bora, een wind uit noordoostelijke richting, vaak voor ijskoude temperaturen aan de kust.

Winkelen/Openingstijden: De winkels zijn doorgaans van maandag tot vrijdag open van 7.00 tot 19.00 u, soms zelfs tot 20.00 u. Van zaterdagmiddag tot maandagochtend is alles, behalve cafés en restaurants, gesloten. In het toeristische hoogseizoen worden deze openingstijden vaak versoepeld.

Adressen: De Kroatische straatnamen worden verbogen, wat tot enige verwarring kan leiden bij toeristen die dat niet weten. Een straat die bijvoorbeeld vernoemd is naar Stjepan Radić wordt op straatnamenborden geschreven als 'Ulica Stjepana Radića', maar op een kaart staat 'Radićeva'.

Enkele Kroatische woorden...

Ja **Da** / Nee **Ne** / Goedendag **Dobar dan** of **Dobro jutro** / Goedenavond **Dobra večer** / Hallo **Bog** / Tot ziens **Do viđenja** / Alstublieft **Molim** / Dank u (zeer) **Hvala (lijepo)** / Excuseer **Oprostite** of **Ispričavam se** / Proost! **Živjeli!** of **Na zdravlje!** / Eten **Jesti** / Drinken **Piti** / Toiletten **Nužnik** of **Zahod** / Waar is...? **Gdje se nalazi?** / Spreekt u Engels? **Govorite li engleski?** / Ik begrijp het niet **Ne razumijem** / Kunt u me helpen? **Možete li pomoć mene?** / Hoeveel kost het? **Koliko košta?** / Haven **Luka** / Boot **Brod** / Strand **Plaža**

Split★★★

In het midden van de Dalmatische kust ligt deze op één na grootste stad van Kroatië, een belangrijk economisch en cultureel centrum. Dwaal door de wirwar van steegjes, bewonder het keizerlijke peristilium en het mausoleum van een Romeinse keizer, loop langs Egyptische sfinxen, rust uit in de schaduw van een romaanse klokkentoren, drink koffie in een tempel uit de oudheid... De oude stad vertelt u tweeduizend jaar geschiedenis.

Excursies van een halve dag

De Romeinse keizer Diocletianus (244-311), afkomstig uit Salona, liet tussen 298 en 305 een immens paleis bouwen dat 180 m breed (noordelijke en zuidelijke gevel) en 215 m lang (oostelijke en westelijke gevel) was. Na zijn dood vormden de inwoners het om tot woningen. Vandaag zijn er naar schatting negenhonderd appartementen in het paleis en wonen er drieduizend mensen.

★ In het paleis van Diocletianus

★★ De ondergrondse zalen
35 kn.
Vanaf de Bronzen Poort aan de Riva voert een trap u naar het ondergrondse deel van het paleis. Hier krijgt u een idee van de indeling van de keizerlijke vertrekken die erboven lagen, omdat de kelderverdieping hetzelfde grondplan heeft. Men vermoedt dat dit de verblijven van de slaven waren.

★★★ Peristilium
De binnenplaats is aan drie zijden met zuilen omgeven en heeft zijn Romeinse kenmerken bewaard ook al werden later nieuwe elementen toegevoegd. De keizerlijke vertrekken bevinden zich aan de zuidkant, het keizerlijke mausoleum aan de oostkant en de drie andere tempels van de stad, gewijd aan Venus,

Cybele en Jupiter, aan de westkant. In de **oostelijke zuilengalerij★**, die het peristilium scheidt van het voorplein van het **mausoleum** van Diocletianus (nu de kathedraal), staat een **sfinx** (15de eeuw v. Chr.) die de keizer meebracht na zijn overwinning in Egypte (297-298). Het **propylon of het zuidelijke portaal★** vormde de **ingang van de woonvertrekken** van Diocletianus en diende als tribune bij feestelijkheden. De twee **kapelletjes** aan weerszijden dateren uit de 16de-17de eeuw.

Keizerlijke vertrekken
De vertrekken bevinden zich in het zuidelijke deel van het paleis, langs de gevel aan de kant van de zee. De ronde **vestibule ★★** vertoont karakteristiek **Romeins metselwerk** waarin bakstenen worden afgewisseld met natuursteen. De **dorpelstenen** bij de ingangen dateren uit de Romeinse tijd.

★ Etnografisch museum (Etnografski Muzej)
Ingang aan de kant van de Riva - 10 kn.
Dit museum in de westelijke vleugel van het paleis biedt een boeiende collectie traditionele, Dalmatische kleding, maar u kunt er ook wapens en kant bewonderen en er is een reconstructie van een interieur van een woning van de burgerij uit de 19de eeuw.

Luchtfoto van het paleis van Diocletianus en het oude Split
Fabijanic Damir/Sime/Photononstop

SPLIT PRAKTISCH

Dienst voor Toerisme – Peristilium -
☎ 021 345 606 - www.visitsplit.com.

VERVOER
♿ *Voor bootverbindingen tussen Split en de eilanden, zie blz. 184 en 186.*

Van Split naar Savona
Per bus – Neem in Split lijn 1 of 16 bij het HNK (nationaal theater).

Brač
Autobus – Porat 12 in Supetar - ☎ 021 631 122 - www.autotrans-brac.hr.

Hvar
Autobus – Tussen Hvar en Stari Grad: 4 tot 6 bussen/dag, zo. 3 bussen. Bepaalde aansluitingen met veerboten zijn verzekerd.
Taxis – ☎ 098 33 88 24/098 19 20 232/091 52 69 289 of 091 51 72 956.

Vis
Autobus – Het hele jaar door rijden er 4 of 5 bussen per dag tussen Vis en Komiža.
Autoverhuur – Ionios Tourist Agency verhuurt fietsen (90 kn/dag), bromfietsen (190 kn/dag) en auto's (400 kn) per uur of per dag. Obala Sv. Jurja 37 - ☎ 021 711 532.

EEN GLAASJE DRINKEN

Split
Kavana Luxor – Tegenover het Peristilium en Sint-Domnius. Hier kunt u heerlijk ontbijten met vruchtensap, gebak (heerlijke strudels) of gewoon een koffie drinken in een unieke omgeving.
Vidilica Café – Marjan. Op het terras van dit café naast het uitzichtpunt op de heuvel Marjan ziet u uit over de stad.

★★★ Sint-Domniuskathedraal (Sv. Duje)
15 kn.

Het voormalige mausoleum van Diocletianus werd in de 7de eeuw omgevormd tot kathedraal. Ze was oorspronkelijk gewijd aan de maagd, maar al snel werd ze gewijd aan Sint-Domnius, de patroonheilige van de stad en de eerste bisschop van Salona.

Klokkentoren★ – *10 kn*. Deze toren werd eind 13de eeuw in laatromaanse stijl gebouwd. De bovenste verdiepingen werden later heropgebouwd in de neoromaanse stijl van de 19de eeuw. Vanaf de top (60 m) geniet u van een boeiend **uitzicht★★** omdat de omtrek van het paleis zichtbaar is in de wirwar van huizen.

U betreedt de kathedraal via een zware, prachtige poort met eikenhouten **panelen★★★** (1214).

Mausoleum★★ – De achthoekige buitenkant herbergt een cirkelvormig interieur. De Romeinse structuur met **zuilen**, **kapitelen**, een fries en het **gewelf** van de koepel, bleef bijzonder goed bewaard. De **meubelen★★★** tonen de evolutie van de stijlen in de loop der eeuwen. U ziet er onder andere een **romaanse preekstoel★★** (13de eeuw), met fijn bewerkte kapitelen en het **altaar van Sint-Anastasius★★★**, een prachtige sarcofaag bekleed met een stenen drapering uit de 15de eeuw, een werk van Juraj Dalmatinac.

Koor – Omdat de kathedraal te klein was geworden, werd ze in de 17de eeuw vergroot aan de oostkant met een rechthoekig **koor** in barokstijl achter het hoofdaltaar. Er zijn buitengewoon verfijnde houten **koorstoelen★★★** te zien.

Crypte★ – Onder het mausoleum bevindt zich de crypte met hetzelfde ronde grondplan. Volgens de overlevering was het tijdens de bouw van het paleis een gevangenis voor christenen.

★★ Tempel van Jupiter
5 kn.

Deze tempel werd eind 9de eeuw omgebouwd tot doopkapel van de kathedraal. De sfinx buiten komt uit Egypte, net als die in het peristilium. De kruisvormige **doopvonten★★★** zijn erg groot, want toen het christendom nog maar net bestond, werd men bij het dopen helemaal ondergedompeld.

Diocletianusstraat (Dioklecijanova ulica)

Hier staan veel **renaissancepaleizen** in een heel bijzondere stijl. Ze hebben een sierlijke binnenplaats, verfijnde waterputten en een buitentrap die naar de ontvangstruimte op de eerste verdieping leidt. Daarboven bevinden zich de privévertrekken en helemaal boven is de keuken (om geuren te vermijden).

★ Papalićpaleis (Palača Papalić)

Dit paleis in laatgotische stijl werd in de 15de eeuw ontworpen door Juraj Damatinac. Het herbergt het **Stedelijk museum (muzej grada splita)** – *Papalićeva 1 - 10 kn.*

★★ De heuvel Marjan

Dit bosrijke, steile schiereiland is een favoriete wandelplek van de inwoners.

★ De visserswijk
Sint-Franciscuskerk (Sv. Frane) – Ten westen van de Riva hebben het Franciscanerklooster en de kerk de oorspronkelijke gebouwen vervangen. Er zijn veel plaatselijke beroemdheden

begraven. In de wijk **Veli Varoš★★** ten westen van de ommuurde stad woonden vanaf de 14de eeuw de armste inwoners. Rechts van het klooster, voorbij de Šperun ulica, begint tegen de helling een wirwar aan **steile steegjes**, die hun volkse karakter bewaarden. U ziet er de **Sint-Nicolaaskerk★,** een kleine preromaanse kapel (11de eeuw) in archaïsche stijl met het kruisvormige grondplan en het **portaaltje** met een bewerkte latei. Het **uitzichtpunt★★** biedt een uniek uitzicht.

★ Rondgang langs de kapellen
Aanbevolen 's ochtends vroeg of bij zonsondergang, anders is het te warm. Reken op 1,5 uur H/T.
Aan het uitzichtpunt begint een mooi wandelpad naar de punt van het schiereiland. Onderweg ziet u vele kapelletjes, gebouwd door kluizenaars die er rust zochten om te mediteren en te bidden. Tegen de helling gedrukt staat te midden van de cipressen en de vetplanten de **Hiëronymuskapel★**, die een grote sereniteit uitstraalt (15de eeuw).

★★★ Meštrovićgalerij (Galerija Meštrović)
Šetalište Ivana Meštrovića 46 - ℰ 021 340 810 - 30 kn (incl. bezichtiging Kaštelet).
In 1931 gaf beeldhouwer Ivan Meštrović (1883-1962) de opdracht voor de bouw van deze neoklassieke villa. Hij woonde er twee jaar voor hij in 1941 op de vlucht ging voor de Italiaanse bezetters. In de tuin staan veel beelden, maar de interessantste beelden staan binnen. Een beetje verderop kunt u het **Kaštelet★★** bezichtigen, waar de kunstenaar zijn beelden onderbracht, vooral in de **Heilige Kruiskapel★★**.

★★★ Archeologisch museum (Arheološki muzej)
Zrinsko-Frankopanska 25. 20 min. te voet, ten noordwesten van het centrum van de stad, aan de grote laan die naar het stadion leidt. Bussen vanaf het centrum, bij de markt - ℰ 021 329 340 - 20 kn.
Dit museum leert u alles over de geschiedenis van de stad aan de hand van voorwerpen die in de omgeving werden opgegraven, vooral in Salona.
De **glyptotheek★★★** onder een overdekte galerij in de tuinen omvat verschillende meesterwerken, zoals de bijzondere **sarcofaag van Phaedra en Hippolytus★★★** (2de eeuw), gevonden in Salona, en de **sarcofaag van de Goede Herder★★★**, genoemd naar de afbeelding in het midden (begin 4de eeuw).

★★ Salona (Solin)
Verlaat het centrum richting Trogir en de luchthaven. Net buiten de stad bij de splitsing rechts richting Salona/Solin. Volg 2 km verderop de wegwijzers links naar Salona. Of neem bus 1. ℰ 021 211 538 - museum - 20 kn.
Salona was oorspronkelijk een haven van de Dalmatiërs en werd onder Caesar een grote stad. Onder Diocletianus woonden er 60.000 mensen. Vanaf de 2de eeuw ontwikkelde het christendom zich er dankzij **apostel Paulus**. De onderdrukkingen die vanaf de 4de eeuw plaatsvonden, konden de groei niet stoppen.

Manastirine
In deze uitgestrekte **necropolis** werden tal van sarcofagen opgegraven. Ze worden tegenwoordig tentoongesteld in het Archeologisch Museum van Split.

★ Museum of Tusculum

Het mooie huis werd gebouwd door Frane Bulić, een archeoloog die zijn leven wijdde aan opgravingen op deze plaats. Let op de vele Romeinse elementen die werden geïntegreerd, onder andere onder de ramen en terrassen. Binnen ziet u nog meer opgegraven voorwerpen.

★ Wallen en oostelijke stad

Een groot deel van de Romeinse stadsmuur bleef bewaard, vooral aan de noordkant van de stad. Er loopt een pad over de wallen. Volg het pad naar rechts. Beneden ziet u het voormalige bisschoppelijke centrum liggen, met de resten van twee grote **basilieken** met drievoudig schip. Achter de basilieken ziet u de overblijfselen van de **thermen**. Hier bevonden zich de oostelijke wijken van Salona, die door de eerste christenen werden bewoond.

Porta Cæsarea en de oude stad – Deze enorme poort in de wallen vormde de toegang tot de oude stad, waardoorheen een pad liep. Links ziet u het **forum**, het **theater** en twee andere **basilieken**.

★★ Amfitheater

Het westelijke deel van Salona werd in de 2de eeuw toegevoegd. Het amfitheater werd omstreeks 170 gebouwd en bood plaats aan meer dan 15.000 toeschouwers. Hoewel het is beschadigd, is de structuur nog zichtbaar.

Excursies van een dag

★★ Eiland Brač

Per veerboot bereikbaar vanuit Split - 8-14 vaarten per dag - ℘ 021 631 357 - www.jadrolinija.hr.

Supetar

De veerboten vanuit Split komen aan in de mooie haven van **Supetar**, omgeven door palmbomen. Het bosrijke stadsdeel met de stranden en hotels strekt zich naar het westen uit. Achter aan de haven staat de **Kerk van de Annunciatie** in barokstijl (1773). Ze bezit indrukwekkende retabels uit dezelfde periode. Ten westen van de haven ligt op een idyllische plek het **zeemanskerkhof★** met bijzondere mausolea, zoals het pompeuze **Petrinović-mausoleum**, in neo-Egyptisch-Byzantijnse stijl en in de vorm van een schuimgebakje met daarop een gevleugelde engel.

De zuidkust

De noordkust van het eiland is bezaaid met pittoreske havens en dorpjes, maar de zuidkant heeft nog veel mooiers te bieden. In het dorp **Škrip★★** wordt de geschiedenis van het eiland en de banden met de Romeinen verklaard in het schitterende **Bračmuseum (Brački muzej)★★** (℘ 021 646 325 - 10 kn).

★★ Eiland Hvar

Er zijn twee snelle bootverbindingen naar Hvar, één van Bol (eiland Brač) en Split naar Jelsa en één van Split en Lastovo naar Hvar en Vela Luka. Eén vaart per dag. Enkele kilometers ten zuiden van Split ligt Hvar, het zonnigste eiland van het land en ook het meest toeristische. Behalve prachtige kreken zijn er ook twee mooie steden: Hvar en Stari Grad.

★★ Hvar

Dit is de toeristische trekpleister van het eiland. De stad ligt achter in een baai beschut door de Pakleni-eilanden.

De benedenstad – Dit stadsdeel ligt rond de kaden. Aan de **Pjaca Sv. Stje-**

pan★, het hoofdplein dat uitziet op de haven, staat de **Sint-Stefanuskathedraal★★** die renaissance-, barok- en romaanse elementen bevat.

De stad telt veel oude gebouwen, zoals het **arsenaal** (16de eeuw), het **theater** (1612) of het voormalige paleis van de rector, waarvan de **renaissanceloggia** (eind 16de eeuw) is geïntegreerd in Hotel Palace. In de steegjes staan veel patriciërspaleizen, met als beste voorbeeld het **Hektorovićpleis** (15de eeuw). Na een aangename wandeling langs de kaden naar het oosten komt u bij het **franciscanenklooster★★** dat op de idyllische kaap van Sridnji staat, uitziend over de zee. Men begon met de bouw ervan in 1465 en het is gewijd aan de Onbevlekte Ontvangenis. Er wonen nog maar twee monniken.

De bovenstad – In dit ommuurde stadsdeel staat het **Spaanse fort★★**. Het werd in de 16de eeuw gebouwd door Spaanse ingenieurs (vandaar de

Het Spaanse fort in Hvar

Andrea Alborno/hemis.fr

naam) op de plek waar een Illyrische vesting van voor de Griekse bezetting stond. U bereikt het fort via de trappen voor het benedictijnenklooster en het pad tot boven op de heuvel. *(Doe dit bij voorkeur 's ochtends of in de late namiddag. 40 min. H/T - 9.00-22.00 u - 20 kn).* Het interessantst is een bezoek aan de lugubere **kerkers** en het **uitzicht** op de stad en de Pakleni-eilanden.

Kustweg★– Deze weg volgt de kaden naar het westen, loopt langs hotels en chique villa's, door het pijnbomenbos en boven de rotsen. Onderweg kunt u zwemmen en zonnebaden.

★ Stari Grad

Rijd richting Stari Grad in het noordoosten (20 km, 25 min.) - ℘ 021 765 763 - www.stari-grad-faros.hr.

Hier komen de veerboten aan. Het voormalige Pharos was de eerste stad die de Grieken op Hvar stichtten. Hoewel het gezellig is aan de kaden, moet u ook de steegjes aan de zuidkant in duiken, waar de echte charme van de stad is verscholen, met de fleurige trappen, de gebeeldhouwde balkons, de overwelfde passages en de ommuurde tuinen.

Tvrdalj★★ – *Trg Tvrdalj - ℘ 021 765 763 - 10 kn.* Dit paleis is het meest verrassende gebouw van de stad. Het werd ontworpen als een fort door de dichter Petar Hektorović (1487-1572), lid van een belangrijke familie uit Hvar. Achter de sobere gevel zit een gezellige binnentuin verscholen met daarin een grote visvijver.

Dominicanenklooster★ (Dominikanski samostan) – *20 kn.* Dit klooster werd in de 15de eeuw gebouwd en een eeuw later, na de aanval van de Turken, versterkt. Petar

Hektorović ligt in het koor begraven. In het klooster hangt een **Bewening van Christus**★★ van Tintoretto, gemaakt in opdracht van de dichter (die is voorgesteld als oude man).

Sint-Johanneskapel★ (Sv. Ivana)– Deze ontroerende kapel staat in het steegje waarin ook de Sint-Stefanuskerk staat en is het oudste christelijke gebouw op het eiland. De kapel verving in de 12de eeuw een tempel uit de oudheid. Via een trap daalt u af naar het sobere **romaanse schip** in een nogal onbeholpen stijl. Bekijk zeker de **mozaïeken★** uit de 6de eeuw.

★★ Strand van Dubovica

Parkeer tegenover de bushalte, vlak bij het telefoonhokje, op amper 1 km voorbij de tunnel van Stari Grad naar Hvar. Volg het rotsig paadje tussen de bomen. Na ca. 10 min. bereikt u het strand.
Rond een mooi kiezelstrand ligt een piepklein gehuchtje met een landhuis, een kapel en enkele vissershuizen.

★★ Eiland Vis

Per veerboot bereikbaar vanuit Split - het hele jaar door 1-2 boten/dag en van juni tot sept. 2-3 boten/dag - duur: 2-2,5 u. Vis - ℘ 021 711 032 - www.jadrolinija.hr.
Dit eiland ligt verder van de kust dan Hvar en Brač en is minder toeristisch. Het is een ongerept, fragiel paradijs.

★ Vis

Dit dorpje met 2000 inwoners ligt achter in een baai en omvat twee wijken: Luka in het westen en Kut in het oosten. Dat laatste is het best bewaarde en was vroeger een vakantieoord voor de adellijke families van Hvar, zoals blijkt uit de prachtige **barokhuizen★** met balkons en fijn bewerkte ramen.

★★ Komiža

9 km ten westen van Vis. Reken op 1,5 uur.
Komiža is het grootste vissersdorp in Dalmatië. In het **Venetiaanse fort★** (1592) aan de kade, waarboven een klokkentoren uitsteekt, bevindt zich het **Visserijmuseum (Ribarski muzej)** *(10 kn)* waar u kennismaakt met de plaatselijke technieken en tradities. De **Ribarska ulica**, de straat die de baai naar het westen volgt, leidt naar een kiezelstrand waar de **Onze-Lieve-Vrouw van de Piraten★** staat, een kapel met drie puntgevels. Het centrale schip is het oudste (1515), de andere dateren uit de 17de-18de eeuw. In de kapel staat het oudste orgel van Dalmatië. Een mooie klim brengt u naar het **Sint-Nicolaasklooster (Samostan sv. Nikola)** *(niet toegankelijk)*, vanwaar u geniet van een mooi uitzicht. Het werd in de 13de eeuw op de heuvel gesticht door de benedictijnen nadat die door piraten van Biševo waren verjaagd. In de 18de eeuw werd het versterkt met stevige bastions.

★ Eiland Biševo

Per boot bereikbaar vanuit Komiža. 80-90 kn afhankelijk van de formule, inclusief toegang tot de Blauwe Grot (25 kn). Reken op een halve dag voor de grot, op een hele dag als u ook naar het strand wilt. Ook bereikbaar vanop Vis, maar die tocht duurt langer en is duurder.
Het op één na grootste eiland van de eilandengroep is bekend om de **Blauwe Grot★★**, die via een opening onder water wordt belicht door een onwezenlijk licht. Alleen toegankelijk per boot. De blauwe kleur is rond de middag het mooist. Het lange bezoek eindigt bij een mooi **strand** (met tavernes).

Dubrovnik★★★

Helemaal in het zuiden van Kroatië ligt Dubrovnik op een smalle kuststrook aan de voet van van de eerste uitlopers van de Dinarische Alpen, op minder dan 5 km in vogelvlucht van Bosnië. De stad, het voormalige Ragusa (1358-1808), ligt op een rots, omringd door hoge wallen met daarachter de Adriatische Zee en wordt beschouwd als een prachtig stukje werelderfgoed.

Excursie van een halve dag

★★★ De versterkte stad

Enkele muren van deze vesting uit de 14de-15de eeuw zijn wel 12 meter dik. De vesting werd compleet gerestaureerd na de aardbeving van 1667 die de hele stad verwoestte en het begin betekende van het verval van de stad.

★★ Pilepoort (Vrata Pile) D

Dit is de indrukwekkendste van de twee stadspoorten. U bereikt ze over de oude slotgracht en de ophaalbrug. In de zomer vindt nog altijd de aflossing van de wacht plaats in traditionele kleder-

Folklore en traditionele dansen

Stéphane Frances/hemis.fr

dracht, zoals ten tijde van de republiek Ragusa *(10.00-12.00 u, 20.00-22.00 u)*. Net binnen de muren ligt het pleintje met de **Onofriofontein** met koepel, genoemd naar zijn Napolitaanse schepper en voltooid in 1438.

★★ Placa (Stradun) D

De Placa is de hoofdstraat van de oude stad, waar inwoners en toeristen graag flaneren tussen de boetieks en de cafés met terrassen. In het begin van de straat staan de **Kerk van de Heilige Verlosser** (1528), de enige renaissancekerk in Dubrovnik, en de **franciscanenkerk** in barokstijl. In het **klooster★★** ernaast *(museum en kloostergang: 30 kn)* bleef de laatromaanse **kloostergang★★** (1360) bewaard.

Volg de Placa oostwaarts. De steegjes aan de rechterkant, de zuidkant, leiden naar het oudste deel van de stad. Aan de noordkant beklimmen schilderachtige trappen de helling. In de **Joden-straat (Ulica Žudioska)** staat de op één na oudste **synagoog★** (15de eeuw) van Europa, na die van Praag.

★★ Plein van de Loggia (Luža) E

Aan het eind van de Placa ligt dit plein met daarop de **zuil van Roeland** (1418). Volgens de legende zou de befaamde ridder Dubrovnik hebben gered van de Arabieren. Daarom bleef hij het plaatselijke symbool van de vrijheid.

De Onofriofontein in Dubrovnik
Torino/Maritius/Photononstop

DUBROVNIK PRAKTISCH

Dienst voor Toerisme – Gruž – Obala S Radića 27 - ✆ 020 417 983 - www.tzdubrovnik.hr

VERVOER

Van de haven naar de stad
De haven van Gruz ligt op ongeveer 2,5 km van de oude stad. Per taxi 10 min., te voet 35 min.

Per auto
Budget – Obala S. Radića 24 - ✆ 020 418 998 of 099 201 46 38.
Euro Car Rental – Ploče (oude stad), Frana Supila 7 - ✆ 385 20 412 422 - www.eurocar-rental.com.hr

Per bus
Centraal busstation – Obala Pape Ivana Pavla II 44 A - ✆ 020 313 275 - www.libertasdubrovnik.hr. Buslijn 10 verbindt Dubrovnik met **Cavtat**. Er rijdt van 5.00 tot 0.00 u elk uur een bus.
Per taxi – Pile ✆ 020 424 343; kade voor veerboten ✆ 020 418 112; Lapad ✆ 020 435 715. Service taxi ✆ 970.
Per boot – Er zijn regelmatige bootverbindingen met **Cavtat** en **Mlini**.

UIT ETEN
Konoba Lokanda Peskarija – Na ponti bb - ✆ 020 324 750 - www.mea-culpa.hr. Bij de oude haven. Het adres bij uitstek om gegrilde calamares en andere zeevruchten te eten.

WINKELEN
Bačan – Prijeko 6. Tafellakens, servetten, blouses of hemden, allemaal geborduurd door deze familie. De prijzen hangen af van het motief (draaikolk, kattenpoot...).

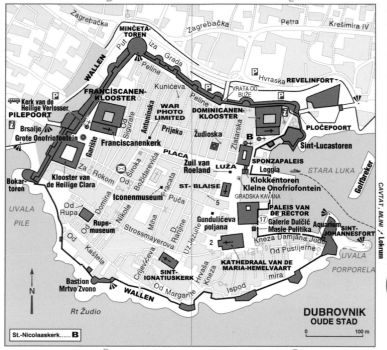

St.-Nicolaaskerk...... **B**

DUBROVNIK
OUDE STAD

0   100 m

CAVTAT, MLINI / Lokrum

Sponzapaleis ★★ (Palača Sponza)E
– *(25 kn)*. Dit paleis herkent u aan de
zuilengalerij. Het staat aan de linkerkant
van het plein. De bijzondere voorgevel
is een voorbeeld van de overgang tussen de gotiek en de renaissance.
**Dominicanenklooster★★★ (Do-
minikanski samostan) E** – *(20 kn)*.
Dit klooster achter het Sponzapaleis
werd gesticht in 1225. Hoewel het een
klokkentoren (14de-18de eeuw) met
koepel heeft, lijkt het een versterkt
gebouw. De zuilengangen van de
kloostergang★★, die tussen 1456

en 1483 werd gebouwd, omgeven een
weelderige tuin met sinaasappel- en
palmbomen. In het **museum★★★** bevindt zich de collectie gewijde kunst van
het klooster en waardevolle schilderijen.
**Paleis van de Rector★★ (Knežev
dvor) E** – *(40 kn)*. Dit paleis staat aan
de overkant van het plein, achter de
Sint-Blasiuskerk★ (1715). Het werd
verscheidene keren heropgebouwd en
is zonder twijfel het mooiste gebouw
van Dubrovnik. Bewonder de **buiten-
galerij** met opmerkelijke, 15de-eeuwse
kapitelen★★, het **binnenplein★**,

dat gotische en renaissance-elementen bevat (en een mooie, barokke trap), en de **vertrekken van de rector★**.

★ Kathedraal van Maria-Hemelvaart (Katedrala Uznesenja Marijina) E

De kathedraal werd in de 18de-eeuwse barokstijl opgetrokken waar een romaans gebouw en eerder een heilig-dom uit de 7de eeuw stond. De **kerk-schat★★★** *(10 kn)* vormt het hoogte-punt. In een weelderig barokinterieur met engeltjes en verguldsels staan de **reliekschrijnen van Sint-Blasius★★★** (12de eeuw) met het hoofd, een arm en een been van de heilige.

★ Pločepoort (vrata od Ploča) E

Gedurende bijna de hele geschiedenis van de republiek Ragusa was dit de belangrijkste ingang van de stad omdat de poort naar het oosten was gericht en vandaar kwamen de karavanen uit het Oosten. Net als bij de Pilepoort vindt hier in de zomer nog altijd de aflossing van de wacht plaats in historische kle-derdracht *(10.00-12.00 u, 20.00-22.00 u)*.

★ De oude haven E

Vanaf de poort loopt een mooie **wandelweg** langs de wallen rond de haven in de richting van het Johannes-fort (14de eeuw) waarin het **Maritiem museum** is ondergebracht.

Excursie van een dag

★★ Naar Cavtat en de Konavle
Bus 10 vertrekt om het uur aan het bussta-tion van Dubrovnik, halte in Mlini en dan naar Cavtat (bereikbaar per boot).

★ Mlini

Mei-sept.: per motorboot vanuit Dubrov-nik (5-7/dag).

Samen met **Srebreno** ligt dit kustdorp aan een mooie baai op het zuiden. Er zijn mooie **zand- en kiezelstranden**. *De luchthaven ligt 10 km verderop aan de kust.*

★★ Cavtat

30 min. per boot (mei-sept.: 5-8/dag) vanuit de haven van de oude stad van Dubrovnik - 60/70 kn H/T.
Deze beeldige badplaats tussen de bomen was het Griekse Epidaurus dat in de Romeinse tijd tot bloei kwam. Bezichtig het **Paleis van de Rector** *(𝄞 020 478 556 of 091 574 26 80 - 15 kn)*, een mooi renaissancegebouw (15de eeuw) met archeologische en etnografi-sche voorwerpen, en de **Pinacotheek** *(𝄞 020 478 249 of 098 17 82 048 -10 kn)*, met mooie iconen en Italiaanse schilde-rijen. Geef bij gebrek aan tijd voorrang aan het **Huis van Vlaho Bukovac** *(20 kn)*, met werken, vooral portretten, van de schilder (1855-1922).
Aan het eind van de kade geeft een spits klokkentorentje aan waar **Onze-Lieve-Vrouw ter Sneeuw★** staat, de kapel die bij het Franciscanenklooster hoort en die mooie, gewijde kunst bezit. Op het kerkhof hoog op de heuvel boven het klooster *(10-15 min. te voet)*, staat het **mausoleum van de familie Račić**, een ambitieus project dat een mix van de Griekse en de Egyptische stijl vertoont... Boven geniet u van een mooi **uitzicht★** op de bergen en de kust.
Cavtat is ook de hoofdstad van de **Konavle**, een heuvelachtige streek met smalle vlakten, omringd door hoge kliffen en rijk aan een uitzonderlijk levendige traditionele cultuur.
♿ Vanuit Dubrovnik kunt u een uitstap naar Montenegro maken, zie blz. 191.

MONTENEGRO

Dit jongste Europese land is een van de oudste in de Balkan. Nadat het land zich op 21 mei 2006 afscheurde van Servië en de onafhankelijkheid uitriep, kreeg het opnieuw de autonomie die het in 1918 was verloren. De bergen in Montenegro behoren tot de grilligste van Europa en duiken in het zuiden de Adriatische Zee in. Aan die prachtige kust ligt de middeleeuwse stad Kotor, aan de monding van de meest zuidelijk gelegen fjord van Europa.

Officiële naam: Montenegro
Plaatselijke naam: Crna Gora
Hoofdstad: Podgorica
Officiële taal: Montenegrijns, dat bijna identiek is aan het Servisch. Beide talen zijn afgeleid van het Servisch-Kroatisch.
Oppervlakte: 13.812 km^2
Inwoners: 681.800
Munteenheid: euro
Telefoneren naar Montenegro : Kies 00 + 382 + het nummer van de correspondent. Het landnummer van Servië, 381, is ook nog geldig in Montenegro, maar ondertussen is ook 382 in gebruik genomen als landnummer.

Tijdsverschil: Er is in Montenegro geen tijdsverschil met België en Nederland.
Klimaat: Aan de Adriatische kust zorgt het mediterrane klimaat voor heel warme zomers (tot 38 °C), al zorgt de zee voor enige verfrissing.
Winkelen/openingstijden: De winkels zijn op weekdagen doorgaans open van 8.00 of 9.00 u tot 20.00 of 21.00 u, op zaterdag tot 15.00 u. Sommige winkels zijn op zondagochtend open, vooral de buurtwinkels en bepaalde supermarkten. In de zomer sluiten de winkels in de badplaatsen niet voor middernacht.

191

Enkele Montenegrijnse woorden...

Ja **Da** / Nee **Ne** / Goedendag ('s ochtends) **Dobro jutro** / Goedendag (de hele dag) **Dobar dan** / Goedenavond **Dobro veče** / Hallo! **Zdravo!** / Tot ziens **Doviđenja** / Alstublieft **Molim** / Dank u wel! **Hvala!** / Excuseer **Izvinite** / Proost! **Živjeli!** / Hoe gaat het ermee? **Kako ste?** / Ik heet... **Zovem se...** / Spreekt u Engels? **Govorite li angielski?** / Ik begrijp het niet **Ne razumem** / Toiletten **WC** (*vètsè*) / Hoeveel kost het? **Koliko ovo košta?** / De rekening alstublieft! **Račun, molim !** / Vandaag **Danas** / Gisteren **Juče** / Morgen **Sutra**

Kotor★★★

De Baai van Kotor wordt afgesloten door de Straat van Verige en vormt een fjord van 350 m, de diepste in het Middellandse Zeegebied. Het gebied wordt over circa honderd kilometer omgeven door de laatste steile toppen en ravijnen van de Dinarische Alpen (tot 1749 m boven Kotor). Kotor behoorde lang tot Kroatisch Dalmatië, maar werd in 1945 bij Montenegro ingelijfd toen het tweede federale Joegoslavië werd opgericht.

Excursie van een dag

Enkele cruises doen de haven van Kotor aan, maar u kunt Kotor ook bezoeken vanuit Dubrovnik in Kroatië (zie blz. 187). Reken op een dag. Met de veerboot van Dubrovnik naar Kotor: 90 km, 1 u 45 min. Van Kotor naar Dubrovnik: 75 km, 2 uur.

★★★ De Baai van Kotor (Boka Kotorska)

Noordelijke oever

Tegenover het dorp **Perast** liggen twee eilandjes. Op **Sveti Đorđe**, eiland van de doden, bevinden zich een kapel (12de eeuw) en het kerkhof van het dorp. Het tweede, **Gospa od Škrpjela★**, is een kunstmatig eiland met een barokkerk (17de eeuw) met meer dan 2000 ex voto's van zeelieden.

★★★ Kotor

Deze parel van de architectuur in Montenegro ligt ingeklemd tussen de zee en een steile klif. De stad staat sinds 1979 op de werelderfgoedlijst van de Unesco en werd gesticht onder de keizers Diocletianus en Justinianus (3de-5de eeuw). De spectaculaire **wallen** zijn 4 km lang. Ze werden vanaf de 9de eeuw gebouwd en tot de 19de eeuw steeds verbeterd. Er zijn drie massieve poorten (12de-16de eeuw). De 2 tot 15 m dikke muren zijn soms wel 20 m hoog. Een oneindig

lange, onregelmatige trap *(1426 treden)* leidt naar het **Sint-Ivanfort★**, dat 250 m boven Kotor uittorent.

Binnen de wallen bevindt zich een wirwar aan steegjes en geplaveide pleintjes in een wanordelijk, maar bekoorlijk patroon. U ziet een eerbiedwaardige **klokkentoren** (1602) en een vreemde, stenen **piramide** die werd gebruikt als schandpaal, aristocratische paleizen en interessante kapellen. De **Tryphonkathedraal★★** (1166) heeft een barokgevel (17de eeuw), maar een typisch romaans interieur met resten van muurschilderingen uit de 14de eeuw en veel gewijde voorwerpen (15de-18de eeuw). De **Sint-Michielskerk** met gotische fresco's en de mooie **Sint-Lucaskerk** (1195) zijn ook de moeite waard. *Verlaat Kotor naar de zuidelijke oever, in de richting van Lepetane, 13 km verderop.*

★★ Zuidelijke oever

Hier geniet u van het indrukwekkendste **uitzicht★★** op Kotor. Volg de oever langs bekoorlijke gehuchten zoals **Prčanj★**, met de mooie barokpaleizen en de koepelkerk. Uw rondrit rond de fjord eindigt in **Lepetane**.

Neem in Lepetane de veerboot naar Kamenari (max. 30 auto's). Juni-sept.: elke 15 min., 24/24 uur; okt.-mei: 5.00-0.00 u (elke 15 min.). Keer vervolgens terug naar Dubrovnik, 60 km verderop.

Uitzicht op de Baai van Kotor vanaf de wallen
Wojtek Buss/age fotostock

KOTOR PRAKTISCH

Dienst voor Toerisme –
Stari Grad 315 - ✆ 382 (0)32 322 886 -
www.tokotor.me.

VERVOER

**Van de haven van Kotor
naar de oude stad**
De haven ligt op 300 meter van het
centrum. Te voet of per taxi bereikbaar.

Per taxi
Taxi služba - ✆ (0)32 323 939; **Red
taxi** - ✆ 19 719; **Djir taxi** - ✆ 19 737.

Van Dubrovnik naar Kotor
Centraal busstation – Obala Pape
Ivana Pavla II 44 A - ✆ 020 313 275 -
www.libertasdubrovnik.hr - loket dag.
6.00-21.00 u. Bij de haven van Gruž, richting brug voorbij de kade. Neem voor
Kotor de bus naar Ulcinj (Montenegro).

Autoverhuur – *Zie 'Dubrovnik praktisch', blz. 188.*
Grensovergang – 35 km ten zuiden
van Dubrovnik. Houd uw paspoort en
autopapieren bij de hand (huurauto's
toegelaten). Veel winkeliers aanvaarden
euro's. Er zijn geldautomaten aanwezig
in Kotor.

EEN GLAASJE DRINKEN
Gostiona Riba – Ulica Njegoseva 20.
Mooie zaak in het hart van de oude stad.
Terras met uitzicht op de zee. Geniet
van een Turkse koffie of een ijsje.

UIT ETEN
Er zijn veel restaurants en cafés aan de
waterkant. Het uitzicht is altijd prachtig,
de kwaliteit van het eten, vooral
Italiaanse gerechten, is helaas niet altijd
uitstekend.

Standbeeld van Aphrodite in Fira op het eiland Santorini

GRIEKENLAND

Wie aan Griekenland denkt, denkt meteen aan de creativiteit van de oudheid, aan een landschap bezaaid met ruïnes van tempels, stadions en akropolissen. En zo is het ook, zowel in Athene en de rest van het vasteland als op de ongeveer 10.000 eilanden die vooral in de Egeïsche en de Middellandse Zee liggen, zoals de Cycladen, de Ionische eilanden, de Sporaden... Deze kleine paradijzen, badend in de zon, omgeven door prachtig water, lokken zowel geschiedenisliefhebbers als levensgenieters.

Officiële naam: Helleense Republiek
Plaatselijke naam: Ellas
Hoofdstad: Athene
Officiële naam: Nieuwgrieks
Oppervlakte: 131.957 km^2
Inwoners: 11,26 miljoen
Munteenheid: euro
Telefoneren naar Griekenland: Kies 00 + 30 + het tiencijferige nummer van de correspondent zonder de eerste 0.
Tijdsverschil: Griekenland is 1 uur voor op België en Nederland. Als het in Athene 10.00 u is, is het in Amsterdam 9.00 u. Het vasteland en de eilanden liggen in dezelfde tijdzone.
Klimaat: Aan de kust heerst een mediterraan klimaat met milde winters en heel warme en droge zomers.

Winkelen/openingstijden: De winkels zijn doorgaans op maandag en woensdag open van 8.30 tot 15.00 u, op dinsdag, donderdag en vrijdag van 8.30 tot 20.00 u (enkele winkels sluiten van 13.00 tot 15.00/16.00 u), en op zaterdag van 8.00 tot 15.00 u. Dit is vooral zo in Athene en in grote steden. Op de eilanden passen de winkeliers zich aan de toeristen aan. In de zomer zijn ze vaak lang gesloten in de namiddag, maar daarna zijn ze tot 22.00 of 23.00 u open.
Drinkwater: Leidingwater is overal drinkbaar, maar het is veiliger om alleen fleswater te drinken, ook in Athene.

Enkele Griekse woorden...

Ja **Nai** / Nee **Ochi** / Goedendag **Kalimera** / Goedenavond **Kalispera** / Hallo **Yamass** / Tot ziens **Antio** of **Geia sas** / Alstublieft **Parakalo** / Dank u wel **Efkaristo** / Excuseer **Signomi** / Meneer **Kirios** / Mevrouw **Iaidy** / Oké **Entáxei** / Waar **Poú** / Waar is...? **Pou inai...?** / Spreekt u Engels? **Milate anglikà?** / Ik begrijp het niet **Den katalavéno** / Hoeveel kost het? **Posso kani?** / Hoe lang? **Pósi óra** / Haven **Limani** / Boot **Karavi** / Zee **Thalassa** / Strand **Paralia** / Eiland **Issi** / Restaurant **Estiatorio**

Corfu★★★ (Kérkura - Κέρκυρα)

Deze parel van de Ionische Eilanden werd in de loop van zijn geschiedenis door vele beschavingen ingenomen en daarvan zijn veel sporen bewaard gebleven. Aan de oostkant van het eiland ligt de oude stad Corfu. Ze verleidt de bezoeker met drie Venetiaanse forten en een wirwar aan steegjes met daarin neoklassieke gebouwen en booggewelven in Franse stijl. Niet voor niets riep de Unesco het eiland in 2007 uit tot werelderfgoed.

Excursies van een halve dag

★★★ Corfu (Kérkura - Κέρκυρα)

De oude stad Corfu strekt zich uit van de Esplanade (in het oosten) tot het Nieuwe Fort (in het westen) en heeft een complex grondplan. Loodrecht op de **Kapodistriou**, de hoofdstraat waar het hart van de stad klopt, vertrekken evenwijdige straten, maar hoe dichter ze de oude haven naderen, hoe bochtiger ze worden en uiteindelijk eindigen ze in een wirwar van *kantounia*, steegjes waarin men hopeloos verdwaalt.

★★ Esplanade (Spianada-Σπιανάδα)

Begin 19de eeuw werd het militaire plein, dat in de Venetiaanse periode werd aangelegd voor de citadel, door de Fransen met bomen beplant. Nu is het een aangename plek om te wandelen.

★★ Oude citadel (Palaio Frourio-Παλαιό Φρούριο)

𝄡 26610 483 10 - € 4.

De oude stad Corfu lag oorspronkelijk op het schiereiland Kanoni, maar werd in de 6de eeuw verplaatst om ze te beschermen tegen invallen van de Goten. Vanuit de hoog op de rots gelegen citadel, ook het **Oude Fort** genoemd, ontwikkelde zich de Byzantijnse stad. In de 15de eeuw versterkten de Venetianen de stad met wallen, die het **kasteel van het land** en het **kasteel van de zee** omsloten. Ze groeven ook een diepe slotgracht aan de voet van de klif, waardoor het fort op een eiland leek te staan. Tussen de twee Turkse bezettingen (1537-1571) kreeg de citadel een strikt militaire functie. Toen ze te klein werd, stichtten de laatste inwoners de huidige stad aan de voet van de citadel.

In het hart van de stad

Aan de Esplanade, tegenover de ingang van het Oude Fort, begint de straat Evgeniou Voulgareos. Ze loopt naar het **stadhuis★★** (1663-1691), dat aan een druk **plein** staat. Links staan de **kerk Agios Iakovos** *(Sint-Jacobskerk)* (1553) en het **Katholieke, aartsbisschoppelijke paleis** (17de eeuw), waarin nu de Bank van Griekenland is gevestigd. Achter het stadhuis loopt de straat Guilford, bekend om de vele restaurants met gezellige terrassen. In de straat Moustoxidi staat links, achter aan de voetgangerszone, het **Riccihuis★**, een mooie patriciërswoning met zeven bogen versierd met mascarons. Een beetje verder ziet u de Dorische zuilen van het **Ionische Parlement** (1855), waar in 1863 de annexatie van de Ionische eilanden bij Griekenland werd goedgekeurd.

Uitzicht op de stad Corfu en het Oude Fort
Y. Travert/Photononstop

CORFU PRAKTISCH

Nationale Dienst voor Toerisme –
Vlak bij het stadhuis, op de hoek van
Evangelistrias en Kola - ☏ 26610 375 20.

VERVOER

**Van de nieuwe haven naar het
centrum**: neem een taxi of ga te voet
(circa 30 min.).

Per bus – **Groene bussen** - Odos
Avramiou, vlak bij het Nieuwe Fort -
☏ 26610 398 62/399 85. Deze bussen
rijden in Corfu en omstreken. **Blauwe
bussen** - Plein San Rocco - ☏ 26610
321 58. Voor langere afstanden.

Per taxi – Er zijn standplaatsen aan de
oude haven en de Esplanade. **Radio-
taxis** - ☏ 26610 338 11.

Per koets – Aan de voet van de oude
citadel. Reken op € 35.

Per auto – Autoverhuur tegenover de
nieuwe haven.

Boottochten

Kalypso Star – xen. Stratigou 41, aan
de nieuwe haven - ☏ 26610 465 25 of
69724 740 03. Maak kennis met de fauna
op de zeebodem en bewonder dolfijnen
door de glazen bodem van de boot.

EEN GLAASJE DRINKEN

Ta Olympia - ☏ 26610 390 97 - 8.00-
0.00 u. Deze bar bestaat al sinds 1928.
Veel houtwerk en art-decomeubelen.

UIT ETEN

Taverna Ninos – Sevastianou 46 -
☏ 26610 461 75 - ca. € 10. Sinds 1920
bekend om zijn eenvoudige, verse en
overvloedige gerechten.

En Plo – Hoek Kapodistriou en Arse-
niou - ☏ 26810 818 13 - ca. € 18. Geniet
op het terras aan de waterkant van zeevruchten en een uitzicht op de citadel.

Aan het plein waar het stadhuis staat, vertrekken in de andere richting ook steegjes naar een plein dat wordt omringd door de basiliek **Panagia ton Xénon** met een geel met rode klokkentoren, het kleine kerkje **Agios Ioannis Prodromos★** en het gebouw van de Ionische Bank waarin het **Museum van het papiergeld** *(Moussio Haronomismáton - ☎ 26610 341 92 - gratis)* is ondergebracht.

Links achter aan het plein betreedt u het bekendste gebouw van de stad, de kerk **Agios Spiridonas**. Ze werd in 1589 gebouwd en genoemd naar de beschermheilige van Corfu. Het gemummificeerde lichaam van de heilige rust sinds 1590 in de crypte (rechts van het heiligdom), in een **zilveren reliekschrijn** van de 19de eeuw.

★★ Rond het plein Kremasti

De lichtroze gevel van de kerk **Panagia Kremasti** (16de eeuw) trekt alle aandacht naar zich toe op dit rustige pleintje met een rijkelijk bewerkte **waterput** (1699) waar u zich in de Venetiaanse 17de eeuw waant. De steegjes leiden naar de oude haven waartegenover de indrukwekkende renaissancegevel (1577) van de kerk **Panagia Spiliotissa** staat, waarin de relikwieën van de heilige Theodora worden bewaard. In de kerk **Panagia Antivouniotissa** (15de eeuw) ernaast is het **Byzantijns museum** *(Vizandinó Moussío - ☎ 26610 383 13 - 2 €)* gevestigd, met een mooie collectie iconen uit de 16de-17de eeuw.

In het **Paleis van de H. Michaël en de H. Joris★ (Palaiá Anáktora)**, of het koninklijk paleis, is het **Museum voor Aziatische kunst** *(☎ 26610*

304 43 - € 3) gevestigd. Het bezit grote collecties keramiek van twee Griekse diplomaten. Let bij het buitengaan rechts op de piepkleine kerk **Panagia Mandrakina★★** (1700) met de bloedrode klokkentoren. Loop rechts om de kerk heen en neem de trap naar de jachthaven in de buitenste slotgracht van het oude fort.

★★ De stranden van Corfu

De vele stranden zijn prachtig, maar worden in de zomer druk bezocht. Hierna vindt u een overzicht van de mooiste stranden, in wijzerzin vanaf de stad Corfu:

Benítses: erg toeristisch.

Vitalades: lang zandstrand aan de voet van een klif.

Ágios Geórgios: 5 km zandstrand.

Paramóna: aan de voet van het mooie dorp Ágios Matheos, in de vorm van een amfitheater.

Ágios Górdios: 5 km lang met een rots die uit het water steekt.

Pélekas: beneden het gelijknamige dorp, een van de stranden het dichtst bij de stad Corfu.

Mirtidiótissa: moeilijk bereikbaar strandje achter in een prachtige kreek.

Paleokastrítsa: vele mooie kreken. Wel heel druk.

Arílas, Ágios Stéfanos: stranden omgeven door rotsen en groene heuvels. Veel wind.

Perouládes: smalle zandstrook met grijze en okerkleurige rotsen.

Sidári: vele kreken tussen de rotsen.

Ágios Spirídonas: ongerept strand niet ver van de Albanese kust, met een kapel op het strand.

Ípsos: grote badplaats met mooie stranden.

Argostóli ★

De naam Argostóli is minder bekend dan die van Kefalloniá, het eiland waarvan de stad de hoofdstad is. Het grootste Ionische Eiland verleidt de bezoeker meteen met zijn mooie, schitterende landschap, dat wordt gedomineerd door de indrukwekkende, 1628 meter hoge berg Ainos, de hoogste berg van de Ionische Eilanden. De kust van het eiland daarentegen is minder ruig en er groeit een weelderige vegetatie.

Excursies van een halve dag

★ Argostóli (Αργοστόλι)

De hoofdstad van het eiland werd in 1953 door een vreselijke aardbeving getroffen, waardoor er niets overbleef van de sierlijke stad die de Venetianen in 1757 stichtten. De charme van de stad zit nu dus niet meer in de architectuur, wel in de mooie promenade langs het water, omzoomd met palmbomen, en in de pastelkleurige gevels van de gebouwen met bescheiden afmetingen.
De stad ligt aan de smalle **lagune van Koutavos**, de ideale ankerplaats voor

De traditionele kombolois lijken op rozenkransen.

R. Mattès/hemis.fr

kleine cruiseschepen en plezierboten. Net boven het water ligt de **brug van Bosset★** *(of de brug van de Angelsen, gesloten voor het verkeer)* als een stenen slang tussen de twee oevers van de lagune. Parallel aan de waterkant ligt de autovrije winkelstraat Lithostrotos, waar het altijd erg druk is. Volg ze naar boven. Onderweg ziet u de kerk **Agios Spirldon**, een van de zeldzame overblijfselen uit het verleden. Achter de weinig speciale buitengevel zit een prachtige, vergulde houten **iconostase** verscholen die u tijdens de misvieringen kunt bewonderen.
In het noorden komt de straat uit op een zonnig pleintje. Hier bevindt zich het kleine **Archeologisch Museum** *(℘ 26710 283 00 - € 3)*. Hier worden de voorwerpen tentoongesteld die op het eiland werden gevonden, vooral in het Myceense Metaxata en Mazarakata, zoals aardewerk, juwelen en bronzen wapens uit de 3de eeuw.
Een beetje verderop maakt u in het **Museum Corgialenios★**, *(℘ 26710 288 35 - € 3)* kennis met het dagelijkse leven op het eiland van de 19de eeuw tot 1953.
Het **plein Valianou★** is het hart van de stad. Overdag liggen de terrassen van de cafés en restaurants in de schaduw van de palmbomen. Het is een trefpunt

De haven van Argostóli
Olivier Goujon/ iTravelstock collection/age fotostock

ARGOSTÓLI PRAKTISCH

Dienst voor Toerisme – Aan de kade, ter hoogte van de handelshaven, tegenover het politiekantoor - ☎ 26710 244 66/26710 222 48.

VERVOER

Per bus
Centraal busstation – Aan de rand van de stad, naast de haven, Odos Ioanis Metaxa. Busmaatschappij **KTEL** (☎ 26710 222 76/81) staat in voor de verbindingen op het eiland en biedt excursies aan (de goedkoopste van het eiland). Op zondag rijden er geen bussen.

Per auto
Ideaal vervoermiddel op het eiland, omdat het aanbod aan bussen beperkt is en het eiland een wirwar van kleine wegen is.

Autoverhuur – **Ainos Travel** - Rechts van de ingang van het theater - ☎ 26710 223 33/269 00 - www. ainostravel.gr. Auto's en bromfietsen - 3 Odos Rokou Vergoti - ☎ 26710 236 13. **Sunbird** - 139 A. Tritsi, vlak bij de haven - ☎ 26710 237 23 - www.sunbird.gr.

EEN GLAASJE DRINKEN

Aan de waterkant zijn er veel banketbakkerijen met een ruime keuze.
Café Premier – Pl. Valianou - ☎ 26710 232 80. Heerlijke ijsjes.

UIT ETEN

Casa Grec - Stavrou Metaxa 12 - ☎ 26710 240 91 - ca. € 20. In een straat parallel aan de waterkant, met verzorgde Griekse en Italiaanse gerechten, geserveerd in de gezellige tuin of de eetzaal met oude gravures.

voor de jeugd, die er naar muziek komt luisteren, een frappé drinkt en praat tot laat in de nacht.

Ten noorden van Argostóli liggen langs de lagune kleine kiezelstrandjes in de schaduw van dennenbomen, en aan de punt liggen de **katavothres** (een geologisch fenomeen van tunnels die vanaf de kust onder het eiland lopen). U geniet er van een mooi **uitzicht★** op de baai van Argostóli en Lixouri.

★★ Rondrit door de bergen

Verlaat Argostóli en rijd om de baai en dan de bergen in, richting Sami.
Voorbij de brug begint de weg al snel omhoog te kronkelen op de flank van de met cipressen begroeide heuvels. Hier en daar zijn er magnifieke **uitzicht-punten★★** die uitzien over de lagune van Koutavos en de baai van Argostóli. Vervolgens daalt de weg, naar een uit-gestrekt plateau met enkele dorpen. Sla 4 km voorbij Razata rechts af naar Fragata en Valsamata. In de schaduw van grote bomen rijdt u naar het vre-dige **klooster Agios Gerassimos★** *(11 km ten oosten van Argostóli)* met een indrukwekkend **portaal met klok-kentoren★**. In het vernieuwde interi-eur van de kerk (let op de mooie iconen) komen de inwoners de relieken vereren van de patroonheilige van het eiland. Ze worden bewaard in een reusachtige, **zilveren reliekschrijn★**.
Bekijk zeker ook de **moderne kerk★★** ernaast. Ze lijkt een indrukwekkende taart van roze baksteen waarvoor men teruggreep naar de architecturale tra-dities van de Byzantijnen. De kerk werd weelderig ingericht met **fresco's★★**, gemaakt door een talentvolle jonge-man. In de kruising van het transept

hangt een enorme **kroonluchter★★** voor een witmarmeren iconostase. De kerk is niet alleen prachtig, het is er ook heerlijk fris binnen.

Keer terug naar de hoofdweg en volg die 5 km. Volg dan rechts de weg die zachtjes de bergen in klimt, over een afstand van 3 km.
Wandelliefhebbers die willen genieten van een prachtig uitzicht, kunnen de **berg Ainos★** beklimmen, het hoogste punt op het eiland Kefalloniá. De top van de berg steekt boven een dicht woud met een inheemse soort donker-groene sparren in een nationaal park uit *(reken op 2 uur wandelen H/T)*. Onder-weg komt u langs het **observatorium** met de immens grote schotelantennes *(4 km)*, vervolgens volgt u het pad tot de ingang van het **natuurpark**. Vanaf daar wordt het pad hobbeliger *(8 km, reken op 35 min. langzaam klimmen)*. Laat de wagen achter in de bocht voor de schotelantennes die worden gebruikt voor telecommunicatie, en ga te voet voort. Volg het pad links dat in zuidelijke richting over de bergkam loopt (300 m). Bij het volgende bord, dat een beetje hoger aan de rechterkant staat, begint een goedbewegwijzerd pad (geel en groen). Het klimt in de frisse schaduw van de sparren tussen rotsen door naar de top. Daarna verdwij-nen de bomen en wordt het landschap rotsachtiger. De stenen boven op de top duiken voor u op en dan staat u boven een duizelingwekkende helling met kloven in de rotsen. Het enige teken van leven zijn hier de berggeiten die op de steile hellingen huppelen. Geniet van het **uitzicht★** over het zuidelijke deel van het eiland.

Katákolo (Κατάκολο)

Ten zuidwesten van Athene ligt het schiereiland Peloponnesos, dat met het vasteland is verbonden via de landengte van Mégara. Aan de noordkust volgt de ene badplaats de andere op. Zand- en kiezelstranden volgen elkaar op langs de Golf van Korinthe. Vanuit de haven van Katákolo is Olympia goed bereikbaar. Deze bakermat van de Olympische Spelen bezit een van de mooiste archeologische musea van Griekenland.

Excursies van een halve dag

Katákolo
Dit haventje is in de eerste plaats de toegangshaven voor Olympia, maar is op zichzelf een bezoek waard dankzij de winkelstraat vol souvenirwinkels, het zandstrand en de jachthaven met kleurrijke vissersboten naast cruiseschepen, en omgeven door enkele cafés en restaurants. Er is een klein **Museum van de technologie in het Oude Griekenland** *(€ 2)*, waar u kunt kennismaken met enkele boeiende uitvindingen (zoals het wateruurwerk van Ktesibios, de wekker van Plato...).

★★★ Olympia
℘ 26240 225 17 - € 6 - combinatiekaartje met het museum: € 9.
Olympia was al in de oudheid bewoond en vanaf de 10de eeuw v. Chr. werd Zeus er vereerd. De stad dankt haar naam aan de Olympusberg, waar Zeus woonde. Het heiligdom werd in de 8ste eeuw v. Chr. erg bekend dankzij de Panhelleense Spelen die er elke vier jaar werden gehouden. Twaalf eeuwen lang, van 776 v. Chr. tot 393 na Chr. kwamen in Olympia alle Griekse steden samen, zowel vrienden als vijanden. Zelfs de verst gelegen kolonies vaardigden hun atleten af vanaf de 5de eeuw v. Chr. Als de Spelen plaatsvonden, legde iedereen de wapens neer tijdens de wapenstilstand.

De Spelen hadden een uitgesproken religieus karakter en werden daarom eerst voor de tempel van Zeus gehouden tot het steeds groter wordende aantal atleten en toeschouwers (200.000) om nieuwe voorzieningen vroeg. De wedstrijden zelf duurden slechts vijf dagen, de rest van de maand vonden de voorbereidingen van de atleten, religieuze en politieke feesten en commerciële en culturele evenementen plaats.
De komst van de Romeinen in de 2de eeuw v. Chr. betekende het verval van het dorp en het evenement kreeg een steeds minder politiek en religieus karakter. De laatste Spelen in Olympia vonden plaats in 393.
De archeologische vindplaats is onderverdeeld in drie zones: het **heiligdom**, in het centrum, met daaromheen de **bijgebouwen**, die een soort 'Olympisch dorp' vormden, en ten slotte de **sportinfrastructuur** met het stadion en de hippodroom.

De bijgebouwen
De weg voert u eerst langs de ommuring van het heiligdom (links) en langs een van de overdekte zuilengangen rond het **gymnasium** (rechts), een grote ruimte die 120 m breed en 220 m lang is, en het **palaestra★** ernaast, nog een

De zuilen van het palaestra in Olympia
Mauritius/Photononstop

KATÁKOLO EN OLYMPIA PRAKTISCH

Dienst voor Toerisme in Olympia – In het midden van de Odos Kondili - ℰ 26240 231 00/73 - juni-sept. 9.00-21.00 u; rest van het jaar ma.-vr. 9.00-16.00 u.

VERVOER

Van de haven naar het centrum
Van de haven van Katákolo is het 5 minuten wandelen naar de hoofdstraat van het stadje. Olympia ligt 36 km verderop.

Van Katákolo naar Olympia Per bus – Katakolon Express - Deze maatschappij legt bussen speciaal voor toeristen van cruiseschepen in. Ze zorgen ervoor dat u tijdig weer bij uw cruiseschip bent. U ziet de bus zodra u van het schip aan land stapt. Tarief: € 20 H/T.

Per taxi –Katákolo - Bij aankomst van een cruiseschip staan er altijd taxi's klaar. Reken op € 43 voor een enkele rit naar Olympia. Als u dat vraagt, blijft de taxi ter plaatse op u wachten, maar dat is duur (ca. € 10/uur). Sommige taxichauffeurs bieden excursies naar omliggende dorpen of een wijngaard aan. Dit is vaak afzetterij. Neem bij misbruik contact op met de havenautoriteiten (℘ 26210 412 06) of de toeristenpolitie van Olympia (℘ 26240 22550).

UIT ETEN

Olympia is niet de juiste plek om te genieten van een lekkere Griekse maaltijd. In de hoofdstraat zijn bijna uitsluitend pizzeria's en fastfoodrestaurants te vinden. In de omliggende straten zijn er typisch Griekse restaurants, maar u betaalt dan wel een belachelijk hoge prijs.

grote ruimte met een 66 meter lange zuilengalerij met dubbele zuilenrij. Een beetje verderop staat de **werkplaats van Phidias**, waar de beeldhouwer een beeld van Zeus maakte. Rijen Ionische kapitelen omgeven het **Leonidaion**, een reusachtig gastenverblijf dat in de 4de eeuw v. Chr. werd gebouwd door Leonidas van Naxos (vandaar de naam). Er verbleven prominente gasten en buitenlandse officiële personen.

Op de hoofdweg geeft tussen twee zuilen een poort met daarvoor drie trappen het begin aan van de **Processieweg**, die rechts langs het heiligdom loopt. De weg werd aangelegd door de Romeinen en is omgeven door overblijfselen van ex voto's en verschillende gebouwen. Een beetje verderop rechts staat het **bouleuterion**, waar de bestuursraad van het heiligdom vergaderde. In een vierkante ruimte staat het **altaar voor Zeus**, waar de atleten de eed aflegden voor de wedstrijd.

Heiligdom (Altis)

Dit vierkante heiligdom met zijden van ongeveer 200 meter werd volgens de legende door Herakles ontworpen en omvat tempels, altaren en andere gebouwen die gebruikt werden voor de verering.

Op een groot terras in het midden staat de **tempel van Zeus★★**, die de grootste en weelderigste tempel moest worden. En inderdaad, de tamboeren van de zuilen, die sinds de aardbeving die het gebouw in de 6de eeuw vernielde, op de grond liggen, zien er erg indrukwekkend uit.

Vlak bij de tempel geven enkele verspreid liggende stenen aan waar het **Pelopeion**, de tempel gewijd aan Pelops, stond. De tempel staat naast de **tempel van Hera★** (Heraion), die veel ouder (600 v. Chr.) is dan die van haar goddelijke echtgenoot. De **Zuilengang van echo** werd in de 4de eeuw v. Chr. gebouwd tussen het heiligdom en het stadion.

Sportinfrastructuur

Het enige wat overblijft van de gebouwen waar wedstrijden plaatsvonden, is het **stadion★**. Het werd in de 3de eeuw v. Chr. gebouwd. De aankomst- en vertreklijn zijn nog zichtbaar, maar van de marmeren tribune voor de eregasten (rechts) blijft bijna niets meer over. De 45.000 toeschouwers namen plaats op de met gras begroeide hellingen aan weerszijden van de piste.

Het **Schattenterras**, aangelegd op de helling van de berg Kronion, was bereikbaar via een grote trap. U ziet er de overblijfselen van een twaalftal 'schathuizen', kleine gebouwen die werden gebouwd in opdracht van steden en Griekse kolonies om er hun offers voor de goden in onder te brengen. Achter aan het terras staat het **Exedra van Herodes Atticus★**. Het was ooit een luxueus nymfaeum waarin water werd verzameld om het heiligdom te voorzien van water via een aquaduct en kanalen.

★★★ Archeologisch Museum

Trek minimaal 1,5 uur uit - ☎ 26240 225 29 - www.culture.gr - € 6 (combinatiekaartje met de vindplaats: € 9).
In de vestibule staat een maquette van de archeologische vindplaats.
Zaal 1. Deze zaal is gewijd aan vondsten uit de prehistorie tot de Myceense periode.

Zaal 2. Tot de belangrijkste voorwerpen behoren het **hoofd van Hera★**, gemaakt van gekleurde tufsteen en opgegraven in de tempel voor de godin.
Zaal 3. Hier reconstrueerde men de **frontons van het schattenhuis van Megara**, die de strijd tussen de goden en reuzen uitbeelden, en die van het **schattenhuis van Gela**, gemaakt in beschilderd terracotta.
Zaal 4. Hier staat een van de pronkstukken, namelijk een aardewerken beeldengroep uit de klassieke oudheid, een acroterium van een schattenhuis, **Ontvoering van Ganymedes door Zeus** (omstreeks 470 v. Chr.).
Zaal 5 (ook zaal van de frontons). De twee gebeeldhouwde **frontons★★** van de tempel van Zeus, tussen 470 en 456 v. Chr. gemaakt van marmer van Paros, werden min of meer gereconstrueerd met gevonden elementen.
Zaal 6. Nog een meesterwerk op een driehoekige zuil: de **Nike★** (Overwinning, 5de eeuw v. Chr.) van Paionos.

Zaal 7. In deze zaal staat een oenochoë (kruik met ronde buik en één handvat, gebruikt om wijn te schenken) uit de werkplaats van Phidias (440-430 v. Chr.) met daarop de inscriptie 'Ik behoor toe aan Phidias.'
Zaal 8 (zaal van Hermes). De beroemde **Hermes van Praxiteles★★★** (4de eeuw v. Chr.) in marmer van Paros is een meesterwerk van de klassieke kunst. Het wordt toegeschreven aan Praxiteles, maar volgens sommige wetenschappers gaat het om een Griekse of Romeinse kopie.
Zaal 9. **Mooi hoofd van Aphrodite**, toegeschreven aan Praxiteles. Daarnaast zijn er voorwerpen te zien uit de Griekse en Romeinse tijd, afkomstig uit de tempels van Metroön en Heraion, en een indrukwekkende **marmeren stier★**, toegewijd aan Zeus door Regilla (**zaal 10**), echtgenote van Herodes Atticus, en Romeinse beelden (**zaal 11**), waaronder **Antinoüs**, de geliefde van keizer Hadrianus.

Andere musea
Wie geïnteresseerd is in de moderne Olympische Spelen, kan terecht in het **Museum van de moderne Olympische Spelen**, opgericht door het Internationaal Olympisch Comité *(achter aan de straat tegenover Hotel Ilis - ✆ 26240 225 44 - € 2 - reken op 20 min.)*.
In een mooi neoklassiek gebouw bevindt zich het **Museum van de geschiedenis van de oude Olympische Spelen** *(5 min. te voet van de vindplaats, een beetje boven het moderne dorp - ✆ 26240 225 44 - gratis - trek minimaal 1,5 uur uit)* met voorwerpen in verband met de Olympische Spelen vanaf de prehistorie.

R. Mattès/Mauritius/Photononstop

Het Archeologisch Museum in Olympia

Githion (Γύθειο)

Githion is de oostelijke haven in Mani, een bergachtig schiereiland met een onregelmatige kust, van de rest van de Peloponnesos gescheiden door het Taigetosgebergte en eindigend bij de Kaap Tenaro. Lange tijd voerden familieclans meedogenloos oorlog om dit gegeerd stukje land. Daarvan getuigen nog de honderden versterkte huizen waarmee het landschap is bezaaid.

Excursies van een halve dag

Githion (Γύθειο)

In het oosten van Mania ligt Githion aan de monding van de Baai van Laconië. Aan de kade staan nog mooie gevels met kleurrijke luiken.

Als u vanuit het oosten komt, maak dan een omweg naar het **Romeins theater** *(gratis toegang)*, het enige noemenswaardige overblijfsel van de haven van het oude Sparta *(aan de rand van de stad, neem de eerste straat rechts, volg de wegwijzers, dan de tweede straat rechts en de eerste links, het theater ligt naast een kazerne)*. Er werd een tribune opgegraven, waarvan enkele banken nog een stenen rugleuning hebben.

Loop door de straten met hier en daar enkele **Ottomaanse huizen** met houten balkons, tot aan het water, waar het in de zomer erg druk kan zijn in de visrestaurants. Er staan mooie **neoklassieke huizen** op een heuvel met olijfbomen. Ze zien uit over de zee en het groene **eiland Kranaï**, dat ondertussen is verbonden met het vasteland. Paris en Helena zouden er hun eerste liefdesnacht hebben doorgebracht voor ze naar Kythera en daarna Troje vertrokken. Wandel te midden van de sparren naar de Tzanetakistoren, waarin een **museum** werd ondergebracht. Op de eerste verdieping is er een boeiende tentoonstelling te zien over de architectuur van de versterkte torens in deze streek.

Ten zuiden van Githion

Wie van zwemmen en zonnebaden houdt, kan terecht op een van de **stranden** ten zuiden van de stad. U kunt kiezen uit **Mavrovouni** aan de rand van het gelijknamige dorp *(3 km)*, de erg populaire baai van **Vathi** *(10 km)* met een rivier die uit de rotsen ontspringt, **Kamares** *(15 km)* of **Skoutari★** *(20 km)*, waarvan de drie kleine stranden met fijn zand nog ware oasen van rust zijn.

Ter hoogte van Vathi loopt de **weg★** naar Areopoli door een prachtig landschap van groene heuvels bezaaid met oude dorpen. De weg loopt langs de voet van het **Fort van Passavas** *(onzichtbaar vanaf de weg)*, dat in de 13de eeuw door de gouverneur van Morea, Jean de Neuilly, werd gebouwd. Geen zin om het steile, met gras begroeide pad te volgen *(15 min.)*, bezoek dan de **citadel van Kelefa★** *(5 km voor Areopoli, volg de wegijzers naar rechts, smal weggetje, vanuit het dorp Kelefa loopt een verharde weg naar de citadel)*. Het indrukwekkende, gedeeltelijk vernielde Ottomaanse fort uit de 17de eeuw torent eenzaam boven de **Baai van Itilo** *(Ormos Limeniou)* uit.

Het dorp Vathia, op het schiereiland Mani
SIME/Johanna Huber/Simeone/Photononstop

GITHION PRAKTISCH

Dienst voor Toerisme –
Odos V.-Géorgiou 20 - ✆ 27330 244 84.

VERVOER

Per bus
Vanuit Githion rijden er 4 bussen/dag naar Areopoli (30 min.), tussen 6.00 en 19.00 u.
Vanuit Areopoli rijden er 4 bussen/dag naar Githion, tussen 8.00 en 18.00 u, 2 naar Geroliménas.

Per auto
Autoverhuur Rozakis ✆ 27350 222 07.

UIT ETEN

Githion
To Nissaki – Op het eiland Kranaï, te midden van de sparren. Het is een van de beste adressen in Githion met heer-lijke salades en gegrilde vis. U wordt er hartelijk onthaald.

Areopoli
Barba Petros – In de hoofdstraat -
✆ 27330 512 05 - ca. € 15 - 's middags gesl. Dit is het beste restaurant van de stad. U kunt er op het fleurige bin-nenplaatsje genieten van heerlijke, traditionele gerechten. De witte wijn wordt er lekker fris geserveerd, de glim-lach van de hartelijke eigenaars krijgt u er gratis bij.

WINKELEN

Githion
Er is een gezellig antiekwinkeltje vlak bij Hotel Aktaion.
Bezoek in Areopoli, op het plein Darkakou, het winkeltje van het erg vriendelijke echtpaar Mitsakos.

Excursie van een dag

★★★ De zuidelijke punt

Trek een dag uit als u ook wilt zwemmen.
Rijd vanuit Githion naar Areopoli *(27 km zuidwestwaarts)*, de rustige hoofdplaats van Mani die aan de voet van een kale berg ligt. De mooi gerenoveerde oude stad staat vol torens en oude stenen huizen met rode daken. Maak vervolgens een rondrit langs de kusten van Mani *(73 km)*.

8 km verderop naar het zuiden bevinden zich de **grotten van Diros★★** *(Spiléa Dirou - juni-sept. - € 12)*. U kunt er met een bootje over de ondergrondse rivier varen. Houd uw hoofd laag voor de stalactieten en bewonder de 'roze kamer' en de 'rode kamer', die hun naam danken aan de kleur van de afzettingen waarmee ze zijn bedekt.

Pirgos Dirou ligt in het meest schilderachtige deel van Mani, waar gehuchten en dorpen te midden van een ruig, rotsachtig landschap met olijf- en vijgenbomen staan.

Ten zuiden van Pirgos Dirou liggen aan weerszijden van de weg **Nomia** en **Kita** tegenover elkaar, met hun torens die als schildwachten op de uitkijk lijken te staan. Hun geschiedenis is gekenmerkt door haat tussen de inwoners. In de 19de eeuw moordden de clans van de twee dorpen elkaar dertig jaar lang uit.

De kleine vissershaven **Geroliménas★** ligt 4 km verderop naar het zuiden, achter in een ankerplaats aan de voet van een klif. Vanaf daar verandert het toch al dorre landschap haast in een woestijn. De omgeving wordt steeds vreemder als u **Vathia★★** bereikt. Het dorp telt tientallen torens aan de zee en vormt een ruig, ireëel beeld dat het gevolg lijkt te zijn van het dorre landschap eromheen. Dat het dorp verlaten lijkt, komt ook door de gesloten hotels die in enkele torens werden ondergebracht.

Volg de onregelmatige kust naar de **Baai van Marmari★★**, waar het altijd hard waait. Het gehucht beschikt over twee kleine **zandstranden**.

In de **Baai van Porto Kagio** aan de oostkust zijn veel trekvogels te vinden. De weinige huizen waaruit het dorp bestaat, staan beschut in een **baai★★**, omgeven door steile hellingen met een smalle doorgang naar het oosten. Hoewel er slechts enkele overblijfselen resten van de citadel van Mani, is Porto Kagio een goed vertrekpunt voor mooie wandelingen, vooral naar de **Kaap Tenaro★★★** of **Matapan**. Het is de ideale plek om u enkele uren aan het einde van de wereld te wanen. Net voor de citadel komt u onverwacht een bron tegen, de eerste en enige voorbij Areopoli.

Keer van hieruit terug naar Alika *(ten noordwesten van Porto Kagio)* en volg de weg die, voorbij het mooie dorp **Lagia★**, langs de kust weer naar het noorden terugkeert. U komt langs verscheidene dorpen: **Kokkala** en **Exo Nimfio★★**, twee indrukwekkende dorpen met torens die tegen de berghellingen staan gedrukt, en **Flomohori**, het dorp dat de hoogste torens van het schiereiland Mani bezit.

Keer vervolgens dwars over het schiereiland terug naar Areopoli of volg de mooie kustweg langs Kotronas naar **Skoutari**.

Keer terug naar Githion (65 km) in ca. 1,5 uur.

Athene★★★

Athene ligt niet ver van de mediterrane kust van de Golf van Egina in een groot bekken bezaaid met heuvels. Eeuwen lang al lokt deze stad bezoekers op zoek naar de bakermat van de westerse beschaving. Athene vertoont ook oosterse invloeden en staat vol Romeinse ruïnes en Byzantijnse kerken, het resultaat van een duizenden jaren oude geschiedenis. In de agglomeratie Athene woont vandaag de dag meer dan een derde van de Griekse bevolking.

Excursies van een halve dag

★★★ Akropolis en ★★★ archeologisch park (Akrópoli/Ακρόπολη)
Hoofdingang: Dionissiou Areopagitou,
Ⓜ *Akropoli - info:* ℘ *21032 102 19 - € 12 combinatiekaartje voor alle bezienswaardigheden.*
De heuvel waarop de Akropolis ('bovenstad') staat, is een natuurlijke vesting die 115 meter boven het dorp uitsteekt. De afgeplatte top is een 3 ha groot plateau van bijna 300 meter lang en 156 meter breed. De stad ontwikkelde

De kariatiden in de tempel van Erechtheion

zich in het tweede millennium v. Chr., toen de **Ioniërs**, een Indo-Europees volk, hun invloed begonnen te verspreiden over heel Attica. De stad deed zich steeds meer gelden in de Myceense periode (1600-1150 v. Chr.). Ze werd grondig versterkt en werd een van de belangrijkste Myceense steden.
In de tweede helft van de 5de eeuw v. Chr. overwon Athene de Perzen en werd de democratie ingevoerd. De stad kreeg een steeds grotere invloed op de andere stadstaten in de antieke wereld. In die periode voerde een bijzondere groep kunstenaars de ambitieuze plannen van Pericles, een Atheens staatsman, uit en vormde onder leiding van beeldhouwer **Phidias** de rotsachtige heuvel om tot een unieke plek. De belangrijkste gebouwen van de Akropolis dateren uit die periode.
Binnen de **ommuring** (waarvan het grootste deel dateert uit de 5de eeuw v. Chr.) zijn nog resten uit de Myceense periode (1400-1125 v. Chr.) te zien, maar de meeste gebouwen dateren uit de periode van Pericles (5de eeuw v. Chr.).

★ Propyleeën
Deze ingang tot de Akropolis bestaat uit een centraal deel en twee asymmetrische vleugels, grote paviljoenen waar de bisschoppen en hertogen van

Athene van de 12de tot de 15de eeuw woonden. Het centrale deel is een grote rechthoek met trap, voorafgegaan door een zuilengalerij waarvan zes Dorische zuilen bewaard bleven. Daarachter lag de vestibule, omgeven door twee zijbeuken die van elkaar zijn gescheiden door zes Ionische zuilen.

Na de propyleeën komt u bij het **temenos** (gewijde ruimte). Ten tijde van Pericles stond in het midden een 9 meter hoog standbeeld van Athena.

★★★ Parthenon

Stel u de indrukwekkende gevel voor in rood, geel en blauw. De tempel werd in opdracht van Pericles ter ere van de godin en haar stad gebouwd onder leiding van **Phidias**. Het werd een parel van de Dorische architectuur die altijd veel kijklustigen trok.

Ondanks een hevige brand in 267 bleef het gebouw bijna intact tot de Akropolis in september 1687 werd gebombardeerd door de Venetianen. Het gebouw werd achtereenvolgens gebruikt als Byzantijnse kerk, kathedraal, moskee (resten van de minaret in de zuidwestelijke hoek). Begin 19de eeuw, voor men aan een langdurige restauratie van de site begon, was nog een groot deel van de fries aanwezig, maar tussen 1801 en 1803 haalde Lord Elgin de kostbaarste elementen weg. Ze zijn nu te zien in het British Museum in Londen.

★★★ Erechtheion

In dit meesterwerk van de Ionische kunst (406 v. Chr.) werden Athena, Poseidon, Erechtheus en Cecrops (twee legendarische koningen van Athene) vereerd. Later was het achtereenvolgens een kerk, een paleis, een harem en een militaire opslagplaats.

De **galerij van de kariatiden** omvat zes gracieuze, 2 meter hoge standbeelden van jonge meisjes *(vijf van de originele beelden bevinden zich in het Akropolismuseum, het zesde staat in het British Museum in Londen)*. De **oostelijke zuilengang** rechts, met zes Ionische zuilen, geeft toegang tot het heiligdom. Hier stond ooit het oudste standbeeld van Athene van de Akropolis, gemaakt van het hout van olijfbomen.

Op de zuidwestelijke punt van de rots staat de sierlijke **tempel van Athena Niké**★★★ (410 v. Chr.) als een wachttoren voor de Propyleeën. U kijkt er uit op het odeion van Herodes Atticus.

★ Odeion van Herodes Atticus (Odio Irodou Attikou - Ωδείο Ηρώδου Αττικού)

Een rijke Griek van Romeinse afkomst liet dit gebouw optrekken ter herdenking van zijn echtgenote (161 v. Chr.). Het heeft een typisch Romeinse gevel met drie ingangen.

F. Soreau/Photononstop

Aflossing van Evzonen in traditionele klederdracht

★★ Theater van Dionysos (Theatro Dionissou - Θέατρο Διονύσου)

Toegankelijk vanuit de Akropolis of via de Dionissiou Areopagitou, Ⓜ *lijn 2, halte Akropoli -* ☎ *210 32 24 625 - inbegrepen in het kaartje voor de Akropolis, of € 2.*
Dit is het oudste en meest prestigieuze theater uit de oudheid. Hier werden de meesterwerken van Aeschylus, Sophocles, Euripides en Aristophanes opgevoerd.
De tragedie, een theatervorm die is ontstaan op de Agora in Athene, werd oorspronkelijk opgevoerd in eenvoudige, houten decors waarmee men rondtrok. In de 6de eeuw v. Chr. vestigde men zich hier. Het stenen theater dateert uit de 4de eeuw v. Chr., maar het kreeg zijn huidige vorm van de Romeinen. Het bood plaats aan bijna 17.000 toeschouwers.

★★★ Akropolismuseum (Mouseio tis Akropolis - Μουσείο της Ακρόπολης)

Dionysiou Areopagitou 15 (tegenover het theater van Dionysos) - ☎ *21090 009 00 - www.theacropolismuseum.gr - € 5.*
Deze constructie van staal, glas en cement aan de voet van de Akropolis werd ontworpen door de architect Bernard Tschumi en is sinds 2009 in gebruik. De 4000 tentoongestelde voorwerpen baden in natuurlijk licht dankzij de grote, glazen wanden die in de helft van de zalen uitzicht bieden op de heuvel van de Akropolis.
Onder de glazen vloer van de benedenverdieping zijn **archeologische vondsten uit het oude Athene** te zien. Ze tonen aan dat de plek vanaf het eind van het neolithicum bijna ononderbroken bewoond is geweest.

De zaal van de oudheid *(op de eerste verdieping)* toont resten van het primitieve Parthenon. In het **multimediacentrum** op de tweede verdieping worden doorlopend documentaires over het Parthenon vertoond.
De zaal van het Parthenon *(op de 3de verdieping)* geeft heel precies de afmetingen en oriëntatie van de tempel weer aan de hand van de fries ervan. Dit schitterende staaltje beeldhouwwerk, dat 160 meter lang is, bestond oorspronkelijk uit 115 blokken steen. Slechts een derde van de overblijfselen die werden teruggevonden, bevinden zich nog in Athene. De rest van de overblijfselen bevinden zich hoofdzakelijk in het British Museum in Londen.

★★ De Nimfenheuvel (Lofos Filopappou/Mousson - Λόφος Φιλοπάππου/Μουσών)

Een brede, geplaveide weg loopt tussen de bomen naar de gewijde Nimfenheuvel, een van de aangenaamste plekken in de stad. Voorbij de mooie **kapel Agios Dimitrios Lombardiaris** begint links een pad in het spoor van de ommuring van Athene in de 5de eeuw v. Chr. Het loopt tussen de dennenbomen omhoog voor een reeks oude grotwoningen. Boven op de top staat het **Philopapposmonument** (114-116) en u geniet er van een mooi **uitzicht★★★** op de Akropolis.

★ Pnyx (Pnika - Πνύκα)

In dit natuurlijke amfitheater werd van de 6de tot de 4de eeuw v. Chr. de volksvergadering gehouden. Tijdens deze democratische vergaderingen bespraken de inwoners allerlei wetsvoorstellen. Iedereen mocht daarbij het woord nemen.

De Akropolis, door de Unesco uitgeroepen tot werelderfgoed
SIME/Schmid Reinhard/Sime/Photononstop

ATHENE PRAKTISCH

Informatiekantoor van de Griekse nationale dienst voor toerisme – Vas. Amalias 26 A, tegenover de Nationale Tuin, vlak bij Syntagma - ✆ 21033 103 92 - www.athensinfoguide.com

VERVOER

Van Piraeus naar het centrum
Cruiseschepen meren aan in de haven van Piraeus, 11 km van Athene.
Per metro – Piraeus is de zuidelijke eindhalte van lijn 1, van 5.00 tot 0.00 u elke 10 min. Voor de Akropolis neemt u halte Monastiraki (25 min.). Een kaartje voor 1,5 uur kost € 1, een dagkaartje € 3.
Per taxi – Vraag vooraf naar de prijs (gemiddeld € 20 voor een enkele rit van Piraeus naar het centrum van Athene).
Telefonisch reserveren – ✆ 21041 152 00/183 00.

In de stad
Per metro – Dit is veruit het snelste en meest efficiënte vervoermiddel. De metro rijdt van 5.30 tot 0.15 u. Een kaartje voor 1,5 uur kost € 1, een dagkaartje € 3.
Per bus – De **blauwe bussen** (centrum en periferie), **minibussen** (centrum) en **trolleys** (centrum) rijden tussen 5.00 en 0.30 u. De kaartjes zijn 1,5 uur geldig voor bus en trolley en kosten € 1.
Per toeristentrein – **Sunshine Express** - ✆ 69092 743 13 - www.sunshine-express.gr - kaartje: € 5, ter plaatse verkocht 5-10 min. voor vertrek. In de zomer rijdt het treintje elk uur, 11.30-14.30 u en 17.00-0.00 u (weekend 11.00-0.00 u) - buiten het seizoen alleen in het weekend: 11.00-0.00 u. Dit treintje op wielen maakt een **toeristische**

rondrit door het Athene uit de oudheid. Vertrek op de hoek van de Platia Agoras en de Aïolou.

EEN GLAASJE DRINKEN

Plaka
Zonar's café – Robertou Gali 43, net voorbij het kruispunt met de autovrije Dionissiou Areopagitou - ✆ 21092 319 36 - 8.00-1.00 u. Gezellig terras met een vrij uitzicht op de heuvel van de Akropolis.

Akropolis
Terras van het Akropolismuseum – ✄ - 8.00-20.00 u, op de tweede verdieping. Dit 700 m² grote terras is de ideale plek voor een drankje of een hapje terwijl u geniet van een van de mooiste uitzichten op de Akropolis.

UIT ETEN

Plaka
De hoek van het plein Monastiraki met Mitropoleos staat vol stoelen en tafeltjes waar men meestal moet vechten voor een plekje. Geniet er van een Griekse salade of *souvlaki* (vleesspiesen). Deze plek wordt druk bezocht door de inwoners van Athene. De drie restaurants zitten altijd vol. Geniet ter plaatse van een lekkere maaltijd voor een redelijke prijs of koop een *souvlaki* om mee te nemen voor € 2 :
Spiros Bairaktaris – Monastiraki 2 - ✆ 21032 169 69 - ✄ - € 5.
Savas – Mitropoleos 69 - ✆ 21032 450 48 - ✄ - € 5.
O Thanasis – Mitropoleos 86 - ✆ 21032 447 05 - ✄ - € 5.
Dionysos – Robertou Gali 43 - ✆ 21092 331 82 - ✄ - € 50. Vanaf het terras en vanuit de zaal met airconditioning geniet u van een uitzicht op de Akropolis. Dit luxueuze restaurant biedt internationale gerechten en geniet van een steviger reputatie op het vlak van de Griekse gastronomie. Proef er authentieke *dolmadès*, luchtige *pités* (pasteitjes) en heerlijk oosterse *baklava*.

WINKELEN

Plaka
In deze wijk stikt het van de lederhandelaars die tassen, riemen en sandalen verkopen, maar ook van de nogal kitscherige souvenirwinkels, al zitten er best leuke spullen tussen. Wie op zoek is naar een iets chiquer souvenir, vindt in de winkeltjes in de grote musea van de stad reproducties van de antieke kunstwerken die er te bewonderen zijn. De beste prijs voor deze souvenirs krijgt u bij de firma die ze aan de musea levert: **Arionas** – 19 G. Drossini Street, Ilioupolis - ✆ 21097 662 46. Met de auto 20 min. van het centrum van Athene.

Syntagma en Kolonaki
In deze twee wijken zijn verschillende juwelenzaken gevestigd. U vindt er reproducties van oude Griekse juwelen en traditionele of moderne stukken, meestal met de hand gemaakt door plaatselijke kunstenaars. Bepaalde juweliers bieden ook voorwerpen met traditionele motieven in zilver en met turkooizen stenen. Deze worden hoofdzakelijk gemaakt in Ioannina, de hoofdstad van de regio Epirus.

Monastiráki
Snuister rond op de rommelmarkt of in de winkels van Monastiráki. Het is de ideale plek om typisch Griekse voorwerpen op de kop te tikken, zoals een *briki*, een klein koffiepannetje, een stormlamp of een kerkelijke wierookbrander.

★ Oude Agora (Archaia Agora - Αρχαία Αγορά)

Trek 2 uur uit - ☎ 210 32 10 185 - inbegrepen in het kaartje voor de Akropolis, of € 4 met toegang tot het museum. Er zijn drie toegangen: Apostolou Pavlou *(westkant)*, de voormalige Panatheense weg die van de Akropolis afdaalt en Adrianou *(in Monastiraki)*.

De Agora was ooit het centrum van de stad, waar de inwoners van Athene veel tijd doorbrachten. Op deze plek werden de markten gehouden, maar er vonden ook religieuze feesten met processies, theater- en sportwedstrijden plaats. Daarnaast was het de plek waar de inwoners openbare zaken bespraken of luisterden naar redenaars.

Het plein werd aangelegd in het begin van de 6de eeuw v. Chr., maar kreeg zijn definitieve vorm pas in de 2de eeuw v. Chr. Rondom het 2,5 ha grote plein stonden verschillende administratieve gebouwen, tempels en zuilengangen. Diagonaal over het plein liep de **Panatheense weg**. Tussen de ruïnes verheft zich trots de gevel van het **Theseion★★**. Deze indrukwekkende Dorische tempel (449-444 v. Chr.) was gewijd aan de verering van Athena en haar broer Hephaistos en is een van de best bewaarde Griekse tempels.

Het **Oude Agora Museum★** stelt voorwerpen tentoon die verband houden met het politieke, juridische en commerciële leven in de jonge Atheense democratie, waaronder stembiljetten, hulpmiddelen om de jury voor rechtszaken te kiezen, maten en gewichten enzovoort. Daarnaast ziet u voorwerpen die gevonden werden in graftombes en woningen, en beelden die ooit op de Agora stonden.

★ Plaka (Πλάκα)

In deze wijk met landelijke allures zijn elementen uit allerlei perioden te bewonderen, van de oudheid tot de Ottomaanse periode. Dit is de gezelligste wijk van de stad om te flaneren.

Byzantijnse kerken

Agios Nikodimos★ – *Op de hoek van Filelinon en Souri.* Deze indrukwekkende kerk uit de 11de eeuw is het grootste Byzantijnse gebouw in Athene. Ze werd deels vernield tijdens de Onafhankelijkheidsoorlog, maar gerestaureerd door tsaar Nicolaas I voor de Russische gemeenschap in Athene. Binnen zijn er mooie fresco's.

Agia Ekaterini★ – *Op de hoek van Adrianou en Lissikratous.* Deze kerk uit de 11de-12de eeuw is een van de mooiste kerken van Athene. Het mooie voorplein ligt 2 meter lager dan de straat en omvat Romeinse overblijfselen.

★ Het monument van Lysicrates (Minmeio tou Lysikrati - Μνημείο του Λυσικράτη)

Op de hoek van Vironos en Lissikratous. Dit overblijfsel van 334 v. Chr. is het enige overgebleven choregische monument dat in het oude Athene was opgericht voor de laureaten van theaterwedstrijden die gehouden werden dankzij choregie (het sponsoren van theatervoorstellingen).

★★ Plaka Anafiotika (Αναφιώτικα)

In Stratonos, de straat die langs de noordoostkant van de heuvel loopt, begint een trap naar Anafiotika en de Akropolis. Via het smalle, **geplaveide straatje Epimenidi★★** met mooie, okergele huizen, loopt u het rustige Plaka binnen en laat u de drommen mensen achter u.

Hoewel in 1834 een wet werd uitge-vaardigd die verbood dat er in de directe omgeving van de Akropolis werd gebouwd, werd deze wijk gebouwd door de inwoners van het eiland **Anafi** (ten oosten van Santorini) die in het begin van de Onafhankelijkheidsoorlog naar de hoofdstad waren gevlucht. En daarom ligt nu in het hart van Athene dit authentieke Cycladische dorp vol lage huisjes met witgekalkte muren.

★ Museum voor Griekse Volks-kunst (Museo Laïkis Technis)

Kidathineon 17 - ℘ 210 32 13 018 - € 2. Griekenland kent een rijke traditie wat volkskunst betreft en dit mooie museum bezit een boeiende collectie van midden 17de eeuw tot nu.

★ Wijk Aerides (Aerides - Αερήδες) Kanellopoulosmuseum ★ – *Theori-as 12 -* Ⓜ *Monastiraki - ℘ 210 32 44 447 - www.pakanellopoulosfoundation.org.*

Dit museum bezit allerlei kunstvoorwerpen en archeologische vondsten, waaronder Cycladische, Minoïsche en Myceense beeldjes, koptisch textiel, Byzantijnse en post-Byzantijnse iconen, grafportretten uit Fajoem, bronzen beeldjes en juwelen. Ze zijn afkomstig van het Griekse vasteland en de eilanden, Klein-Azië en het Midden-Oosten. Ze geven een goed beeld van de samenhang en de evolutie van de Griekse kunst in de tijd en de ruimte.

Toren van de Winden★ – Deze vreemde, achthoekige toren werd gebouwd in de tijd van Caesar (1ste eeuw v. Chr.). Op elk van de acht gevels staat een gevleugeld persoon die een van de acht winden symboliseert die over Athene waaien.

Moskee Fetiye Djaml – Net achter de Toren van de Winden werd in de 15de eeuw deze moskee opgericht ter herdenking van de verovering van Constantinopel door Mehmet de Veroveraar.

Romeinse Agora – Op deze grote vierhoek vond in de Romeinse tijd de handelsactiviteit van de stad plaats. De Turken maakten er een graanmarkt van.

Bibliotheek van Hadrianus – Dit grote gebouw werd in 131 in opdracht van keizer Hadrianus gebouwd. In de straat Eolou zijn nog resten van de muren te zien en in de westelijke gevel bleven enkele mooie zuilen bewaard.

★ Museum voor Griekse muziek-instrumenten (Mousio Laikon Mousikon Organon - Μουσείο Λαϊκών Μουσικών Οργάνων)

Diognou 1-3 - Ⓜ *Monastiraki - ℘ 21032 54119/29 - www.instruments-museum.gr - gratis.*

Dit museum biedt een mooie collectie blaas-, slag- en snaarinstrumenten, waaronder enkele eenvoudige, kleine

215

C. Dutton/Sime/Photononstop

De wijk Plaka Anafiotika

violen uit Kreta. Wat dit museum origineel maakt, is dat bij elke vitrine een koptelefoon hangt, waarmee je de instrumenten die worden tentoongesteld, ook kunt beluisteren.

Piraeus (Pireas - Πειραιάς)

Uw bezoek aan Athene begint in Piraeus, want de cruiseschepen meren aan in de haven van deze stad. Piraeus telt drie havens. In de **hoofdhaven**, waar de veerboten naar de eilanden vertrekken en waar grote schepen aanmeren, is een metrohalte en er heerst altijd veel bedrijvigheid. **Marina Zea** is een rustiger haven voorbehouden voor plezierboten. En wat verderop ligt **Mikrolimano**, waar het overdag rustig is, maar waar 's nachts discotheken voor veel decibels zorgen. Krioelende mensen, geschreeuw, getoeter en uitlaatgassen, een bezoek aan Piraeus is altijd een chaotisch avontuur.

Piraeus is met Athene verbonden via de versterkte Lange Muren. De stad werd in de 5de eeuw v. Chr. gesticht als opvolger van de haven van Phalerum, waar te veel wind was. Hoewel Piraeus eeuwen lang een grote welvaart kende, blijft er nu bijna niets van de oorspronkelijke stad over. Onder leiding van Sulla brandden de Romeinen de stad plat in 85 v. Chr. In de 19de eeuw werd Piraeus een tweede keer op de proef gesteld, toen Ermoupolis, de hoofdstad van het eiland Syros, de belangrijkste haven van Griekenland werd. In 1834, toen Otto I van Griekenland de troon besteeg, was de stad bijna uitgestorven. Maar nadat Athene hoofdstad van Griekenland werd en in 1896 het Kanaal van Korinthe in gebruik werd genomen, kreeg de stad haar faam terug.

★★ Archeologisch Museum (Archaiologiko Mouseio - Αρχαιολογικό Μουσείοι)

Harilaou Trikoupi 31 - 📞 210 45 21 598 - € 3.

U bereikt dit museum vanuit de hoofdhaven langs de kade Miaoulis, links van de haven als je naar de zee kijkt. Neem net voor de kerk Agios Nikolaos links de straat H. Trikoupi. Het museum ligt 150 m verderop (20 min. te voet vanaf de metrohalte). U wordt meteen begroet door een gigantische **zittende leeuw★** afkomstig van een grafmonument uit de 4de eeuw v. Chr. dat in de naburige wijk Moschato werd ontdekt. In de zalen van het museum zijn mooie bas-reliëfs en monumentale overblijfselen van een **mausoleum★** uit de 4de eeuw v. Chr. te zien.

Op de bovenverdieping krijgt de bezoeker een collectie **grafstenen★** te zien. Ze beelden levenden en doden uit op het moment van het afscheid. Maar de absolute pronkstukken van dit museum zijn de **vier bronzen standbeelden★★★** die vermoedelijk afkomstig zijn van Delos. Twee van die beelden stellen **Artemis★** voor met gestrekte rechterarm. Het derde standbeeld stelt **Athena★★** voor en is 2,35 m groot (4de eeuw v. Chr.). Het vierde beeld is de bekende **Apollo van Piraeus★★**, het absolute meesterwerk van dit museum (6de eeuw v. Chr.) en het oudste bronzen Griekse standbeeld.

Door de ramen op de eerste verdieping ziet u uit op de overblijfselen van het oude theater van Zea.

Volg bij het verlaten van het museum de straat Trikoupi tot de bedrijvige **jachthaven** van **Zea★**.

Mykonos★★ (Μύκονος)

Mykonos, het 'Saint-Tropez van de Egeïsche Zee', staat zowel om de prachtige natuur als om de duivelse reputatie bekend die de Griekse en internationale jetset het sinds een halve eeuw bezorgden. Natuurlijk, trends waaien over, maar dit eiland keert altijd terug naar de voorgrond, zonder twijfel dankzij de extreem eenvoudige ingrediënten van haar succes: een geweldig dorp en prachtige stranden.

Excursies van een halve dag

★★★ **Mykonos (Chora - Χώρα)**
Wandel naar de vissershaven vol restaurants, het plein Mado Mavrogénous en de **kerk Agia Kiriaki**, waarin zich een

van de mooiste iconen van de stad bevindt. Neem dan de straat **Matogianni**, de chicste winkelstraat van Mykonos. Rechts, vlak bij de straat **Enoplon Dinameon**, kunt u in de straat Tria Pigadia het **Huis van Lena★** (℘ 22890

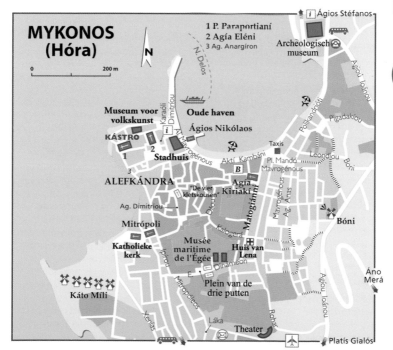

223 90 - gratis, gift gewenst) bezoeken. In het gebouw ernaast bevindt zich het **Maritiem museum van de Egeïsche Zee**★ (☏ 22890 227 00 - gratis) met een erg gevarieerde collectie voorwerpen die verband houden met de zee, vanaf de oudheid tot de 19de eeuw.

Wandel naar het **Plein van de drie putten** (Tria Pigadia) en sla rechts af naar de **kathedraal** (Mitropoli). Ze is voorzien van een koepel en rode daken, die afsteken tegen de blauwe koepel van de **Katholieke kerk** er net achter. Loop links omhoog naar de **Kato Mili**★, vijf windmolens die op een heuvel bij de haven staan.

★★★ De wijk Alefkandra (Αλέυκανδρα)

Geniet bij de molens van het mooie **uitzicht**★ op de wijk Alefkandra, ook Klein Venetië genoemd. In de steegjes staan **hoge huizen**★★, waarvan enkele uit de 18de eeuw, met aan de achterkant houten loggia's met uitzicht op de zee.

Terwijl u naar de haven loopt, komt u voorbij de **Vier kletskousen**, vier kapelletjes, en de **kerk Panagia Paraportiani**★★. Deze omvat in feite vijf kerken uit de 16de-17de eeuw die tussen de zee en de poort van het oude Venetiaanse kastro werden gebouwd. In het lange gebouw ernaast is het **Museum voor volkskunst** (☏ 22890 225 91 - gratis) gevestigd. Loop door naar de **oude haven**. Daarachter verheft zich de **Agia Eleni**, een van de grootste kerken van het eiland.

★ Het strand Agios Ioanis (Αγιος Ιοάνις)

Neem voorbij de molens de kustweg. U kunt de bus nemen naar Ornos, Korfos en Agios Ioanis in het busstation op het plein Fabrika.

Buiten de stad, die ook Chora wordt genoemd, vormt het mooie **strand Megali Ammos**★ met het witte zand en het heldere water, de overgang naar de stranden van de zuidkust.

Een beetje verderop ligt het schitterende **schiereiland Diakoftis**, dat met het eiland verbonden is via een smalle landstrook waarop de **stranden van Ornos** (zuidkant) en **Korfos** (noordkant) liggen. De luxueuze villa's en toeristenaccommodaties lokken veel volk, maar op het strand van Ornos, dat beschut is tegen de wind, wordt het in de late namiddag doorgaans rustig. De weg loopt voort naar **Agios Ioanis**.

Stranden aan de zuidkust

4,5 km van Chora. Vertrek aan het busstation aan het plein Remezzo naar Psarou en Platis Gialos (15 min. per bus). Rijd in de richting van de luchthaven en ga dan naar rechts naar Psarou en Platis Gialos. De stranden van **Psarou**★ en **Platis Gialos** liggen achter in een baai die omringd wordt door dorre, rotsachtige heuvels. Het strand van **Paradise**★ *(6 km van Chora - bus vanaf het busstation)* heeft een grote openluchtbar (techno) en staat bekend om het naturisme. Er zijn ook dj's in **Paranga**★ en **Super Paradise** *(Plindri)*, het 'gay beach' waar de andere mythische strandbar van Mykonos zich bevindt *(achter aan een onverharde weg die u bereikt door rechtdoor te gaan voorbij de splitsing naar Platis Gialos en de luchthaven, er rijdt geen bus, er varen wel kaïks vanuit Platis Gialos).* **Agrari**★, dat een beetje verder ligt, is vooral populair bij beroemdheden en het is er veel rustiger.

De beroemde molens op de heuvel
S. Boisse/Photononstop

MYKONOS PRAKTISCH

Er is geen dienst voor toerisme, u kunt terecht bij de toeristenpolitie, hotelorganisaties en private reisagentschappen.

VERVOER

Van de haven naar Mykonos (Chora)

Als uw schip in Tourlos aanmeert, reken dan op een wandeling van 30 min. naar het centrum. Er zijn normaal gesproken pendelbussen en taxi's.

Per auto

Aan de aanlegsteiger worden fietsen en auto's verhuurd:

Avis – ✆ 22890 229 60
Europcar – ✆ 22890 271 11
Hertz – ✆ 22890 237 91
Kosmos – ✆ 22890 240 13
Sixt – In de luchthaven -
✆ 22890 288 62

Per taxi

Standplaats bij de haven: Mando Mavrogénous - ✆ 22890 224 00/237 00.

Per kaïk

In de zomer varen elke ochtend kaïks van Platis Gialos naar de stranden van Paranga, Paradise, Super Paradise, Agrari en Elia.

UIT ETEN

Niko's Place – Op het strand van Megali Ammos - ✆ 22890 242 51 - 🍴 - € 15/20. *Mezze* en gegrilde vis. Gezellige taveerne met terras. 's Avonds is het er vaak stampvol.

Diles – Lakaplein - ✆ 22890 221 20 - www.diles.gr - 🍴 - ca. € 30. Gezellig restaurant waar u aan de rand van een zwembad bij kaarslicht gastronomische, creatieve gerechten kunt proeven.

Santorini★★★

(Thira - Θήρα)

Het eiland Santorini steekt als een gigantische zwarte rots uit de zee en biedt de bezoeker het onvergetelijke beeld van een halfopgeslokte vulkaan. Verspreid op de hellingen staan kleine, witte huisjes. De spectaculaire wegen slingeren tussen wijngaarden en stroken zwart, rood of wit zand. Zo'n prachtig landschap heeft helaas als nadeel dat het eilandje elke zomer massa's toeristen lokt.

Excursies van een halve dag

In de 16de eeuw v. Chr. bracht een reeks aardbevingen de vulkaan tot leven. Een enorme explosie verpulverde de vulkaan en liet een **immense krater** na, omringd door kliffen. Als u het eiland per boot nadert, kunt u vanaf de brug deze gigantische krater met een diameter van 10 km zien.

★★★ Fira (Thira - Θήρα)

Vanuit de haven **Mesa Gialos★** *(Skala)* trekken de witte huizen op de 260 meter hoge heuvelrug van Fira meteen de aandacht. Er werd een trap van 587 treden aangelegd die buitengewoon mooie **uitzichten★★★** biedt op de haven en de zee. Er staat meestal een vloot muilezels klaar om toeristen naar boven te brengen. Wie haast heeft, kan ook de kabelbaan nemen *(elke 20 min., 7.00-22.30 u - € 4 + € 2 voor de bagage - afdaling te voet, 45 min.).*

Hoog tegen de kliffen ligt de hoofdstad van het eiland, die in de 18de eeuw werd gesticht. De cafés, discotheken, restaurants en winkels zorgen ervoor dat Fira in de zomer druk wordt bezocht.

★ De orthodoxe wijken

Fira volgt de omtrek van de klif en strekt zich uit rond de straat **25ste Martiou**, die deel uitmaakt van de noord-zuidas

van het eiland. Het **Prehistorisch museum van Thira★★** (*℘ 22860 232 17 - € 3*) vertelt de geschiedenis van het eiland vanaf het neolithicum tot de bloeiperiode van Akrotiri *(zie blz. 224)*, de stad die bedolven werd onder vulkaanas. U kunt er de bekende **fresco's van Akrotiri★★★** bewonderen.

Vlak bij het museum biedt het voorplein van de **orthodoxe kathedraal van Santorini** (1970) een schitterend **uitzicht★★** op de krater.

Een beetje lager ligt de oude wijk van **Kato Fira** *(benedenstad)*. Ze lijkt wel een waterval van huizen die in terrasvorm werden gebouwd en waarbovenuit twee koepels steken, de ene is die van de **kerk Agios Ioanis**, de andere van de **Agios Minas★**.

★ De katholieke wijk (Katholica - Καθολικά)

Er lopen door deze wijk twee hoofdstraten: **Agiou Mina**, langs de rand van de afgrond, vol cafés en restaurants, en **Ipapandis**, de winkelstraat waarin ook enkele *archontika* staan, mooie patriciërswoningen.

In het **Archeologisch museum** (*℘ 22860 222 17 - € 3*) ziet u vondsten die werden ontdekt op de plek waar het oude Thira lag *(zie blz. 223)* en waar

Traditionele muzikanten tijdens een huwelijk op Santorini
René Mattes/hemis.fr

SANTORINI PRAKTISCH

Er is geen dienst voor toerisme, maar u kunt bij reisagentschappen in Fira, Kamari, Oia en Perissa terecht.
Pelican – Op het hoofdplein in Fira - ✆ 22860 222 20 - www.pelican.gr.
Ecorama – In Oia - ✆ 22860 715 07 - www.santorini tours.com.

VERVOER
Cruiseschepen meren aan in Skala of Athinios. Een pendelbus of -boot brengt u naar Fira.

Per bus
Centraal busstation van Fira – Theotokopoulouplein - ✆ 22860 254 04 - www.ktel-santorini.gr. Bij het busstation hangt de dienstregeling uit, maar die kan afwijken. De lijnen Fira-Imerovigli-Vourvoulo-Oia en Fira-Messaria-Pyrgos-Akrotiri bieden de interessantste excursiemogelijkheden op het eiland.

Per auto
Wegennetwerk – Hoewel de wegen doorgaans in goede staat zijn en langs alle dorpen en stranden lopen, gebeuren er op het eiland veel ongevallen en zijn er in de zomer vaak files.
Autoverhuur – Er zijn veel autoverhuurbedrijven. Als u een motorfiets huurt, vraag dan zeker naar een helm.

Per taxi
✆ 22860 225 55.

Per kaïk
De kaïks naar Nea Kameni, Palea Kameni en Thirassia vertrekken vanuit de haven van Fira *(Skala)*. Georganiseerde excursies vertrekken vanuit Athinios en Mesa Gialos.

tussen 1896 en 1900 archeologische opgravingen plaatsvonden, en op de plek waar Akrotiri lag *(zie blz. 223)*.

De straat **Erithrou Stavrou** met de rondbooggewelven is de meest karakteristieke op Santorini. Let ook op de marmeren versieringen bij de ingang van het **Huis Koutsoyannopoulos** (1882) op nr. 182. Ertegenover staat het **Ghizipaleis** *(Megaron Gyzi - € 3)*, een patriciërswoning die omstreeks 1700 werd gebouwd. Na de aardbeving van 1956 werd het paleis gerestaureerd en nu is het een cultureel centrum waarin manuscripten, klederdrachten en traditionele voorwerpen uit de 16de-19de eeuw worden bewaard, net zoals gravures en foto's van Santorini vóór de aardbeving.

Een beetje voor het Paleis Ghizi geeft een achteruitspringend portaal toegang tot het oude **klooster van de zusters van barmhartigheid**. Het gebouw werd volledig gerestaureerd en om-gevormd tot tapijtfabriek *(toegankelijk voor het publiek)*. Naast het klooster ligt de **kloostergang van de dominica-nen** en de **katholieke kathedraal**, die vanaf 1956 werd gerenoveerd. Via een trap daalt u af naar de straat No-miko, waar de **kapel Agios Stilianos** tegen de rand van de afgrond staat. Voor u begint **Frangika★** (met deze term verwees men naar de katholieken), de noordelijke wijk van Fira. De meeste katholieken op Santorini woonden in deze wijk, die gesticht werd door de Venetianen. Keer terug en ga naar de **bocht van Pastouli**, een van de be-kendste **uitzichtpunten★★★** op San-torini. Een beetje verderop steekt boven de krater het neoklassieke gebouw van het **Conferentiecentrum P.M.**

Nomikos *(☎ 22860 230 16/19 - € 4)* uit. Binnen de roze muren wordt een per-manente tentoonstelling gehouden met foto's van de opgravingen in Akrotiri en met nauwgezette reproducties van de fresco's.

★★★ Oia (Ia - Οία)

Oia is zonder twijfel het mooiste dorp aan de westkust, het is nog mooier dan Fira. Het dorp wordt ook **Apano Meria** ('hooggelegen plek') genoemd en het omvat vijf gehuchten, van oost naar west: **Finikia**, **Oia** zelf, **Tholos** *(een beetje meer noordwaarts)* en, aan de voet van de klif, **Armeni** en **Amoudi**, de ankerplaats van Oia, bereikbaar via twee trappen met meer dan 200 treden *(ook bereikbaar via een asfaltweg)*. Oia kende eind 19de eeuw een bloei dankzij Amoudi. Omstreeks 1890 voerden 130 schepen (terwijl er 2500 inwoners waren!) handel op de oostelijke Middel-landse Zee. De matrozen woonden in **grotwoningen** in de kliffen, terwijl de kapiteins in welgestelde huizen boven in het dorp, in de wijk Sideras, woonden. Aan deze bloeiperiode herinneren nog de vele weelderige kerken en de met marmer geplaveide pleinen en steegjes. In een mooi, neoklassiek huis werd het **Maritiem museum** *(€ 3)* onderge-bracht. Het vertelt over het leven van de zeelieden en reders van het eiland. Er is echter niets dat herinnert aan het *kastello*, de citadel die ooit boven op de vooruitspringende klif boven de baai stond, maar nu is verdwenen.

Het kleine **strand van Amoudi**, met zwarte kiezels, en de rotsen ernaast, trekken heel veel bezoekers, maar zijn toch een bezoek waard dankzij het landschap en de wandeling ernaartoe.

★★★ Het oude Thira (Θήρα)

Bereikbaar per minibus (3 km van Kamari op de top van de Seralla) - €2.

Neem in Perissa het pad dat ter hoogte van Hotel Mariana begint en in het verlengde van de noordelijkste straat van het dorp ligt, aan de voet van de Mesa Vouno *(neem geen bromfiets, want het pad is steil en kronkelig)*. Trek 1,5 uur voor de wandeling te midden van een prachtig landschap, maar onder een meedogenloze zon.

Hoewel slechts ruïnes overblijven, zal deze voormalige Griekse garnizoensstad u bekoren door het indrukwekkende landschap. Deze natuurlijke vesting werd in de 9de eeuw v. Chr. gesticht door de Doriërs en bereikte haar hoogtepunt onder de heerschappij van de Ptolemaeën (305-30 v. Chr.), een dynastie van Egyptische farao's die oorspronkelijk uit Macedonië kwamen en die er een marinebasis bouwden. Onder de heerschappij van de Romeinen kwam de stad in verval en in de 13de eeuw werd ze verlaten.

Voorbij de **Byzantijnse wijk** (met versterkingen, kerken) ligt het **heiligdom van Artemidoros**, gewijd aan een admiraal van de Ptolemaeën. De **noordelijke agora** lag in het breedste deel van de stad, ongeveer 150 m! Rechts staan de **tempel van Dionysos** en het **Huis van de fallus** (zo genoemd door een niet mis te verstane inscriptie) en ten slotte ziet u de zuilen van het koninklijke portaal. Links daarentegen ligt de **zuidelijke agora**.

Volg de Heilige Weg die langs het **theater** en, dichter bij de klif, voor de resten van het **Heiligdom van de Egyptische goden** loopt. Achter het theater liggen de **thermen** verborgen en nog een beetje lager staat de **Kapel van Maria-Boodschap**. De Heilige Weg gaat vervolgens als een eenvoudig pad voort naar de oude stadskern, waar ooit de **tempel van Apollo** *(rechts)* stond. Keer terug langs het pad langs de rand van de klif.

★★ Akrotiri (Ακρωτήρι)
Ca. 1 km voorbij het dorp. € 5.
Professor Spyridon Marinatos deed hier van 1967 tot 1974 opgravingen. De stad lag onder een dikke laag vulkanisch as bedolven. Tijdens de opgravingen werden de eerste overblijfselen van de best bewaarde prehistorische stad uit het gebied van de Egeïsche Zee blootgelegd *(een deel is nog niet blootgelegd)*. Het gaat om straten van een stad die meer dan 3500 jaar oud is, mogelijk de **mythische stad Atlantis**! En hoewel Akrotiri uit de oude Minoïsche beschaving dateert (of de late bronstijd, 1650-1500 v. Chr.), wijzen voorwerpen die werden opgegraven en die uit het neolithicum dateren, erop dat deze plek zonder onderbreking 3000 jaar lang bewoond was, vanaf midden 5de millennium v. Chr.

De houten, stenen of bepleisterde **huizen** van Akrotiri bestonden uit twee of drie ruime verdiepingen en hadden een dakterras. Op de benedenverdieping was er een winkel of werkplaats. De stad bestond uit steegjes en kleine pleintjes en onder de bestrating lagen al aardewerken **kanalen** voor afvoerwater. Akrotiri was een bloeiende, heel gestructureerde stad waar de inwoners veel comfort kenden.

Behalve huizen werden er in de stad ook duizenden aardewerken voorwerpen blootgelegd en er werden fresco's in de huizen ontdekt *(ze worden nu bewaard in de musea van Fira)*, die een goed beeld geven van hoe het dagelijkse leven in Akrotiri eruitzag. Tijdens de opgravingen ontdekte men ook dat de inwoners van Akrotiri een schrift gebruikten dat nu Lineair A wordt genoemd.

Op de terugweg kunt u een kijkje nemen in het **dorp Akrotiri**, dat rond een kleine heuvel werd gebouwd. Boven op de top zijn nog de overblijfselen zichtbaar van een **Venetiaanse vesting**.

★ Stranden aan de zuidkust
Voorbij Akrotiri bestaat de zuidelijke kust van het eiland uit een aaneenschakeling van kiezel- en zandstranden, die beschut zijn tegen de wind en waar het water ook minder diep is dan aan de andere stranden. Het is er uiteraard altijd vreselijk druk. Een van de stranden is **Red Beach** *(Kokini)*, verscholen aan het eind van een onverharde weg *(een beetje voorbij Akrotiri rechts)*, aan de voet van een spectaculaire rode klif.

Nog een aanrader, een beetje meer naar het westen, is **White Beach** *(Lefki Pigadia)*, een prachtige baai die per kaïk bereikbaar is vanaf Red Beach *(of te voet voor durfals, via het pad vanuit Kabia, dat 200 m hoger loopt)*. Het strand **Messa Pigadia** is veel groter.

Mytilíni★ (eiland Lesbos) <small>(Lesvos - Λέσβος)</small>

Dit eiland in het noordoosten van de Egeïsche Zee, vlak bij Turkije, is niet zo toeristisch omdat er niet voldoende mooie zandstranden zijn! Toch is Lesbos zeker een bezoekje waard. Het heeft de bezoeker veel te bieden, zoals gastvrije inwoners en een boeiend verleden waar sinds de oudheid de Byzantijnen, de Genuezen en de Ottomanen elkaar opvolgden. Over het eiland liggen overblijfselen uit dat verleden verspreid. Ze maken van het eiland een oosterse parel aan de rand van Europa.

Excursie van een halve dag

★ Mytilíni (Μυτιλήνη)

De stad ontwikkelde zich rond een landengte waarop de citadel en het centrum van de stad liggen. In het zulden ligt rond een baai de **oude haven★**, waar altijd wat te beleven valt. Aan de oostkant, aan de kant van de vesting, bevindt zich het **Archeologisch Museum** *(Archeologiko Moussio - ℘ 22510 402 23 - € 3)*. Hier worden de grote **mozaïeken** tentoongesteld van het 'Huis van Menandro' (3de of 4de eeuw), een weelderige villa uit Chorafa, de oude wijk. In de straat van het museum staan verschillende aristocratische **villa's** in neoklassieke, barok- of renaissancestijl vlak bij de zee.

Aan de overkant van de haven verheft zich de grijze, stalen koepel van de basiliek **Agios Therapon★★**, die in 1860 in postrenaissancestijl werd opgetrokken. Het **Byzantijns museum** *(℘ 22510 289 16 - € 2)* ertegenover bezit de rijkste collectie **iconen** van het eiland. Vlakbij begint de lange winkelstraat **Ermou★**. Ze loopt door de oude wijk naar de **noordelijke haven★**. Wandel naar de **citadel** *(€ 2)* boven in de stad via de straat Mikras Asias (ze loopt langs de oostrand van de stad,

langs de voet van de heuvel). Deze oorspronkelijk Byzantijnse vesting uit de 14de eeuw weerstond de Turken vijf dagen, maar viel toen toch in hun handen. Als u de citadel binnengaat, ziet u de goedbewaarde overblijfselen van het **Gatteluzzipaleis★**, dat een mooi **uitzicht★★** biedt op de Middellandse Zee en de kusten van Klein-Azië.

Een beetje buiten het centrum, in het westen, zijn nog overblijfselen te zien van de banken van het **Griekse theater**. Het bood plaats aan 15.000 toeschouwers en was dus ongeveer even groot als het theater van Epidaurus.

4 km ten zuiden van de stad ligt het dorp **Varia**, bereikbaar via een reeks haarspeldbochten. Hier staat het **Teriademuseum** *(aan de rand van Varia, volg de wegwijzers - ℘ 22510 233 72 - € 2)*, bijzonder dankzij de collecties en de mooie ligging in een groot domein met eeuwenoude olijfbomen. In het eerste witte gebouw bevindt zich het **Theofilosmuseum** *(℘ 22510 416 44 - € 2)*, gewijd aan de kunstschilder uit Varia (1873-1934). In het grotere gebouw is het **Teriademuseum annex bibliotheek** gevestigd, met werken van Stratis Eleftheriadis (1897-1983). Deze uitgever uit Parijs gaf boeken uit over Picasso, Matisse, Giacometti en Chagall.

De Agios Therapos in het centrum van Mytilíni
George Atsametakis/age fotostock

MYTILÍNI PRAKTISCH

Dienst voor Toerisme – Aristarchou 6 (50 m ten noorden van de aanleg-steiger), in een mooie villa - ☎ 22510 425 11 - ma.-vr. 8.00-14.00 u.

VERVOER

Per bus
Vertrek aan het Sapphousplein - ☎ 22510 464 36. Verbindingen met **Varia** (7.00-20.00 u, ongeveer 1 bus per uur).

Per taxi
Sapphousplein - ☎ 22510 220 64/ 235 00/259 00.

Autoverhuur
In de straat Pavlou (bij de aanlegsteiger).

UIT ETEN

Averof – In de oude haven (naast Hotel Sappho) - ☎ 22510 221 80 - gesl. 1 zo./2 - 🍴 - € 10. In dit restaurant serveert men sinds 1925 heerlijke hui-selijke gerechten. Klassieke tafellakens, waardige obers met grote schorten... Kortom, een authentieke, ouderwetse sfeer!

Kalderimi – Faso 2 (zijstraat van Ermou, 100 m ten noorden van de oude haven) - ☎ 22510 220 10 - 🍴 - € 10. De tafeltjes staan in de schaduw van een wijnrank op straat. Gepekelde vis, allerlei salades, gehaktballen in tomatensaus... Populair restaurant bij de inwoners.

Kampesos – In de oude haven (vlak bij Hotel Sappho) - ☎ 22510 269 18 - tot middernacht open. Deze lekkernijen kan niemand weerstaan. Proef bijvoorbeeld de *bougatsa,* een lekkernij gevuld met banketbakkersroom.

Pátmos★★★

Het eiland waar de apostel Johannes de openbaring beleefde en zijn Openbaring schreef, verwelkomt elk jaar duizenden pelgrims en toeristen. Zowel orthodoxen, westerse christenen en leken bezoeken er de grot van de profeet en vooral het indrukwekkende Byzantijnse klooster dat aan hem is gewijd. Maar het mystieke karakter van de twee heiligdommen is niet langer de enige aantrekkingskracht, Patmos biedt de toeristen ook veel recreatiemogelijkheden.

Excursies van een halve dag

Skala (Σκάλα)

De **enige haven van het eiland** hoort bij een erg druk en lawaaierig dorp, vooral in de zomer. In Skala bevinden zich de meeste hotels, restaurants en cafés van Patmos, en niet te vergeten een massa souvenirwinkels. Toch blijft het een schilderachtig dorp, vooral aan de kade die langs verschillende beschutte haventjes met kleurrijke vissersboten tot achter in een kleine baai loopt. Beklim ten westen van Skala de heuvel van Kasteli *(20 min. te voet)* voor een prachtig **uitzicht★** op de omliggende eilanden, de haven met de witte huizen bij het blauwe water, en natuurlijk het klooster.

★ Apokalipsigrot (Apokalipsi)

Bezoek: 15 min. Vlak bij bushalte. 20 min. te voet vanuit Skala of Chora - gratis.
Halverwege de bochtige weg tussen Skala en Hora staat een klein, versterkt klooster. Het werd in de 17de eeuw gebouwd en in de daaropvolgende eeuwen vergroot. Het ligt vredig te midden van een dennenbos waarin het getsjirp van cicades weerklinkt, en biedt een mooi **uitzicht★** op de Baai van Skala. Men kan zich met moeite inbeelden dat in dit landschap vol hibiscussen en

bougainvilles de heilige Johannes zo werd gekweld. Enkele trappen leiden u langs de cellen van de monniken naar de heilige grot waar de apostel zijn vreselijke vizioenen kreeg en waar hij de stem van God hoorde, 'die schalde als een trompet'. De grot werd omgevormd tot heiligdom en toont de kleine nis waarin Johannes zijn hoofd te rusten legde om te slapen, en **schilderingen uit de 12de eeuw**, die in 1973 werden ontdekt.

★★★ Klooster van Johannes de Theoloog (Agios Ioannis Theologos)

Bezoek: 1 uur - gratis.
De gekanteelde muren van het indrukwekkend massieve klooster steken boven de witte huizen van Chora uit als een stenen kroon en zijn zichtbaar vanaf de zee. Vanaf het kleine plein voor de ingang geniet u van een schitterend **uitzicht★★** op Skala en de noordkant van het eiland. Er staat een klein kapelletje, gewijd aan de heilige apostelen. U betreedt het klooster via een smalle **poort** uit de 12de eeuw, waarboven een klokkentoren uitsteekt. Aan de linkerkant van het kleine binnenplein, bestraat met zwarte stenen, ziet u de sierlijke **zuilengang** van de kerk, met mooie **fresco's** uit de 17de en 19de

eeuw. De zuilengang biedt toegang tot het **katholikon★** *(de hoofd-kerk)*, het oudste deel van het klooster dat ook met fresco's is versierd. De kerk heeft een grondplan in de vorm van een Grieks kruis en een koepel boven de tamboer.

Een van de regels van het klooster verbood om meer dan eenmaal per dag een mis in dezelfde kerk bij te wonen. Daarom zijn er een twaalftal kapellen binnen de muren, waarvan er twee naast het katholikon staan: de **Kapel van Christodoulos**, waarin de relikwieën van de heilige, een mooie **iconostase** en **fresco's** worden bewaard, en de **Kapel van de Maagd**, met mooie **fresco's★★** van eind 12de eeuw en een veel-kleurige houten **iconostase**.

Bezoek aan de andere kant van het plein zeker ook het **museum★** *(€ 6)*. De andere gebouwen, de keuken en de refter met **fresco's** uit de 12de-13de eeuw, de opslagplaats, de regenput, de bakkerij en de kapellen, zijn een mooi voorbeeld van de Byzantijnse kloosterarchitectuur. Het eerste **terras★** op de bovenver-dieping biedt een mooi uitzicht op het binnenplein.

★★ Chora (Χώρα)

Onder het indrukwekkende klooster lig-gen de smetteloze huizen van het dorp Chora tegen de heuvelflank. In tegen-stelling tot Skala is Chora erin geslaagd de toeristen op afstand te houden. U ziet er traditionele huizen uit de 16de-17de eeuw in een wirwar van trappen en overwelfde doorgangen, witgekalkte steegjes vol **huisjes met booggewel-ven★** of neoklassieke kapiteinshuizen

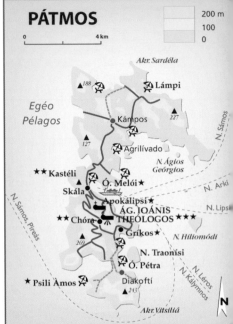

met verfijnde deuren en ramen die zijn versierd met frontons.

Kuier door de steegjes die zich ten wes-ten (een erg steil aangelegde wijk) en ten noorden van het klooster verschui-len. Het zijn de mooiste en de rustigste. In het noorden van het dorp *(rechts boven de taxistandplaats)* is het aange-naam vertoeven op het pleintje voor het **stadhuis★** (een sierlijk, neoklassiek gebouw), vanwaar men geniet van een mooi **uitzicht★★** op de Egeïsche Zee. In de omgeving kunt u ook een bezoek-je brengen aan de mooie bloementuin van het **klooster van Zoodochos Pigi** met 17de-eeuwse fresco's.

Het klooster van Johannes de Theoloog
Anna Serrano/hemis.fr

PATMOS PRAKTISCH

Dienst voor Toerisme – wit gebouw tegenover de aanlegsteiger - ✆ 22470 316 66 - www.patmos-island.com.

VERVOER

Autoverhuur – In Skala, in de buurt van de aanlegsteiger. Reserveer in het hoogseizoen vooraf een auto. Er is slechts één **benzinestation**, aan de rand van Skala (richting Lampi).

Per bus – **Busstation van Skala** - tegenover de aanlegsteiger - een kaartje kost € 1,50. Verbindingen met Chora *(7-11/dag)*, Grikos *(4-8/dag)* en Kampos *(3-4/dag)*. Er is ook een verbinding tussen Chora en Grikos *(1-6/dag)*.

Per boot – In het hoogseizoen varen er elke dag taxiboten naar de stranden die niet over land bereikbaar zijn (informeer bij de haven).

Per taxi – Begin van de aanlegsteiger - ✆ 22470 312 25. Reken op € 6 voor Chora en Grikos, op € 8 voor Lampi.

UIT ETEN

Skala

Hiliomodi – Rijd richting Chora, dan tweede straatje links - ✆ 22470 340 80 - alleen 's avonds open - ✉ - ca. € 10. Een kleine, traditionele taverne met goede reputatie, verscholen in een straatje naast een rozentuin. Proef er de cake met octopus of een van de gegrilde visgerechten.

Chora

Loza – In een steegje dat naar het plein met het stadhuis loopt - ✆ 22470 324 05 - open apr.-okt. - CC - € 15/20. Zonder twijfel het mooiste terras, met uitzicht op de noordkant van het eiland. Smakelijke, creatieve gerechten.

Rhodos★★★

(Rodos - Ρόδος)

De trotse, middeleeuwse stad Rhodos toont zich van haar beste kant aan wie de stad per boot nadert. Achter de okerkleurige vestingmuren met vele torens ligt een doolhof van geplaveide steegjes afgewisseld met bogen en smalle doorgangen. U waant zich te midden van een filmdecor, ondanks de vele toeristische winkeltjes. Oude moskeeën en Ottomaanse fonteinen zorgen voor een oosterse toets.

Excursies van een halve dag

★★★ Citadel (Collachium)

In 1306 meerden de **ridders van de Orde van Malta** aan op Rhodos en ze richtten er een hoofdkwartier op dat ze het **Collachium** noemden. Ze versterkten het eiland en maakten van de eilandengroep een doeltreffende verdedigingsketen tegen de Turken. Toch slaagde de laatste grootmeester van Rhodos, de Fransmans Villiers de L'Isle-Adam, er niet in het grote leger van Süleyman I de Grote te verslaan tijdens de vreselijke bezetting van 1522. De ridders trokken zich vervolgens terug op Malta.

★ Paleis van de Grootmeesters (Palati megalon magistron)
Kleovouplein - € 6.

Dit paleis dat de grootmeesters van de Orde van Malta bouwden, is veeleer een militaire vesting. Het gebouw werd in 1856 zwaar beschadigd ten gevolge van een aardbeving die werd gevolgd door een explosie van een kruitfabriek, maar werd door de Italianen heropgebouwd in een stijl die afweek van de oorspronkelijke Provençaalse, gotische stijl, zoals die van het pauselijke paleis in Avignon. Maar het gebouw straalt wel nog dezelfde trots uit. Het ligt om

een groot, vierkant **binnenplein★** met booggewelven, marmeren tegels en enkele Romeinse standbeelden.

Het **paleis★** bestaat binnen uit een reeks grote zalen met zuilen of spitsbogen. De zalen zijn versierd met wandtapijten en **Griekse en Romeinse mozaïeken★**. In de **ondergrondse zalen★** *(toegang op het binnenplein)* zijn er twee tentoonstellingen, een *(45 min.)* over **Rhodos in de oudheid**, de andere *(30 min.)* over **Rhodos in de middeleeuwen**.

★★ Ridderstraat (Ippoton)

In deze geplaveide straat staan de **herbergen** waarin de ridders van de Orde van Malta per nationaliteit verbleven. Het zijn sobere gebouwen met saaie muren beschermd door booggewelven. De straat vormt een mooi gotisch geheel (15de eeuw), met als pronkstuk de **Herberg van Frankrijk★**. Achter de Herberg van Italië, die tegenover het eind van de straat staat, verschijnt de **kathedraal van de H. Maria**. In dit grote gebouw met drie schepen is nu het **Byzantijns museum** met **Byzantijnse fresco's★**.

★ Ridderhospitaal, archeologisch museum
☏ 22413 652 56 - € 3.

Op de benedenverdieping bevonden

Het Paleis van de Grootmeesters en de vestingmuren
Alamer/Iconotec/Photononstop

RHODOS PRAKTISCH

Dienst voor Toerisme –
Riminiplein - ℘ 22410 359 45 - mei-okt.
8.00-16.00 u (kan variëren).

VERVOER

Van de haven naar de stad
Het centrum van de stad ligt op enkele
minuten wandelen van de haven.

Per auto
Autoverhuur – In de straten 28is
Oktovriou en Dragoumi.

Per bus
Twee busstations tegenover de nieuwe
markt. Dienstregeling op weekdagen is
aangegeven, in het weekend rijden er
slechts 50-80% van de bussen.
Naar de westkust – ℘ 22410 263 00.
Verbindingen met Kallithea en Faliraki
(dag. - 30 min. - € 2,20).

Per taxi
Centraal station – Riminiplein -
℘ 22410 698 00 - www.rhodes-taxi.gr.
Faliraki ca. € 17; **Lindos** ca. € 55.

UIT ETEN

Barka – Sofokléous 5 - ℘ 22410 756 88 -
cc̄ - ca. € 20. Gezellige *ouzerie* weg van
de toeristische drukte.
Nektar & Ambrosia – Sofokléous 9 -
℘ 22410 303 63 - open apr.-nov. -
cc̄ - € 20/25. Gezellig restaurantje met
mooie, open keuken.

WINKELEN

Op Rhodos vindt u kwaliteitsvol handwerk. Koop het met een gerust hart,
vooral in de oude stad (Sokratous en
Ipokratous). Oosterse tapijten vindt u in
Afandou, borduurwerk in Lindos, felgekleurde lederen laarzen in Arhangelos.

zich de winkels, op de eerste verdieping, te bereiken via de **grote trap**, was het ziekenhuis gevestigd. U komt eerst in de **ziekenzaal★** *(zaal I)*, een grote zaal met twee beuken waarin een honderdtal bedden stonden. Ertegenover bevindt zich een kleine **kapel** en tegen de muren staan de grafstenen van de ridders.

Argirokastrouplein (Αργυροκάστρο)
Neem een kijkje in het **Museum voor decoratieve kunst** *(dag. behalve ma. - € 2)*, waar allerlei voorwerpen worden tentoongesteld in verband met de activiteiten op de eilandengroep onder de Turkse heerschappij. Bekijk ook de **Galerie voor moderne Griekse kunst** *(℘ 22410 437 80/82 - www.mgamuseum.gr - € 3)* en aan de linkerkant, in het **Arsenaal**, het eerste ziekenhuis van Rhodos.

★★ Wandeling langs de wallen
1,5 uur. Vertrek langs de trap links van het plein tegenover het paleis - € 6.
Tijdens deze wandeling zie je de hele middeleeuwse stad. De wallen zijn ongeveer 4 kilometer lang. De **buitenste wallen** werden begin 14de eeuw gebouwd ter vervanging van de Byzantijnse muren. Tot de 16de eeuw werden de wallen vele malen versterkt en ze zijn nu tot 12 meter dik.

★ Akropolis
Rond de Monte Smith, minder dan 2 km ten westen van de oude stad Rhodos. 30 min. te voet of bus 5 vanaf de haven van Mandraki. Gratis toegang.
Het oude Rhodos werd in 408 v. Chr. in dambordpatroon aangelegd. De stad strekte zich van de noordelijke

punt van het eiland uit tot de huidige citadel en tot de Monte Smith waar de akropolis staat. U kunt er nog de zuilen van de tempel voor Apollo zien, maar de interessantste overblijfselen zijn die van het **stadion** en het **gymnasium**, naast het theater dat door de Italianen volledig werd heropgebouwd. U geniet er ook van een prachtig **uitzicht★★** op de versterkte stad en de zee tot de Turkse kust.

De oostkust tot Lindos
Als u Rhodos zuidwaarts verlaat, komt u langs de **kerkhoven** met oude graven waarvan er enkele nog uit de Griekse periode dateren. Tot Lindos strekt zich een lange kustvlakte vol olijfbomen uit en de weg loopt langs drukbezochte stranden en toeristische dorpen.
Kallithea★ *(10 km van Rhodos - 20 min. met de bus vanaf het plein Nea Agora, halte Kallithea Thermi)* is een voormalig kuuroord, dat in 1929 door de Italianen werd gesticht. De gehavende gebouwen in oosterse stijl geven het dorp een ouderwetse charme. Vlakbij zijn er een mooi zandstrand *(rechts)* en **rotsachtige kreken★** met rustig, helder water. Vervolgens komt u in **Faliraki**,de grootste badplaats van het eiland (mooi zandstrand, maar erg druk) en het dorp **Afandou**, dat bekend is om zijn traditionele tapijten *(aan de rand van het dorp kunt u een tapijtfabriek bezichtigen)*. Een beetje verderop ligt het prachtige **strand van Tsambika**, dat met zijn fijn zand in de zomer (te) veel bezoekers lokt. Het klooster dat boven het strand uittorent, biedt u een mooi **uitzicht★★** op de kust. Houd even halt in **Stegna**, een dorpje dat aan de zee ligt en waar een strand, een haventje en

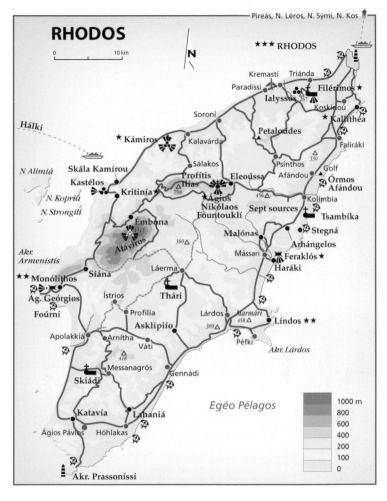

RHODOS

Pireás, N. Léros, N. Sými, N. Kos

0   10 km   N

★★★ RHODOS

Kremastí   Triánda

Paradíssi   **Filérimos ★**

Ialyssós   267

Koskinoú

Soroní   ★ **Kallithéa**

Hálki

★ **Kámiros**   Kalavárda   **Petaloúdes**

Faliráki

330

N. Alimiá   **Skála Kamírou**   Sálakos   Psínthos

Golf

Kastélos   **Profítis**   **Eleoússa**   Afándou   **Órmos**

N. Kopriá   **Kritinía** ★   Ílias 798   **Afándou**

N. Strongilí   **Ágios**   456   Kolímbia

Nikólaos   **Sept sources**

Fountouklí   **Tsambíka**

Émbona   **Malónas**   **Stegná**

Akr.   1115   360   Mássari   **Arhángelos**

Armenistís   **Atáviros**   **Feraklós ★**

Siána   **Láerma**   **Haráki**

★★ **Monólithos**

Ag. Geórgios   Ístrios   **Thári**

Foúrni   Profília   Lárdos   Marmári 458

Apolakkiá   **Asklipiío**   309   **Líndos ★★**

Arnítha   Váti   Péfki

418   Akr. Lárdos

Messanagrós   Gennádi

Skiádi

Egéo Pélagos

Katavía   **Lahaniá**

Ágios Pávlos   Hóhlakas

Akr. Prassoníssi

1000 m
800
600
400
200
100
0

233

---

grillige rotsen elkaar afwisselen. In het
levendige dorp **Arhangelos** *(27,5 km
van Lindos)* is ook nog een indrukwekkend middeleeuws kasteel te zien en de
stranden rond dit dorp zijn uitstekend

geschikt om te zwemmen. Net voor
Lindos ligt de vissershaven en badplaats
Haraki waar de ridders van de Orde
van Malta het indrukwekkende **kasteel
van Feraklos★** bouwden.

De westelijke voorhof in Knossos, heropgebouwd door sir Arthur Evans

KRETA

Kreta is het grootste eiland van Griekenland, het op vier na grootste in het Middellandse Zeegebied en het meest zuidelijk gelegen gebied van Europa. Het eiland werd in 1913 bij Griekenland ingelijfd. Terwijl u het spectaculaire landschap van het eiland verkent in het spoor van de Minoïsche beschaving (2700-1200 v. Chr.), maakt u kennis met koning Minos, de Minotaurus, Theseus en Phaedra, de schatten uit de renaissance die de Venetianen achterlieten, en de Byzantijnse meesterwerken die de Turken meebrachten. En natuurlijk mag u de stranden en kreken niet overslaan.

Officiële naam: Kriti, regio Kreta
Hoofdstad: Iraklion
Officiële taal: Nieuwgrieks
Oppervlakte: 8335 km^2
Inwoners: 621.340
Munteenheid: euro
Telefoneren naar Kreta: Kies 00 + 30 + het nummer van de correspondent zonder de eerste 0.
Tijdsverschil: Kreta is 1 uur voor op België en Nederland. Als het in Iraklion 10.00 u is, is het in Amsterdam 9.00 u.
Klimaat: Het hele jaar door heersen zachte temperaturen, in de zomer kan het warm en zelfs heel heet zijn. Als u niet van de hitte houdt, kunt u Kreta beter mijden van half juli tot eind augustus.
Winkelen/openingstijden: In toeristische gebieden zijn winkels doorgaans gesloten van 14.30 tot 17.30 u. Ze zijn vaak tot middernacht of nog later open.
Drinkwater: Leidingwater is in principe overal drinkbaar, maar het smaakt niet overal even lekker. U kunt ook drinken aan de openbare drinkfonteinen. Hier komen de inwoners van Kreta hun voorraad drinkwater inslaan.
Stranden: U vindt de stranden die het label 'De blauwe vlag' kregen toegekend, op www.blueflag.org.

Enkele Griekse woorden...

Ja **Nai** / Nee **Ochi** / Goedendag **Kalimera** / Goedenavond **Kalispera** / Hallo **Yamass** / Tot ziens **Antio** of **Geia sas** / Alstublieft **Parakalo** / Dank u wel **Efkaristo** / Excuseer **Signomi** / Meneer **Kirios** / Mevrouw **Laidy** / Oké **Entáxei** / Waar **Poú** / Waar is...? **Pou inai...?** / Spreekt u Engels? **Milate angliká?** / Ik begrijp het niet **Den katalavéno** / Hoeveel kost het? **Posso kani?** / Hoe lang? **Pósi óra /** Haven **Limani /** Boot **Karavi** / Zee **Thalassa /** Strand **paralia /** Eiland **Issi /** Restaurant **Estiatorio**

Iraklion★

Iraklion bezit de belangrijkste toegangshaven tot Kreta. Het is een moderne, jonge en bedrijvige stad waar toerisme geen hoofdrol speelt. De hoofdstad van Kreta is wel de uitvalsbasis voor twee grote archeologische vindplaatsen in de geschiedenis van het Middellandse Zeegebied, namelijk Knossos, een van de machtigste Minoïsche steden, en Phaestos, de stad die uit dezelfde periode dateert en nog authentieker is.

Excursies van een halve dag

Het centrum van Iraklion

Vanuit de haven bent u zo bij de ruime **Platia Eleftherias** en het **Archeologisch museum★★★** *(Archeologikó mousseio - Xanthoudidou 2 - ℘ 2810 279 000 - € 4).*

In het museum wordt een groot deel van de voorwerpen tentoongesteld die opgegraven werden in Knossos en andere Minoïsche vindplaatsen. U ziet er ook reproducties van **fresco's★★** van Knossos, zogenoemde **vazen★** van Kamares (1800-1700 v. Chr.), en de **Schijf van Phaistos★★**, waarvan het mysterieuze opschrift nog altijd niet is ontcijferd.

Ten noorden van de Platia Eleftheriou Venizelou

De straat Dikeosinis loopt naar de **Platia Eleftheriou Venizelou**, het plein dat vanaf de Venetiaanse overheersing het centrum van de stad vormde. Ze doet in bescheiden mate denken aan het San Marcoplein in Venetië. Vlak bij het plein, in de richting van de haven, staat de **Loggia**, een gebouw in de vorm van een basiliek, dat in 1628 in gebruik werd genomen. Nu doet het gebouw dienst als **stadhuis**, maar ooit was het de handelsbeurs. Erachter

verheft zich de kerk **Agios Titos**, een Venetiaans gebouw uit de 16de eeuw met een sierlijke eenvoud. De kerk werd na de aardbeving van 1856 heropgebouwd. Ze was een moskee tot 1922 en werd pas in 1925 door de orthodoxen in gebruik genomen.

De mooie gevels van de neoklassieke gebouwen in de straat **25ste Avgoustou** zijn de enige overblijfselen van het 19de-eeuwse Iraklion.

★ Ten zuiden van de Platia Eleftheriou Venizelou

Vanaf het plein vertrekt een waaier van straten. In de straat **1866** vindt elke dag een **markt** plaats die veel toeristen lokt. De straat loopt naar de **Platia Kornarou★**, met de mooie **Bembofontein** (1588) in Venetiaanse stijl, versierd met wapenschilden en een Romeins standbeeld. Ernaast staat de voormalige **Turkse fontein** in de vorm van een kiosk. Er is een traditioneel cafeetje in ondergebracht.

Agios Minas en Agia Ekaterini

De indrukwekkende kathedraal **Agios Minas**, gewijd aan de heilige Menas, patroonheilige van Iraklion, werd eind 19de eeuw gebouwd. De buitengevel werd rijkelijk versierd met pijlers en zuilen, een overblijfsel van de opleving van de orthodoxie in een periode waarin

De haven van Iraklion en het Fort Koules
imagebroker/hemis.fr

IRAKLION PRAKTISCH

Dienst voor Toerisme – Tegenover het Archeologisch museum - ✆ 2810 46 100 - dag. behalve zo. 9.00-15.00 u (uren variëren afhankelijk van het seizoen).

VERVOER

Per bus
KTEL – ✆ 2810 221 765 - www.bus-service-crete-ktel.com. Dagelijks talrijke verbindingen in alle richtingen. Maar opgelet, op zondag rijden er weinig bussen en de dienstregeling verandert vaak. Raadpleeg de website of vraag bij de toeristische dienst of de busstations een brochure. Ga uit van een snelheid van ca. 35 km/h.

Busstation B – 50 meter van de Chaniapoort, in het westen van de stad - ✆ 2810 255 965. Verbindingen met de grootste steden in het zuiden van het eiland: 10/dag; naar Phaestos (1,5 uur): 10/dag.

Per auto
Autoverhuur – In de stad zijn er vooral autoverhuurkantoren te vinden in 25is Avgoustou, die naar de haven loopt. Plaatselijke agentschappen verhuren doorgaans auto's in goede staat voor een betere prijs dan de grote agentschappen.

Per taxi
In de stad hebt u geen taxi nodig, wel als u Iraklion wilt verlaten.
Standplaats – Vlak bij busstation A (Pl. Koundourioti, in het noordoosten van de stad, 300 meter van de veerboten) - ✆ 2810 210 124 of 2810 210 168. Knossos: € 13-15.

Per boot

De reisagentschappen in 25is Avgoustou bieden verschillende boottochten aan, van één of meer dagen, naar de omliggende eilanden.

Van Iraklion naar Knossos

Per auto – Verlaat Iraklion via de straat Dimokratias ten zuiden van de Pl. Eleftherias. Volg daarna de wegwijzers. Aan de linkerkant van de weg die naar de vindplaats loopt, zijn er veel gratis **parkings**.

Tip – Laat u niet misleiden door de op het eerste gezicht officiële ronselaars met pet die u bevelen op een betaalparking te parkeren. Een beetje verderop vindt u vast een gratis plekje.

Per bus – Neem in Iraklion de blauwe bus nr. 2 (om de 10 min., van 6.00 tot 23.00 u). Vertrek op de Pl. Eleftheriou Venizelou voor Hotel Capsis of aan het busstation bij de haven.

EEN GLAASJE DRINKEN

Iraklion

Café Korais – Korais 3 - ☎ 2810 346 336. Een van de meest trendy cafés van Iraklion, in een van de drukste straten van de stad. Oranje gordijnen en fauteuils. Groot terras.

UIT ETEN

Iraklion

Wie zin heeft in *gyros* en *pitas* kan terecht in de buurt van de Platia Eleftheriou Venizelou en de Platia Daskalogiani. Reken op € 3/4 voor een vullende portie.

Petros – In het straatje van de vismarkt, boven aan de straat 1866 - ⌖ - dag. behalve zo. 24/24 u - € 18/20. Een van de meest authentieke plaatsen in Iraklion. Proef er zeker de verse vis, de eige-

naar is zelf vishandelaar. Eenvoudige inrichting, tafeltjes buiten op straat en ontspannen sfeer.

Prazines – Pediados 20 - ☎ 2810 330 505 - ⌖ - ca. € 20. Ouzerie een beetje afgelegen van de toeristische stroom, in een wijk waar nog een dorpse sfeer heerst. Twee zalen, de meest frisse bevindt zich op de benedenverdieping.

Kypos Ton Yevsteon – Chrisostomou 8 - ⌖ - € 25/30. Dit restaurant heeft zijn naam, die 'tuin der smaken' betekent, niet gestolen: rustgevende, landelijke inrichting, licht verteerbare gerechten met de beste kruiden en olijfolie van het eiland.

Knossos

Vermijd de overvolle eethuizen bij de vindplaats. Ga liever naar Archanes.

Taverne Spitiko – In het centrum van Archanes - ☎ 2810 751 591 - ⌖ -dag. behalve ma. - ca. € 15. Geniet van lamsvlees in de oven, gebraden geit, konijn en een dertigtal *mezze* in de eetzaal of op het terras, met uitzicht op een mooi plein met bomen. 's Middags vaak vol.

WINKELEN

Iraklion

Cava Nectar – Papandreou 19 - ☎ 2810 212 464. Uitstekend aanbod aan Kretenzische en Griekse wijnen. U vindt er ook raki, ouzo en andere likeuren.

Knossos

Cave Boutari – In Skalani, ca. 7 km ten zuidoosten van Knossos - ☎ 2810 731 617 - www.boutari.gr - in het hoogseizoen: 10.00-19.00 u; buiten het seizoen: na afspraak - € 6 (met rondleiding en degustatie van drie wijnen). Bezoek aan de wijnkelder, wijnproeverij, ook Kretenzische gerechten.

het eiland nog onder de Ottomaanse heerschappij zat. Binnen zijn er veel 19de-eeuwse iconen te zien.

Het eenvoudige kerkje **Agia Ekaterini** *(Sint-Catharina)* werd in 1555 door de Venetianen gebouwd en in de 17de eeuw door de Ottomanen omgevormd tot moskee. Er is nu een **Museum voor religieuze kunst**★★ in gevestigd.

De Venetiaanse haven

★ In de buurt van de haven
Net ten westen van de **moderne haven** ligt de Venetiaanse haven met de vele kleine vissersbootjes.

Bij de haven ziet u de drie hoge bogen van de **marinewerven**★, waar de Venetiaanse galeien en oorlogsschepen lagen. Aan het eind van de pier doemt het trotse silhouet van het **Fort Koules**★ *(Kastro Koules)* op, de voormalige Venetiaanse 'Rocca al Mare', dat met zijn witte stenen afsteekt tegen de zee *(☎ 2810 288 484 - bezichtiging: 30 min. - € 2).* Dit mooie bouwwerk was het belangrijkste

Kruik in het Archeologisch museum in Iraklion

D. Thierry/Photononstop

deel van de versterkingen van de stad. Het werd tussen 1523 en 1540 door de Venetianen gebouwd om de stad te beschermen tegen Süleyman I de Grote. Aan de overkant van de ankerplaats stond nog een fort, waarvan niets is overgebleven. Vanaf het fort loopt een **wandelweg** langs de kust westwaarts.

Historisch museum van Kreta
Kalokairinou 7 - ☎ 2810 283 219 - www.historical-museum.gr - € 5.
Dit museum geeft een goed beeld van de cultuur en de geschiedenis van het eiland. Oude fresco's, Byzantijnse iconen, historische relikwieën, traditionele klederdrachten en typisch handwerk van Kreta worden in 19 zalen in chronologische volgorde tentoongesteld. De **zaal El Greco** op de eerste verdieping is gewijd aan het leven van de schilder (in 1541 geboren in Kandia). U ziet er *Doop van Christus,* een van de weinige werken van de schilder die bewaard bleven op Kreta. In een andere zaal ziet u mozaïeken en Byzantijnse schilderijen.

Vestingmuren
De Venetiaanse vestingmuren van Iraklion met bastions zijn redelijk goed bewaard gebleven. U kunt een wandeling over de vestingmuren maken vanaf het **bastion Sint-Andreas**, helemaal in het westen, tegenover de zee. Onderweg geniet u van mooie uitzichten en u loopt over de poorten van de stad tot het **bastion Martinengo**.

★★ Knossos
Trek 2 uur uit. ☎ 2810 231 940 - € 6.
De heuvel waar Knossos lag, was al in het neolithicum bewoond. Er werd voor het eerst een paleis opgetrokken omstreeks 2000 v. Chr. Dat werd omstreeks

239

1700 v. Chr. vernield. Er werd een nieuw paleis gebouwd, waarrond een stad met 50.000 inwoners werd opgetrokken. Wat u nu ziet, zijn de overblijfselen van die stad, een wirwar van oorspronkelijk wel 1300 gebouwen! Knossos speelde een belangrijke politieke rol tot het einde van de 3de eeuw v. Chr., toen Gortys die rol overnam.

Neem de **westelijke ingang** die toegang biedt tot de **processiegang**. Een van de zuilen van deze zuilengang werd gereconstrueerd en de resten van de **fresco's** die ooit de muren versierden, zijn te zien in het museum van Iraklion. Vervolgens ziet u het **zuidelijke paleis** (op de bovenverdieping werden enkele zalen gerestaureerd en er werden kopieën van fresco's aangebracht op de muren) en de **centrale binnenplaats**, een groot, zanderig plein (60 bij 29 m), badend in de hete zon. Hier stonden de belangrijkste gebouwen: heiligdommen, koninklijke vertrekken... Hier vonden ook de rituele **stierenspelen**

plaats waarbij lenige acrobaten halsbrekende oefeningen deden op een stier. Loop voort langs de **vereringsplaatsen**, de religieuze zalen, de 'crypten met zuilen', de **schatkamer** (klein heiligdom waar men vele voorwerpen vond, zoals de **Slangengodinnen** die nu te zien zijn in het museum van Iraklion), het **heiligdom** en de **troonzaal**.

Aan de oostkant van de binnenplaats liggen de gedeeltelijk toegankelijke **koninklijke vertrekken★★★**. Ze zijn met elkaar verbonden via een wirwar van gangen en liggen verspreid over vier verdiepingen. De **zaal van de koningin** wordt verlicht door een lichtschacht en u ziet er het **fresco van de dolfijnen** *(een kopie, het origineel bevindt zich in het Archeologisch Museum van Iraklion)*. Een beetje verderop rechts ligt de **zaal van de koning★** met een houten troon *(kopie)*. Een opengewerkte wand scheidt deze zaal van de **zaal van de bijlen★**, waar de wacht verbleef. Van de koninklijke vertrekken loopt u via een overdekte zuilengang naar de **bijgebouwen** met de **handwerksateliers** van steenhouwers, goudsmeden en pottenbakkers (overblijfselen van ovens), en enkele opslagplaatsen, zoals de **opslagplaats van de pithoi**, enorme **kruiken★**.

Op de binnenplaats loopt rechts een smalle doorgang langs een gang waar een **fresco met reliëf** te zien is van een stier. Vervolgens komt u bij de zaal **Douane**, herkenbaar aan de grote, vierkante basissen van de zuilen die de banketzaal op de verdieping erboven ondersteunden. Vlakbij bevond zich de noordelijke ingang van het paleis. Links kunt u in een klein **reinigingsbad★** afdalen.

A. Cavalli/Tips/Photononstop

Detail van het fresco van drie godinnen (Knossos)

DE MINOÏSCHE BESCHAVING

Met deze term verwijst men naar de beschaving die zich van 2700 tot 1200 v. Chr. ontwikkelde op het eiland Kreta en zich onderscheidde van die op het vasteland. Deze beschaving kende een buitengewone culturele en artistieke activiteit, met een schrift, een sterke politieke-religieuze organisatie en handel met buurlanden. Men weet veel over de protopalatiale periode (2000-1600 v. Chr.) dankzij de opgravingen in **Knossos**, **Phaestos** en **Malia**. De sociale organisatie concentreerde zich rond paleizen, die een soort ommuurde stad waren waar het politieke, religieuze, commerciële en ambachtelijke leven zich vooral afspeelde. De administratie werd vereenvoudigd dankzij een primitief schrift dat bestond uit ideogrammen die lijken op hiërogliefen.

De **koninklijke weg**, een mooie, 4 meter brede laan, leidde wellicht naar Katsambas en Amnissos, de twee havens van Knossos ten oosten van Iraklion. Rechts van de weg zijn goedbewaarde tribunebanken te zien. Ze behoorden mogelijk tot het **theater**, waarover Homerus schreef en waar men rituele dansen uitvoerde. Ten slotte komt u bij de uitgang.

★★★ Phaestos (Festos)
Voorzien 1 uur, ideaal 's ochtends of 's avonds - ☏ 2892 041 315 - € 4.
Deze streek was al in het neolithicum bewoond. Het eerste paleis werd omstreeks 1900 v. Chr. gebouwd, volgens de legende door **Rhadamanthys**, de tweede zoon van Zeus en Europa, en broer van Minos. Het paleis werd omstreeks 1700 v. Chr. vernield door een aardbeving. Er werd een tweede, groter en luxeuzer paleis gebouwd, waarvan de overblijfselen nu nog te zien zijn. Dankzij de havens van Matala en Kommos kende de stad eeuwen lang welvaart, tot Gortys vanaf 200 v. Chr. de belangrijkste stad werd.
Vanaf het wachthuisje bij de ingang loopt een schaduwrijke laan naar de hooggelegen **binnenplaats**, vanwaar u geniet van een prachtig **uitzicht★★** op de vindplaats en het schitterende landschap eromheen.
Via de eerste trap rechts daalt u af naar de **westelijke binnenplaats**, een groot, bestraat plein dat diagonaal werd doorkruist door de smalle processiegang. Aan de noordkant zijn acht tribunebanken van het **theater** te zien. Rechts van het theater vormen vier aangrenzende ruimten een klein **heiligdom** dat bij het voormalige paleis hoorde en waar zich offertafels, kruiken en religieuze voorwerpen bevonden.
Een **monumentale trap** leidt naar de **grote propyleeën**, het voorhof van het nieuwe paleis. Loop door de **feestzaal**, de **zuilenzaal** en de **koninklijke vertrekken**.
Vervolgens komt u bij de **noordelijke binnenplaats**, waar twee gangen beginnen, één naar de **oostelijke binnenplaats**, met in het midden een pottenbakkersoven, de tweede naar de grote **centrale binnenplaats**, waarvan de bestrating bewaard bleef. Hier vonden officiële ceremonies, offers en stierenspelen plaats.

In de Grote Bazaar van Istanbul

TURKIJE

Turkije ligt op de grens tussen Europa en West-Azië en is daardoor een smeltkroes van beschavingen en levenswijzen, waarvan Istanbul het uitstalraam is. Het land grenst aan niet minder dan vier zeeën. De Egeïsche Zee likt aan de grillige westkust, terwijl de Middellandse Zee met haar turkooizen water tegen de bergachtige zuidkust spoelt. Deze kust met goudgele stranden is als het ware een openluchtmuseum met ontelbare overblijfselen van enkele van de geweldigste beschavingen die de wereld ooit kende.

Officiële naam: Republiek Turkije
Plaatselijke naam: Türkiye
Hoofdstad: Ankara
Officiële taal: Turks
Oppervlakte: 780.000 km^2
Inwoners: 72,7 miljoen
Munteenheid: Turkse Lira
(€ 1 = 2,34 TL)
Telefoneren naar Turkije: Kies 00 + 90 (kengetal voor Turkije) + kengetal voor de streek + nummer van de correspondent.
Tijdsverschil: Turkije is 1 uur voor op België en Nederland. Als het in Ankara 10.00 u is, is het in Amsterdam 9.00 u.
Klimaat: Warme zomers en zachte winters met nogal wat neerslag.

Winkelen/openingstijden: De winkels zijn doorgaans dagelijks (behalve op zondag) open van 9.30 tot 19.00 u. Veel winkels gaan echter vroeger open en in toeristische gebieden zijn ze vaak tot 's avonds laat open. Bezienswaardigheden en archeologische vindplaatsen zijn dagelijks open, meestal van 8.00 tot 18.00 of 19.00 u.
Afdingen: Behalve in winkels waar de prijzen zijn aangegeven, is afdingen aanbevolen.
Drinkwater: Drink alleen flessenwater en vermijd ijsblokjes.
Dolmuş: Deze collectieve taxi's rijden aan goedkope tarieven en zijn authentieker.

Enkele Turkse woorden...

Ja **Evet** / Nee **Hayır** of **Yok** / Goedendag **Iyi günler, Merhaba** / Goedendag ('s ochtends) **Günaydın** / Goedenavond **Iyi akşamlar** / Hallo **Merhaba** / Tot ziens (wie weggaat) **Allahaısmarladık** / Tot ziens (wie achterblijft) **Güle Güle** / Alstublieft **Lütfen** / Dank u wel **Teşekkür ederim**, **Teşekkürler** of **Mersi** of **Sağol** / Excuseer **Affedersiniz** / Oké **Tamam** / Eten **Yemek** / Drinken **Içmek** / Toiletten **Tuvalet** / Restaurant **Lokanta** / Haven **Liman** / Spreekt u Frans? **Fransızca Biliyormusunuz?** / Ik spreek geen Turks **Türkçe bilmiyorum**

Istanbul★★★

Byzantium, Constantinopel, Istanbul... In deze achtereenvolgens Romeinse, Byzantijnse, christelijke, islamitische en seculiere stad bleef veel uit haar rijke verleden bewaard. Architectuurliefhebbers kunnen hier enkele van de belangrijkste bouwwerken uit de geschiedenis van Turkije bewonderen en wie niet zo van oude stenen houdt, kan zich hier op duizenden andere manieren vermaken: door te flaneren in de steegjes, te genieten van gegrilde vis aan de haven of door een boottocht te maken op de Bosporus.

Excursies van een halve dag

De **Europese oever** van de zeestraat Bosporus wordt verdeeld door de Gouden Hoorn (Haliç), een 7 km lange natuurlijke haven. De wijk **Eminönü** ligt aan de monding. De historische wijk, in het zuiden, staat op zeven heuvels. In **Sultanahmet** staan de meest prestigieuze Byzantijnse en Ottomaanse bezienswaardigheden van Istanbul. **Beyazıt** omvat de Grote Bazaar en de moskee van Süleyman. Meer naar het noorden ligt de wijk **Fatih**, waar de religieuze sfeer van Anatolië heerst. En **Fener**, de vroegere Griekse wijk, ligt aan de Gouden Hoorn. Rond het westen van de stad staat de **muur van Theodosius** (5de eeuw). In het noorden, achter de muur, ligt het vredige **Eyüp** met op de achtergrond de Gouden Hoorn. Aan de overkant van de Bosporus, op de **Aziatische oever**, liggen de levendige wijken **Üsküdar** en **Kadıköy**.

★★★ Sultanahmet

★★★ Hagia Sophia
(Aya Sofya Camii) E3
Bezichtiging: 2 uur - 10 TL.
De Hagia Sophia, een architecturaal hoogstandje dat duizend jaar lang ongeëvenaard bleef, diende als voorbeeld voor de grootste bouwmeesters van het Rijk. De buitenkant maakt nog altijd indruk door de grote afmetingen, hoewel er veel goud verloren is gegaan en dikke steunberen het gebouw beschermen tegen aardbevingen.

Deze eerste basiliek werd in de 4de eeuw gebouwd door keizer Constantijn en in de 6de eeuw heropgebouwd door **Justinianus**. Om de Bijbelse tempel van Salomo te overtreffen schakelde hij twee van de grootste architecten van het Byzantijnse Rijk in, **Anthemius van Tralles** en **Isidorus van Milete**. Na de verovering van Constantinopel door de Ottomanen, op 29 mei 1453, liet sultan **Mehmet II** de basiliek omvormen tot moskee. Er werden vier minaretten gebouwd en op de zuilen werden grote, groene schilden aangebracht met daarop de namen van Allah, Mohammed en de vier kaliefen. Pas in de 19de eeuw begon de architect **Gaspare Fossati** (1809-1883) met de renovatie van het gebouw en in 1935 maakte Atatürk er een museum van.

★★ 'Verzonken paleis'
(Yerebatan Sarayı) DE3
Aan de Yerebatan Cad - 10 TL.
Deze buitengewone **Byzantijnse cisterne** omvat 336 zuilen van 8 meter

De Hagia Sophia
Alvaro Leiva/age fotostock

ISTANBUL PRAKTISCH

Diensten voor Toerisme
- **In Sultanahmet**: kiosk tussen de Hagia Sophia en de Blauwe Moskee.
- **In Beyazıt**: Ordu Cad (kiosk vlak bij het Kalligrafiemuseum).

VERVOER

Van de haven naar de stad
De haven ligt in Karaköy, waar de Bosporus en de Gouden Hoorn samen-komen. De oude stad ligt op enkele mi-nuten wandelen nadat u de Galatabrug hebt overgestoken.

Met het openbaar vervoer
Met het magneetkaartje *akbil* kunt u de stad doorkruisen met de rode en groene bussen, per boot, per kabelbaan, per tram en per metro. Het kaartje wordt verkocht in de kiosken *'Akbil Satış'*, vooral in Eminönü en Taksim te vinden.

Per bus – De stadsbussen zijn rood of groen. U kunt een kaartje kopen bij de halten en bij de kiosken IETT. U moet een kaartje of een *akbil* hebben voor u opstapt en u moet het op de bus ontwaarden. Op de blauwe bussen, die door een privémaatschappij worden beheerd, aanvaardt men geen *akbil*. U betaalt aan de chauffeur of aan de persoon links als u opstapt.

Per dolmuş – De gele, collectieve taxi's, *dolmuş* genaamd, zijn al net zo goedkoop als de bus. Ze volgen vaste routes. De prijzen liggen vast en worden bij vertrek betaald.

Per taxi – Taxi's zijn niet duur en zijn daarom een handig vervoermiddel binnen de stad. De taxi's zijn uitgerust met een taximeter (u betaalt altijd een eerste aanslag).

Per tram – De historische tram verbindt Taksim met de kabelbaan van Tünel, die naar Karaköy gaat. Er vertrekt ongeveer elke 5 minuten een tram. De moderne tram rijdt van Kabataş naar Zeytinburnu via Beyazıt.

Per metro – Er zijn twee metrolijnen: Taksim-Levent 4 en Hafif Metro, die naar de luchthaven Atatürk rijdt.

Per veerboot – De 'vapur' verbindt de twee oevers van de Bosporus en vaart op de Gouden Hoorn. *www.tdi.com.tr*

Boottochten – Vertrek in Eminönü **Stadsboot**: aanlegsteiger *(iskele)* Evliya Çelebi (bordje 'Boğaz Hattı'), de dichtste bij de Galatabrug. **Uzun Boğaz Turu** (lange rondvaart): vertrekt dagelijks om 10.30 en 13.30 u, in de zomer extra vertrek om 15.00 u - duur: 5 uur - 25 TL. **Kisa Boğaz Turu** (korte rondvaart): vertrekt in de zomer om 14.30 u - duur: 2 uur - 15 TL.

Per toeristenbus – Twee maatschappijen bieden een rondrit van 2,5 uur aan (kaartjes en vertrek op het plein voor de Hagia Sophia, 5-maal/dag, € 15; kinderen jonger dan 12 jaar: € 8).

EEN GLAASJE DRINKEN

Pera Palas – Meşrutiyet Sok. 98. Ga zeker iets drinken in dit historische hotel. Buitengewone inrichting in de stijl van eind 19de eeuw.

UIT ETEN

Pandeli – Mısır Çarşısı 1, in de Egyptische Bazaar (Mısır Çarşısı) aan de noordingang - ☏ (212) 527 39 09 - gesl. 's avonds en zo. Prachtig aardewerk. Uitstekende Turkse gerechten en heerlijke zeevruchten.

Konyalı – In het Topkapıpaleis - ☏ (212) 513 96 96. Vanaf het terras geniet u van een paradijselijk uitzicht

op de Zee van Marmara. Men serveert hier onder andere Turkse specialiteiten. Duur en natuurlijk erg toeristisch, maar wel heel lekker.

WINKELEN

Antiek/handwerk

Midden in de **Grote Bazaar**, in de İçbedesten, worden Ottomaanse voorwerpen voor veel geld verkocht. Snuister ook eens rond op de vlooienmarkt van **Horhor** (Bit Pazarı, dag. 8.00-18.00 u), in Şehzadebaşı, 200 meter ten westen van het aquaduct van Valens, waar 180 winkeltjes zijn. De markt van **Üsküdar**, in de Hakimiyeti Miliye Cad. aan de Aziatische kant, is ook een omweg waard.

Handwerk van Centraal-Azië is erg in de mode in Turkije. **Kuyumcular en Türmen Gümuş** in Terlikçiler Sokağı (op nrs. 57 en 37) bieden oude houten en lederen Turkmeense voorwerpen en juwelen aan. Ook in **Nasip** – Yorgancilar Cad. 20.

Muziek

Muziekwinkels zijn er vooral in de Galip Dede Cad. in Tünel. U vindt er traditionele instrumenten *(saz, ney, ud,* Turkse klarinetten*)* voor zachte prijzen.

Tapijten

De tapijtwinkels in de Grote Bazaar liggen vooral rond de İçbedesten. Vele hebben een goede reputatie en er worden heel mooie tapijten verkocht maar ze zijn wel duur.

Egyptische bazaar

Hier verkoopt men allerlei specerijen, Turks fruit, amandelspijs, gedroogd fruit, noten, thee, olie, kruiden enzovoort.

hoog. Het paleis werd in de 6de eeuw onder de heerschappij van Justinianus gebouwd en is de grootste ondergrondse cisterne van Istanbul (140 bij 70 m).

★★★ Blauwe Moskee (Sultan Ahmet Camii) DE4

Gratis toegang tot de binnenplaats en buiten de gebedsuren ook tot de moskee zelf. Vrouwen die niet gepast gekleed zijn, krijgen een hoofddoek en linnen rok.
De Blauwe Moskee contrasteert met de Hagia Sophia door haar sierlijkheid en het lichte interieur. De moskee werd genoemd naar de stichter, sultan Ahmet I, en dankt haar bijnaam aan de 20.000 blauwe faiencetegels uit İznik.
De moskee werd tussen 1609 en 1616 gebouwd op de plek waar vroeger het Byzantijnse Grote Paleis stond, dat zich uitstrekte tot de Zee van Marmara. De moskee is het laatste grote keizerlijke bouwwerk in Istanbul, ontworpen door **Mehmet Ağa**, een leerling van de architect Mimar Sinan (1489-1588).

★ Museum van Turkse en islamitische kunst (Türk ve İslam Eserleri Müzesi) D3

Dag. behalve ma. 9.30-16.30 u - 10 TL.
Het museum is gevestigd in de voormalige woning van Ibrahim Pasja. Deze zoon van een Griekse slaaf werd grootvizier van sultan Süleyman I de Grote (1495-1566) en kreeg dit paleis van de sultan als dank voor zijn jarenlange trouwe dienst. In de zalen, die rond een centrale binnentuin liggen, ziet u enkele prachtige voorbeelden van de **islamitische decoratieve kunst** vanaf de 11de eeuw. Een boeiende **etnografische afdeling** geeft een beeld van de levensstijl van de verschillende Turkse stammen in de 19de eeuw.

★ Kleine Hagia Sophia (Küçük Ayasofya Camii) D4

Justinianus begon met de bouw van dit lieflijke kerkje in 527. Het was een van de belangrijkste Byzantijnse heiligdommen voor het in de 16de eeuw werd omgevormd tot moskee.

★★ Beyazıt en de Moskee van Süleyman

★ Beyazıtplein (Beyazıt Meydanı) buiten D3

Beyazıtmoskee (Beyazıt Camii) – Deze moskee, het enige overblijfsel van het oudste keizerlijke complex van Istanbul (1501-1505), is al van ver zichtbaar. Net als vele Ottomaanse gebouwen bevat ze Byzantijnse elementen.
Universiteit – Via een groot hek aan de zijkant betreedt u dit grote gebouw, ontworpen door de Fransman Bourgeois (1866). Op de campus staat een 50 meter hoge **uitkijktoren** (1828).
Kalligrafiemuseum (Türk Vakıf Hat Sanatları Müzesi) – Dit museum is gevestigd in de oude madrassa van de moskee. Er worden oude, verluchte korans tentoongesteld.
Sahaflar Çarşısı – Lieflijk **boekenmarktje** achter de moskee.

★★★ Moskee van Süleyman (Süleymaniye Camii) buiten D1

De architect Sinan schonk Süleyman met deze moskee een prachtig bouwwerk dat de glans van zijn heerschappij weerspiegelde. Het is de grootste moskee die Sinan bouwde (tussen 1550 en 1557), een groot complex dat vijf madrassa's, een keuken, een gastenverblijf, een ziekenhuis en een hamam omvatte. De **moskee★★** omvat vier minaretten en ervoor ligt een **plein** in de schaduw van een portiek. De **gebedszaal** (70 bij 60 meter) is voorzien van een 53 meter hoge en 27,50 meter brede koepel die steunt op vier zuilen.

Begraafplaats – Bezichtig achter de moskee de mooie **Türbe van Süleyman**, een achthoekig graf met koepel, versierd met faiencetegels van İznik, en het graf van zijn vrouw Roxelane.

Mimar Sinan Caddesi – In deze oude *arasta* (winkelstraat) zijn er twee identieke madrassa's met werkplaatsen en winkels. De **terrasvormige tuinen** aan de overkant *(bereikbaar via een trap)* bieden een mooi **uitzicht★** op de wijk en de Gouden Hoorn.

De bazaars (Buiten de kaart)

★★ Grote Bazaar (Kapalı Çarşı)
De Grote Bazaar is als de grot van Ali Baba waar alles schittert en kleurrijk is. Sinds de eerste overdekte markt er in hout werd opgetrokken (1461) hebben er verschillende bouwwerken gestaan. Het huidige gebouw, dat na de aardbeving van 1894 werd gebouwd, werd na een brand in 1954 gerestaureerd. De **İçbedesten** (44 bij 33 m) vormt het hart van de Grote Bazaar. Daarnaast werd de **Sandal Bedesteni** opgetrokken. De markt werd steeds verder uitgebreid tot hij 30 ha groot was. Eind 19de eeuw omvatte de markt 61 straten, 4399 winkels, 2195 werkplaatsen, 24 karavanserais, 8 fonteinen, een hamam en een moskee. De juweliers zijn vooral rond de straten **Kuyumcular** en **Kalpakçılar** (de hoofdstraat) te vinden, de antiekwinkels in de İçbedesten, vlak bij de tapijtwinkels. Lederwaren vindt u dan weer rechts van de hoofdstraat. De rijkelijk versierde **Nuruosmaniyepoort** in het zuidoosten geeft uit op

een gezellige, autovrije straat met luxeboetieks, waar ook een barokke moskee uit de 18de eeuw staat.

Karavanserais
Rond de Grote Bazaar liggen een dertigtal *han* of karavanserais, logementen waar de karavanen halt hielden. Ze werden tussen de 15de en 20ste eeuw gebouwd. Sommige worden nog voor hun oorspronkelijke doel gebruikt, in andere werden opslagplaatsen en werkplaatsen ondergebracht.

Zincirli Han – *Binnen de muren van de bazaar, in het noordoosten.* Deze perfect bewaarde *han* (eind 18de eeuw), het domein van de juweliers, is een van de mooiste karavanserais van Istanbul.

Büyük Valide Hanı★ – *Ten noorden van de Grote Bazaar.* Dit is de grootste en indrukwekkendste karavanserai (1651).

★ Egyptische Bazaar (Mısır Çarşısı)
Daal de Mahmutpaşa Yokuşu Cad. af tot de Alaca Hamam Cad; tegenover de aanlegsteiger van Eminönü.
Deze bazaar, ook specerijenmarkt genoemd, werd ondergebracht in een gebouw van 1943 en lokt veel toeristen.

Nieuwe Moskee (Yeni Camii) –
Men begon met de bouw van deze moskee vlak bij de Egyptische Bazaar in 1597 in opdracht van Safiye Sultan en hij werd in 1663 afgewerkt door Mehmet IV. In het noordoosten is de moskee verbonden met het **keizerlijke paviljoen** *(hünka kasrı)* via een gewelfd portaal, aan de westkant ligt een plein met verfijnde blauwe faiencetegels en in het midden een prachtige, achthoekige **fontein voor de rituele wassing★**.

Moskee van Rüstem Pasja (Rüstem Paşa Camii)★★ – *Bereikbaar via een trapje.* Dit meesterwerk van de

Haliç

A

Yeni Galata
Köprüsü

Eyüp

Croisière
du Bosphore

Beşiktaş

B

(Gouden Hoorn)

Üsküdar, Marmara Denizi, Îles aux Princes

C

Reşadiye   Cad.

Cad.

Embarcadères
d'Eminönü

SARAYBURNU

P

1

Meydan Sok.

Yeni
Cami

EMINÖNÜ

Kennedy   Cad.

(Florya Sahil Yolu)

Beeld van
Atatürk

1

Mısır Çarşı
(Egyptische Bazaar)

Hamidiye   Cad.

Sirkeci

Yeni Postane Cad.

Muradiye
Cad.

Istasyon Arkası Sok.

(Florya Sahil

Aşirefendi

Cad.

SİRKECİ

Nöbethane Cad.

Gülhane
parkı

Topkapı
Sarayı

Cafer Hamret Sok.

Cemal Nadir Sok.

Ebusuud

Tiya Hutun Sok.

Yolu)

2

Mahmutpaşa
Yok.

Tızk Ocağı Cad.

Cd.

HOCAPAŞA

Ankara Cad.

Çağaloğlu
Hamamı

Alemdar

Cad.

Archeologische
musea

Aya İrini
(Hagia Irene)

Bab-üs Selam
(Orta Kapı)

Kennedy

Cad.

(Florya Sahil

2

Bezciler
Sok.

Seref   Efendi   Sok.

CAĞALOĞLU

Çemberlitaş Hamamı

Mausoleum van
Mahmut II

Babı Ali

Çatal
Çeşme

Ali   Sok.

Alaykösü Cad.

Yerebatan Cad.

Ticket Office

P

Gülhane
parkı

249

Cad.

Yenicer Cad.

Çemberlitaş

Divan   Yolu   Cad.

Yerebatan
Sarayı

Soğukçeşme Sok.

P

Bab-ı
Hümayun

3

Perkhane Sok.

Binbirdirek

i

Cad.

Aya Sofya
(Hagia Sophia)

Babıhümayun Cad.

Fontein van
Ahmet III

3

Klodfarer Cad.

İşik Sok.

İmran Öktem
Cad.

SULTANAHMET

At Meydanı
(Oude hippodroom)

Haseki
Hürrem
Hamamı

Kabasakal Cad.

Museum van Turkse
en islamitische kunst

Arasta Bazar

Kutluğun Cad.

Akbıyık Cad.

4

Aydın Sok.

Sokollu
Mehmet Paşa

Nakilbent Sok.

Aksaray

Küçük Ayasofya Cad.

Sultan Ahmet
(Blauwe Moskee)

Tapijtmuseum

Mozaïek-
museum

Cankurtaran

Amira Tafdil
Sok.

Cankurtaran

(Florya Sahil Yolu)

4

Küçük
Ayasofya

(Florya Sahil Yolu)

Aksakal   Sok.

Cankurtaran

Çatladı
Kapı

Kennedy

Cad.

DENİZİ

N

ISTANBUL

0   250 m

D

E

F

Ottomaanse architectuur, dat onlangs werd gerenoveerd, werd door Sinan (1561) gebouwd voor de grootvizier en schoonzoon van Süleyman I de Grote. De weelderige **faiencetegels uit İznik★★** op de gevels en in het interieur vormen een van de mooiste composities van Istanbul.

Excursies van een dag

★★★ Topkapıpaleis (Topkapı Sarayı) EF2

10 TL; controleer op het bord of de afdelingen die u wilt bezichtigen, open zijn - kaartje voor de harem: 10 TL (verkrijgbaar op het tweede binnenplein), rondleiding: elke 20 min. in kleine groepjes.

Dit paleis is een hoogtepunt van uw bezoek aan Istanbul. Het herbergt een schat aan faiencetegels, stucwerk, houtwerk en glasramen, en bezit enkele ongelooflijk rijke kunstcollecties. Ongeveer twintig jaar na de verovering van Constantinopel in 1453 besloot

Mehmet II deze serail te bouwen waarin de sultans tot de 19de eeuw zouden verblijven. Ondanks vele latere toevoegingen en branden bleef het grondplan bijna onveranderd, maar er werden veel bijgebouwen toegevoegd. In het Topkapıpaleis zetelde ook de **Divan,** het belangrijkste machtsorgaan. Er woonden 4000-5000 mensen.

De binnenhoven

Het eerste hof – Hier waren het ministerie van Financiën en verschillende diensten van het paleis gevestigd.

Het tweede hof – Hier zetelde de Divan. In de rechtervleugel bevonden zich de **keizerlijke keukens,** die een opmerkelijke collectie **Chinees porselein★** bevatten. Boven de erg luxueuze **zaal van de Divan★** verheft zich de **Toren van Gerechtigheid.** In de **schatkamer** in de noordelijke hoek van het hof ziet u een bijzondere **collectie wapens en wapenrustingen★** van Turken, Perzen, mammelukken, Europeanen en Afrikanen, en de wapens van de sultan, versierd met edelstenen.

Het derde hof – Alleen hoogwaardigheidsbekleders hadden toegang tot dit hof met in het midden de sierlijke **bibliotheek van Ahmet III** (1718), en links, vlak bij de uitgang van de harem, de **moskee van de Ağalar,** versierd met faiencetegels uit Iznik. Bekijk zeker de **wandtapijten en keizerlijke kostuums** in de voormalige hamams *(rechtervleugel).* In dezelfde vleugel bevindt zich de **schat van Topkapı★★★** *(apart kaartje, verkrijgbaar bij de hoofdingang):* **tronen** bezet met edelstenen, diamanten, smaragden en zeldzame voorwerpen vormen een verbijsterende collectie. In het midden van de

Y. Travert/Photononstop

Faiencetegels uit Iznik in het Topkapıpaleis

noordelijke vleugel omvat de **Zaal van Perzische en Turkse miniaturen★** *(vaak gesloten)* enkele meesterwerken uit de 14de eeuw.

Het vierde hof – Dit hof met kiosken en tuinen was de recreatieruimte van de sultans. Vanaf het terras geniet u van een mooi **uitzicht★** op de Bosporus en de Gouden Hoorn.

★★ De harem

Van de grote doolhof met 300 kamers zijn er slechts een dertigtal toegankelijk voor het publiek. In het kielzog van een Engelstalige gids krijgt u een boeiende rondleiding. In de donkere, vaak heel kleine kamers zonder ramen leefden ongeveer 500 mensen. De kamers liggen rond twee binnenplaatsen: een voor de eunuchen en een voor de vrouwen, waar zich ook de salon en de slaapkamer van de sultan bevonden.

★★ Boottocht op de Bosporus

★ Van Eminönü naar Anadolu Kavağı

Net voor **Beşiktaş**, de eerste Europese halte, vaart u voorbij het witmarmeren **Dolmabahçe-paleis**. Voorbij het weelderige **Çırağanpaleis★**, vaart u onder de indrukwekkende Bosporusbrug (1973), een van de grootste bruggen ter wereld! De barokke moskee van **Ortaköy** aan de voet van de brug lijkt plots heel klein.

De sierlijke, neobarokke gevel van het **Küçüksu-paleis★** van 1857 wordt weerspiegeld in het water. Iets verderop vaart u langs het **Anadolu Hisarı**, een klein fort van eind 14de eeuw. Het indrukwekkendere **Rumeli Hisarı★** is een vesting uit 1452 die werd gebouwd om de scheepvaart op de Bos-

porus te controleren. Vervolgens vaart u onder de **Fatih Sultan Mehmetbrug★**, die in 1991 door de Japanners werd gebouwd.

De eerste Aziatische halte is **Kanlıca**, een lieflijk vissersdorp met mooie, houten huizen en kleine restaurants aan het water. Vervolgens vaart de boot richting Zwarte Zee langs het beeldige **Park van Emirğana★** op de Europese oever. Het **Sakip Sabancıûseum** vlak bij het park bezit veel oude meubelen en kalligrafiewerken. De derde Europese halte is **Yeniköy★**, een pittoresk dorp te midden van de wijngaarden. Voorbij het casino van het drukbezochte **Tarabya**, dat in de zomer veel inwoners van Istanbul lokt, liggen de residenties van de ambassadeurs van Italië en Frankrijk. Na een eventuele stop in **Büyükdere** duikt het dorp **Sarıyer** op tegen de heuvels. De haven is een toeristische trekpleister geworden en een **vismarkt** en restaurants. U kunt er ook het **Sadberk Hanım Müzesi** bezoeken, gewijd aan Ottomaanse tradities en archeologie in Turkije.

Rumeli Kavağı, een Genuese vesting uit de 14de eeuw, ziet uit over een ander vissersdorp op de Europese oever. Het dorp **Anadolu Kavağı★** op de Aziatische oever bleef gevrijwaard van de bouwwoede van projectontwikkelaars. Maar het is een populaire stop tijdens een boottocht op de Bosporus, heel druk bezocht door de toeristen. Toch zijn er rond het haventje gezellige visrestaurants, en ze zijn goedkoper dan in Sarıyer. Er loopt een steegje omhoog naar het **Genuese kasteel** (1350). Vanaf de top van de heuvel geniet u van een prachtig **uitzicht★★** tot aan de monding van de Zwarte Zee.

Izmir★

De op twee na grootste stad van het land is een wijdvertakte metropool die zich de laatste decennia heel snel heeft ontwikkeld. Van de mooie stad Smyrna uit de oudheid bleven de agora en de Griekse wijk Alsancak bewaard. Maar ook de moderne stad Izmir heeft de bezoeker veel te bieden. In de volkse wijken (de bazaar en de heuvel Kadifekale) zitten namelijk ontelbare winkeltjes en kleine, kleurrijke huizen verscholen en er heerst een pittoreske sfeer.

Excursie van een halve dag

De stad

De stad omvat grofweg vijf wijken, van het noorden naar het zuiden zijn dat: Karşıyaka (aan de andere kant van de baai), Alsancak (autovrije wijk), de wijk van de bazaar, de wijk van de citadel (Kadifekale) en de moderne wijk Konak (plein met de klokkentoren).

Citadel (Kadifekale)

Neem op het plein in Kolnak een *dolmuş* (collectieve taxi) om bij het voormalige Ottomaanse fort (dat op funderingen uit de tijd van Alexander werd gebouwd) te genieten van een indrukwekkend **uitzicht** op de stad en de baai. De oude huizen staan in aaneengesloten rijen tegen de heuvel (Pagos) en lopen tot aan de voet van de halfopengewerkte muren.

Agora

5 TL.

Wat overblijft van de agora, de enige resten van de stad uit de oudheid, dateert van de heerschappij van Marcus Aurelius (161-180). De **westelijke zuilengang** *(links)* met mooie zuilen bleef bewaard, net zoals de bogen die de fundering ondersteunen. Van de basiliek is de boog boven de ingang bewaard gebleven, waarvan de centrale sluisteen versierd is met een mooi, gebeeldhouwd **hoofd★**.

★ Bazaar

Net ten noorden van het plein van Konak - dag. behalve zo.

De bazaar van Izmir is een echte wijk, een doolhof van smalle overdekte gangen en schaduwrijke steegjes.

Kızlarağası Hanı★ – *Toegankelijk via de 21 Cevahir Bedesteni of het plein voor de Hisarmoskee.* In de doolhof van winkeltjes zitten drie karavanserais verscholen, waaronder deze (18de eeuw), herkenbaar aan de prachtige muren van roze baksteen en wit marmer met sierlijke **mashrabiya's** (houten, opengewerkte schermen voor het raam). Binnen kunt u rondwandelen in heel mooie **overwelfde, bakstenen gangen** vol luxueuze winkeltjes (vooral antiek, lederwaren en edelsmeedkunst), voor u het binnenplein met een gezellig café *(l'Hisar)* betreedt. Dit is het chicste deel van de bazaar, waar meer toeristen dan Turken komen.

Ga van de Kızlarağası naar de **Hisarmoskee**. U komt langs het drukke **Hisarönüplein**, waar in het midden, rond de fontein van de moskee voor de rituele wassing *(links)*, **een bloemenmarkt** wordt gehouden.

Het plein met de klokkentoren in Konak
José Fuste Raga/age fotostock

IZMIR PRAKTISCH

Dienst voor Toerisme – Akdeniz Mah., 1344 Sok. 2 - ✆ (232) 483 51 17 - www.izmirkulturturizm.gov.tr.

VERVOER
Van de haven naar de stad – De haven ligt vlak bij het centrum. Izmir is een doolhof waarin men snel verdwaalt, neem daarom een *dolmuş* of taxi.
Dolmuş en bus – De meeste *dolmuş* en stadsbussen (vaak stampvol) vertrekken op het plein met de klokkentoren (Konak Meyd.)
Per boot – De grootste aanlegsteiger is die van **Konak** (Konak İskelesi), niet ver van het busstation, aan Atatürk Cad. Er is een veerboot (over de baai) naar de wijken Pasaport, Alsancak en Karşıyaka.
Autoverhuur – **Budget** - Ismet Kaptan Mahallesi, 22-1. Şair Eşref Bulvarı - ✆ (232) 482 05 05.

UIT ETEN
Dört Mevsim ve Lokantasi – 1369 Sok. 51/A. Hier is het altijd vol. Geniet er van plaatselijke streekgerechten, zoals *mahamara* of knapperige *döner*.
1888 – Cumhuriyet Bul. 248 - ✆ (232) 421 66 90 / 463 18 74. Dit restaurant in een smaakvol gerestaureerd, oud Grieks huis biedt de gasten specialiteiten uit het hele Middellandse Zeegebied. Een echte aanrader, alleen al voor het interieur. Reserveren aanbevolen.

WINKELEN
In de **bazaar** heerst niet alleen een gezellige, oosterse sfeer, u vindt er ook de interessantste zaken: kelims en andere tapijten, koperen voorwerpen en lederwaren, waterpijpen en allerlei handwerk. In september zijn de heerlijke verse vijgen van Izmir er.

De wijk Konak

Ten zuiden van de bazaar.

Het grote **plein met de klokkento-ren** (Konak Meyd.) aan de zee, waar het altijd waait, is omringd door saaie, moderne gebouwen. Tegenover het stadhuis staat het bekendste bouw-werk van de stad, de **klokkentoren** (Saat Kulesi), die dateert van 1901. Het is een van de weinige overblijfselen van het Ottomaanse Smyrna, samen met de kleine **Moskee van Konak** (1748), die ernaast staat, en waarvan de heel mooie, geglazuurde faïencetegels bewaard bleven.

Archeologisch museum★ – *Verderop zuidwaarts - 3 TL.* De Hettitische col-lecties en de Zaal van de schat met de mooie **buste van Demeter** (bronzen beeld uit de 4de eeuw v. Chr.) zijn een omweg waard, maar helaas zijn de boeiendste zalen vaak gesloten. Daar-naast ziet u er bijzondere beschilderde, aardewerken **sarcofagen**, beelden, mozaïeken en archeologische vondsten die werden ontdekt op grote vindplaat-sen langs de kust, zoals Pergamon, Efeze, Milete, en op de agora van Izmir. Aan hetzelfde plein bevindt zich het **Etnografisch museum** *(2 TL)* met traditionele Turkse en Ottomaanse voorwerpen.

★ De wijk Alsancak

Dit is een van de weinige wijken die de brand van 1922 overleefde. Ze geeft een goed idee van hoe de stad er in het begin van de 20ste eeuw uitzag. U ziet er een heel chic huis in Ottomaanse stijl. De autovrije straten **Muzaffer Izgu Sokağı (1482)** en **Gazi Cadehlar Sokağı (1453)** vormen een oase van rust en er zijn tal van restaurants.

Excursies van een dag

★ Çeşme

89 km ten westen van İzmir.

Helemaal in het westen van Turkije, aan de punt van het schiereiland ligt Çeşme, als het ware de tuin van İzmir. In het weekend trekken veel inwoners van Izmir ernaartoe.

De stad ligt aan een smalle baai met een indrukwekkend **Genuees fort★**, dat volledig werd opgetrokken in oker-kleurige steen. Aan de voet van het fort ligt het hoofdplein waar de kade met tientallen schoeners begint. Oostwaarts loopt de autovrije straat İnkılap Cad. door de oude stad, voorbij de **Byzan-tijnse basiliek**. In het noorden ligt de kade Eylül Mah met restaurants.

Ga om te zwemmen naar het strand van **Altınkum**. Loop voorbij het eerste, en ook het drukste strand. Een beetje verderop langs de kust ligt het meest ongerepte strand van het schiereiland, te midden van duinen begroeid met dennenbomen.

★★ Schiereiland Karaburun

İldır, 28 km ten oosten van Çeşme, is de toegangspoort tot het schiereiland Ka-raburun. Dit landelijke gebied heeft een prachtig landschap met kale bergen die het licht prachtig weerkaatsen, mooie kreken en verlaten stranden.

İldır is een oud Grieks dorp, met stenen huizen met roze tinten en een **theater★** uit de oudheid (4de eeuw v. Chr.) *(2 TL)*.

Na een rit door het idyllische landschap bereikt u **Karaburun**, een groot dorp waar elke week een markt plaatsvindt met plaatselijke handelaars en produ-centen.

Kuşadası★

Sinds Kuşadası in handen van projectontwikkelaars viel, blijft er niets meer over van het pittoreske vissersdorp dat het twintig jaar geleden nog was. Maar de Egeïsche kust rond de drukbezochte badplaats bezit twee schatten. In het zuiden strekt het natuurpark Dilek zich uit tot de kalme stranden tegenover het Griekse eiland Samos. In het noorden ligt Efeze, een van de best bewaarde steden uit de oudheid in het Middellandse Zeegebied.

Excursie van een halve dag

Kuşadası

Tegenover Kuşadası ligt het kleine Duiveneiland, dat met het vasteland is verbonden via een smalle landstrook. De **Genuese vestingwerken** uit de 14de eeuw bleven bewaard. De wandelpromenade langs het water, die tot aan het eiland loopt, is de belangrijkste (en in feite de enige) bezienswaardigheid van de stad, die verder uitsluitend uit hotels en vakantiewoningen bestaat. De smalle zandstranden worden druk bezocht en zijn niet mooi. Aan de

boulevard Barbaros, de hoofdstraat van het oude Kuşadası, bevinden zich alle winkels. De boulevard loopt naar de **karavanserai** Okuz Mehmet Pasha van 1618, nu een hotel.

Excursies van een dag

★ Nationaal park Dilek (Dilek Milli Parkı)
26 km ten zuidoosten van Kuşadası.
⌂ (256) 614 10 79 - www.dilekyarimadasi.com - toegang met de auto: 3 TL.
Het bosrijke nationaal park ligt op de punt die naar het Griekse eiland Samos wijst. De bomen omringen er mooie **stranden** (kiezeltjes) met enkele douches en houten ligstoelen. Op enkele is er een bar waar je iets kunt drinken of iets te eten kunt kopen. Tussen de bomen loopt er een mooie weg naar verschillende recreatiemogelijkheden. U kunt er wandelen in de **canyon van Sarikaya★**, sportieve parcours afleggen of een van de stranden bezoeken (İçmeler, Aydınlık, Kavaklı en Karacasu), die ofwel te voet, ofwel over onverharde wegen met de auto bereikbaar zijn.
Güzelçamlı – Deze kleine badplaats ligt aan de rand van een park. Het rustige zandstrand is best mooi, maar het landschap is er natuurlijk minder mooi dan in het park.

giulio andreini/Marka/age fotostock

Duiveneiland, tegenover Kuşadası

De Bibliotheek van Celsus in Éfeze
Mikel Bilbao/age fotostock

KUŞADASI PRAKTISCH

Dienst voor Toerisme Kuşadası – Tegenover de haven, Liman Cad. 13 - ☎ (256) 614 11 03.

VERVOER
Autoverhuur –
Avis - 26/A Atatürk Bul. - ☎ (256) 614 46 00. **Dinamik** - 38/3 İsmet İnönü Bul., ☎ (256) 612 11 51.
Dolmuş – Davutlar verzorgt dagelijkse verbindingen met Selçuk (naast Efeze) en met **Güzelçamlı**, van 7.00 tot 22.00 u in het hoogseizoen, tot 20.00 u in de winter (6 TL, duur: 1 uur).
Er worden voettochten en ruitertochten georganiseerd in de **canyon van Sarikaya**, in het park van Dilek.

UIT ETEN
Adı Meyhane – Camikebir Mah., Bahar Sok. 18. De eetzaal bevindt zich op de binnenplaats van een oud huis in de oude stad. Een uitstekend adres en redelijke prijzen.
Çam – Balıkçı Limanı, voor de karavanserai - ☎ (256) 614 10 51 - [cc]. U kijkt hier uit op de zee. Er is een grote veranda en verschillende terrassen. Het ligt een beetje weg van de grote drukte in de haven. Men serveert er vooral Turkse gerechten, vis en zeevruchten.

WINKELEN
Kuşadası staat bekend om zijn lederwaren. Jassen, tassen en dergelijke zijn er ook een beetje goedkoper dan in de bazaar van Istanbul. Vermijd de autovrije wijk (waar alles veel duurder is) en ga naar winkels zoals de **Star Leather Shop** – Camibekir Mah., Bahar Sok. 6, in de oude stad, naast restaurant Sultan Hanı.

★★★ Efeze

16 km ten noordoosten van Kuşadasi. Er zijn twee ingangen: één onder aan de vindplaats (richting Kuşadası, bereikbaar per auto - 3 TL), één boven, via de Magnesiapoort (richting Aydın, gratis parkeren). Dag. 8.00-19.00 u (buiten het seizoen 16.30 u) - 10 TL.

De stad die u nu nog kunt bezoeken, is wat overblijft van het Romeinse Efeze. De meeste bezienswaardigheden dateren uit de periode van de heerschappij van Augustus. De stad bestaat uit twee grote wijken. De **bovenstad** is de zakelijke wijk van de stad. De **benedenstad**, tegenover de haven, omvat de religieuze en culturele gebouwen. De huizen van de notabelen *(worden volop gerestaureerd)* staan op de hellingen van de berg Pion en de berg Coressos, aan weerskanten van de **Curetenstraat** die de twee stadsdelen met elkaar verbindt. Er zijn nog veel decoratieve elementen te zien, zoals standbeelden, friezen enzovoort, maar de kostbaarste worden bewaard in het museum van Selçuk. Ter plaats zijn wel afgietsels van de elementen te zien.

★ De handelswijk

Thermen van Varius – Van dit grote gebouw bij de Magnesiapoort bleef de indrukwekkende zuilengang bewaard.

Staatsagora – Het administratieve en heilige forum (de Romeinse keizer werd beschouwd als een god) lag in een grote groene rechthoek (160 bij 56 m) en was bezaaid met marmeren blokken.

Basiliek – Aan de noordkant van de agora werd onder de heerschappij van Augustus een lang gebouw met drie smalle schepen gebouwd. De mooie **zuilenrijen★** bleven bewaard.

Odeion of **bouleuterion** – *Andere kant van de straat*. Dit theater, dat plaats bood aan 1400 toeschouwers, werd in 150 tegen de berg Pion gebouwd.

Prytaneion – *Wat verder en afgelegen van de straat*. De twee hoge Dorische zuilen zijn de belangrijkste overblijfselen van het gebouw (3de eeuw v. Chr.) waarin het heilige vuur brandde.

★ Domitianusplein

Driehoekig pleintje meer westwaarts. Boven op een fontein aan de noordkant van het plein staat het **monument van Gaius Memmius★** (4de eeuw),

VAN AMAZONES TOT JOHANNES

Volgens de legende werd Efeze gesticht door de amazones, maar waarschijnlijk werd de stad gesticht door de Kariërs rond de 12de eeuw v. Chr. De Lydische koning **Croesus** nam de stad in 560 v. Chr. in. Vijftig jaar later viel ze in handen van de Perzische koning **Cyrus**, die zo Anatolië veroverde. De stad werd pas bevrijd door Alexander in 334 v. Chr. In 129 v. Chr. werd Klein-Azië een Romeinse provincie en de Ionische steden moesten hoge belastingen betalen. Na de opstand van de Efeziërs (88 v. Chr.) reduceerde generaal Sylla de stad tot as. Ze werd pas in 27 v. Chr. heropgebouwd, toen keizer Augustus besliste er de hoofdstad van de provincie van te maken. In 53 arriveerde de apostel **Paulus** in Efeze. Hij bouwde er een grote kerk. Na de dood van Paulus volgde **Johannes** hem op als hoofd van het bisdom. Hij schreef in Efeze zijn evangelie voor hij werd begraven op de heuvel Ayosoluk.

een eerbetoon van de Romeinse inwoners van Efeze aan de zoon van generaal Sylla. Aan de zuidkant *(links)* wordt het plein breder en eindigt het in een groot terras waarop ooit de **Tempel van Domitianus** stond, maar die nu volledig is verwoest. Aan de westkant van het plein bevindt zich het **Museum van de Inscripties**★ *(bijna altijd gesloten)*, met marmeren platen met inscripties, die in Efeze werden gevonden.

★★ Curetenstraat

In deze straat staat aan weerskanten voor de **Poort van Herakles**★, de vroeger overwelfde doorgang, een **stèle** die de god Hermes voorstelt. Van de poort blijven twee sierlijke, bewerkte **zuilen**★ met daarop de halfgod over. Vroeger was deze straat geplaveid met marmer. Het was de heilige weg *(embolos)* die naar de tempel van Artemis liep. Alle processies volgden deze straat, vandaar de vele stèles, beelden, fonteinen en tempels aan de noordkant.

Movementway/imagebroker/age fotostock

Detail van een mozaïek in een van de huizen

Een beetje voorbij de (slecht gerestaureerde) **Fontein van Trajanus**★ loopt een straatje rechts omhoog naar de top van de heuvel, waar u geniet van een mooi **uitzicht**★ op de benedenstad. *Keer terug naar de Curetenstraat.*

Tempel van Hadrianus – Dit sierlijke, goedbewaarde pronkstuk werd gebouwd onder de heerschappij van Hadrianus (117-138). Op de sluitsteen in het midden van de boog staat een mooi hoofd van Tyche, godin van het geluk.

Thermen van Scholastikia★ – *Toegang aan weerszijden van de Tempel van Hadrianus.* De thermen werden in de 1ste eeuw in een U-vorm om de tempel gebouwd en danken hun naam aan een rijke inwoonster van Efeze, Scholastikia, die ze in de 4de eeuw op haar kosten vergrootte. Loop door de vestibule naar de baden. Aan de muren ziet u nog de **aardewerken buizen** waardoor de warme lucht werd geblazen *(tubuli)*. Uw bezoek eindigt in de 'koude kamer' *(frigidarium)* met het grote, ellipsvormige **zwembad**.

Bordeel – *Aan de westkant van de thermen, achter in een steegje links.* Via een (ooit overwelfde) doorgang betreedt u het bordeel, het 'heiligdom' van de god van de vruchtbaarheid, Priapus.

Openbare toiletten★ – *Naast het bordeel, op de hoek van de twee straten.* Een klein pleintje met een waterbassin in het midden en omgeven door een zuilengang, was aan vier kanten omringd door een marmeren bank met gaten erin en eronder een goot voor het water.

Aan de zuidkant van de straat *(links)* waren er **winkels** in een **zuilengang**★. Een deel van de zuilen en enkele mooie **mozaïeken**★ bleven bewaard.

Terrasvormige huizen – *Apart kaartje te betalen.* Hier woonden de rijkste inwoners. Slechts een deel van de huizen is te zien en tijdens de rondleiding krijgt u helaas niet alle mooie elementen te zien (mozaïeken, fresco's).

★★★ Bibliotheek van Celsus
De bibliotheek van Efeze bezit een van de belangrijkste collecties perkamentrollen uit de oudheid (12.000), na die van Alexandrië en Pergamon. Deze culturele parel viel in de 3de eeuw ten prooi aan een brand. Alleen de **voorgevel★★★** bleef bewaard. In de muren van de leeszaal zitten nissen en daarin zaten de rollen. De nissen waren 1 meter diep, zodat de werken tegen het vocht waren beschermd. Nu wordt er in de leeszaal een tentoonstelling gehouden over de geschiedenis en de restauratie van de bezienswaardigheden van Efeze.

★ Benedenagora
Aan de noordkant van de bibliotheek. Loop naar de agora via de **Poort van Mazeus en Mithridates★**, een sierlijke triomfboog met drie bogen. Op deze agora werd de markt gehouden.

★ Marmeren straat
Deze straat dankt haar naam aan de prachtige, marmeren bestrating die ze in de 5de eeuw kreeg. Ze loopt van het theater naar de Arcadenstraat die naar de haven liep. Aan weerskanten van de straat stond een zuilengang, waar men in de schaduw kon lopen. Vanaf het kleine **verhoog** hebt u een goed overzicht.

★★★ Theater
Het theater werd in de 3de eeuw v. Chr. gebouwd en in de Romeinse tijd vergroot tot een van de grootste theaters van de oudheid. De **decormuur**, die net zo rijkelijk was gedecoreerd als de voorgevel van de Bibliotheek van Celsus, was niet minder dan 18 meter lang. De **cavea** was een halfronde tribune met en diameter van 154 meter en bood plaats aan 24.000 toeschouwers. Vanaf de hoogste bank, 38 meter hoog, geniet u van een prachtig **uitzicht★★** op de stad en het omliggende landschap.

In de richting van het stadion
De **Heilige Weg** ligt in het verlengde van de Marmeren straat en liep voorbij het **stadion★** (230 meter lang, 30 meter breed) naar de Tempel van Artemis.

In de richting van de haven
Op de hoek van de Marmeren straat en de Arcadenstraat ziet u de overblijfselen van het **gymnasium van het theater**, een groot sportcomplex dat nog moet worden opgegraven. De **Arcadenstraat** was een prachtige, met marmer geplaveide straat die naar de haven liep. Ze was 600 meter lang en er bevonden zich veel winkeltjes in de schaduw van zuilengangen.

Tussen de dennen loopt een mooie weg naar de benedeningang van de vindplaats. Aan de linkerkant ziet u in de verte de overblijfselen (stenen muren) van het **gymnasium van de haven**, nog een sportcomplex van de stad. Daarachter ziet u de muren van de **Mariakerk**. Dit is de eerste oosterse kerk die gewijd werd aan Maria (volgens de overlevering stierf Maria in Efeze, net zoals de apostel Johannes). Er vonden twee concilies plaats, in 431 en 449, waarbij enkele van de grote principes van het christendom in vraag werden gesteld.

Marmaris

Marmaris ligt aan de Turkse mediterrane kust, achter in een diepe baai, beschut door een groot schiereiland en rotsachtige eilanden. Enkele decennia geleden was Marmaris nog een bescheiden dorp van sponsvissers. Ondertussen heeft de toeristische industrie de kust ten westen van de oude haven ingepalmd. Rond de stad komt de natuur helemaal tot zijn recht. In de prachtige baai liggen ongerepte kreken verscholen te midden van bossen vol dennenbomen, oleanders en cactusvijgen.

Excursie van een halve dag

Marmaris

De Baai van Marmaris

Marmaris bezit de grootste jachthaven van het land. Er liggen honderden zeilboten en het is een populair vertrekpunt van cruises en boottochten. In de zomer vertienvoudigt het aantal inwoners en in de straten weerklinkt dan een ongelooflijk rumoer met de muziek van de discotheken en radio's die in winkels en restaurants spelen.

Wie van rust houdt, wijkt beter uit naar **İçmeler** en **Turunç**, twee kleine en chiquere badplaatsen dichter bij het begin van de baai *(10 en 15 km ten westen van het centrum van Marmaris)*, of **Datça**, 85 km verderop, aan de overkant van de Baai van Hisarönü *(zie blz. 262)*.

De oude stad

Van de stad uit de oudheid, Physcus, die in het 3de millennium v. Chr. werd gesticht door de Ioniërs die van Rhodos kwamen, blijft niets meer over. De stad was nochtans een belangrijke havenstad ten tijde van de Kariërs en de stad bleef welvarend onder de heerschappij van de Seltsjoeken (13de eeuw), tot de stad werd ingelijfd bij het Ottomaanse Rijk.

Fort – *Dag. behalve ma. 8.00-12.00 u, 13.00-17.00 u - 2 TL*. Het fort werd in 1522 door Süleyman I de Grote gebouwd als militaire basis voor zijn verovering van Rhodos. Nu is er een museum in gevestigd dat verschillende voorwerpen toont die gebruikt werden door de marine. Het fort biedt ook een mooi uitzicht. Aan de voet ervan ligt de autovrije oude stad met een erg druk bezochte **bazaar**, waarvan de winkeltjes rond de **moskee İbrahim Paşa** (1783) liggen.

De stranden

Vermijd de stranden van Marmaris zelf. Ze zijn lelijk en het water is er niet echt schoon. De stranden van İçmeler en Turunç zijn veel gezelliger en daar kunt u aan watersport doen. De meeste boottochten voorzien ook een stop bij een strand, waar u even kunt zwemmen. Het is de ideale manier om de kleine, verlaten kreekjes te verkennen.

Excursies van een dag

★ Het schiereiland Bozburun
Boottocht van een dag - vertrek in de haven van Marmaris.
De grillige kusten van het schiereiland tonen u een meer authentiek mediterraan Turkije, waar eeuwige rust lijkt te heersen. De boot brengt u van dorp

De haven van Marmaris
Christophe Boisvieux/hemis.fr

MARMARIS PRAKTISCH

Dienst voor Toerisme – Bij de haven -
☎ (252) 412 10 35.

VERVOER

Autoverhuur – **Avis** - Atatürk
Cad. 30 - ☎ (252) 412 27 71. **Hertz** -
İskele Meyd., Anıt Apt. 41/2 (naast de
Dienst voor Toerisme, bij de ingang van
de bazaar) - ☎ (252) 412 25 52. **Bud-
get** - Kemeraltı Mah., Ulusal Egemenlik
Cad., Girginç Apt. - ☎ (252) 412 41 44.
Europcar - Kenen Evren Bul., Manyola
Sok. 5/B - ☎ (252) 417 45 88/45 96.
Dolmuş – **Station**, Ulusal Egemenlik
Cad. (300 meter van het standbeeld van
Atatürk, richting Muğla). Regelmatige
verbindingen met de badplaatsen en
dorpen op het schiereiland (via de
kust van Marmaris): İçmeler (in het
hoogseizoen 24/24 u, elke 10 min.,
ca. 2 TL), Turunç (in het hoogseizoen

8.30-22.30 u, elke 30 min., ca. 3 TL).
Neem voor Çetibeli de bus in Bodrum.
Boottochten – Verschillende agentschappen bij de haven bieden boottochten naar het schiereiland Bozburun
en de Şehireilanden.

UIT ETEN

Vermijd de restaurants in de haven en
zeker die langs het water, tussen het
zand en de hotels. De beste restaurants
in de haven zijn **Hillside** en **Kartal**. Op
de hoek van Barstreet en de kustweg
kunt u de lekkerste *döner* van de hele
stad eten.
Banketbakkerij – **Özsüt** - Atatürk
Cad. 4 - ☎ (252) 413 47 08. Een van de
beste adressen om het heerlijke gebak
van deze stad te proeven, met veel
room. Deze banketbakkerij bevindt zich
aan het water.

naar dorp en legt hier en daar aan in een kreek met oude ruïnes. Het is bijzonder fijn om deze kleine baaien te verkennen, niet zozeer om de ruïnes, maar vooral om het ongerepte landschap en de rust, de ideale omgeving om te wandelen of te zwemmen, ver van de drukte van Marmaris.

Amos

Reken op 1 uur wandelen (heen) nadat de boot is aangemeerd.

De eerste plaats waar de boot stopt, is bij Amos, een klein dorp aan de ingang van de baai van Marmaris. U ziet er de overblijfselen van een akropolis, een theater en een tempel. Daarnaast geniet u er van een schitterend **uitzicht★★** op de kust.

Çiftlik

Tweede halte.

Lieflijk dorpje vlak bij een prachtig **strand★**.

Loryma

Derde halte.

In deze haven uit de oudheid, die afgelegen op de punt van het schiereiland ligt, ziet u nog de overblijfselen van een citadel uit de 3de eeuw v. Chr. Vervolgens vaart u voorbij de Kaap Kara langs de kust voort.

★ Baai van Hisarönü

4de halte.

Deze prachtige baai is ideaal voor een wandeling of fietstocht door het dennenbos dat het gelijknamige dorp omgeeft.

Şehireilanden (Şehir Adası)

Boottocht van een dag - vertrek in Taşbükü (20 km ten noorden van Marmaris): rijd naar Akçapınar en Gökova en neem ongeveer 10 km verderop de smalle weg links richting Gelibolu (Çamlıköy) en Taşbükü.

Achter in de grote Baai van Gökova liggen de drie Şehireilanden met hun mooie stranden tegenover de kleine baai van Çamlıköy.

Cleopatra-eiland

Dankzij de legende en de charme van dit eiland zijn de Şehireiland en een heel populaire toeristische bestemming geworden. Vermijd feestdagen en ga bij voorkeur 's avonds of 's ochtends.

Dit is het grootste van de drie eilanden. Het is een vlakke landtong die ongeveer 800 bij 300 meter groot is en bedekt is met olijfbomen en dennenbomen waartussen de overblijfselen verscholen liggen van de hellenistische stad Cedrae.

Cedræ – Achter de stadsmuren (5de-4de eeuw v. Chr.) die de kust volgen, ziet u een goedbewaard, klein **theater**, de zuilen van een **tempel** en de apsis van een Byzantijnse kerk. Daaromheen staan nog de ruïnes van enkele woningen met cisternen, en in het noorden van het eiland steken de kaden van de voormalige haven nog boven het water uit, vlak bij de zandige oever.

Alanya★★

Het oude Alanya ligt op een schiereilandje dat als een zanderige tong naar voren steekt. Boven ligt een Seltsjoekse citadel waarvan de wallen om de rode daken van de oude stad liggen. Maar deze middeleeuwse parel is ondertussen opgeslokt door een betonnen monster. De sinaasappel- en perzikbomen die ooit de stranden van schaduw voorzagen, maakten plaats voor zielloze hotels. De stad strekt zich bijna 15 km naar het oosten uit.

Excursie van een halve dag

Kaap van Alanya

Volg vanaf de Dienst voor Toerisme de weg die naar de oude stad en de top omhoog loopt (3 km). Ga te voet via het wandelpad dat vertrekt bij de Rode Toren (in de haven, 45 min. steil klimmen) of neem de blauwe pendelbus (elk uur) die bij de Dienst voor Toerisme vertrekt.
De punt van het schiereiland is de enige interessante plek van Alanya. De laagste wallen lopen over een lengte van 7 km om de kaap, terwijl er iets hoger een tweede ommuring de oude stad be-

De 34 meter hoge Rode Toren

schermt. Nog hoger staan de muren van de drie donjons van de citadel.
Bezoek voor u de moderne stad verlaat, het **Archeologisch Museum**, een klein gebouw omgeven door een tuin met een verzameling stenen, vlak bij de Dienst voor Toerisme. U ziet er een collectie sarcofagen en **bustes** uit de oudheid en prachtige gouden **juwelen** die gevonden werden in de Romeinse en Byzantijnse stad Anamurium.

★ Citadel (İçkale)

Veel blijft er niet meer over van de gebouwen die ooit İçkale vormden, een fort dat in 1226 werd gebouwd op de funderingen van een hellenistische citadel. U ziet nog wel de ruïne van een kleine **Byzantijnse kerk** met koepel (6de eeuw), gewijd aan de H. Joris, waarbij zich vlakbij een grote **cisterne** bevindt. Werp zeker een blik op de prachtige **vestingmuren**★ en geniet vanaf het terras dat tegen de noordelijke vestingmuur ligt, van het **uitzicht**★★ op de daken van de oude stad en op de **laagste wallen**★★ waarin 143 vierkante torens werden verwerkt. In het westen van de citadel is er een tweede terras dat uitziet over de zee, **Adam Atacağı** ('de plek waar mannen naar beneden worden gegooid') genoemd. Het ligt boven een steile helling

ARCO/Goll, P/ARCO/age fotostock

Het Fort van Alanya
Peter Erik Forsberg/age fotostock

ALANYA PRAKTISCH

Dienst voor Toerisme – Damlataş Cad. 1 (tegenover het pleintje bij het strand Kleopatra) - ☏ (242) 513 12 40.

VERVOER
Autoverhuur – **Sandy**, Atatürk Cad. 6 - ☏ (242) 512 11 02. Verhuur van auto's en motorfietsen.
Dolmuş – Deze witte privétaxi's zijn goedkoper dan de gewone taxi's.
Bus – De goedkope, blauwe stadsbussen rijden langs de grote straten door de stad en het centrum.
Taxi – Vooral 's avonds laat handig, want dan rijden er geen bussen.
Boot – Voor een boottocht om het schiereiland. Vertrek om 10.00 u, aankomst om 16.00 u. Ca. 20 TL/pers., ontbijt inbegrepen. **Cuneyt Boat** - ☏ 0 532 616 19 43. 's Ochtends en 's avonds aan de kade.

UIT ETEN
Ga voor authentieke Turkse gerechten naar de autovrije straten in het centrum (bv. Damlataş Cad.), waar restaurants in oude Ottomaanse huizen werden ondergebracht, of vlak bij de Rode Toren. De haven is de gezelligste wijk.
İskele – İskele Cad. - ☏ (242) 511 03 04. Aan de rand van de haven, met uitzicht op de zee. Een beetje duurder, maar onberispelijke service en heerlijke visspecialiteiten.
Eski Ev (Old House) – Damlataş Cad. 44 - ☏ (242) 511 60 54. Vooral vegetarische gerechten in een heerlijke, rustige tuin.
Ottoman House – Damlataş Cad. 31 - ☏ (242) 511 14 21. Een beetje aan de dure kant, maar een van de gezelligste restaurants van de stad.

waar men terdoodveroordeelden naar beneden gooide.

★★ De oude stad (Hisariçi en Tophane)
Daal af en neem de straat links.
De oude stad van Alanya ligt ingesloten tussen de middelste wallen en de hoge muren van de citadel, te midden van fruitbomen en dichtbegroeide groepen cactussen. Werp een blik op de oude **versterkte karavanserai**, met 26 kamers rond een grote binnenplaats *(nu is het een hotel: Club Hotel Bedesten)*. Ernaast ziet u de ruïne van een Seltsjoekse **bazaar**.
Een beetje verderop naar het noorden staat de **Süleymaniyemoskee**. Die werd in de 17de eeuw op de muren van een voormalige Seltsjoekse moskee gebouwd.
Ten slotte komt u bij de hoge muren van het **bastion van Ehmedek** (Ehmedek Kalesi). Ervoor ziet u een graftombe en het **Akçebe Mesçidi**, een klein oratorium uit de periode van de Seltsjoeken.

De haven
Rode Toren (Kızıl Kule)★ – Deze indrukwekkende, achthoekige uitkijktoren dateert van 1226, is 34 meter hoog en is voorzien van kantelen. Op de vijf verdiepingen is nu een klein **Etnografisch museum** ondergebracht met een collectie tapijten en mooie, bewerkte deuren uit de Ottomaanse tijd.
Bij de kantelen geniet u van een schitterend **uitzicht★**.

★ Boottocht om het schiereiland
Boottocht van ca. 1 uur met vertrek aan de Rode Toren.
In de rotsen van de kaap zitten ontelbare grotten verscholen. Verken ze door

aan boord te gaan van een van de boten in de haven. Ze bieden u een aangename tocht en onderweg geniet u van een uniek **uitzicht★★** op de versterkte stad.

★ Arsenaal van de Seltsjoeken (Tersane)
U kunt dit ook te voet bereiken langs een pad dat bij de Rode Toren vertrekt.
Deze prachtige scheepsloods heeft een toren en aan de kant van de zee zijn er vijf grote bogen. De loods werd in 1227 gebouwd en werd tot begin 20ste eeuw gebruikt.

Grotten
De boot vaart langs de kliffen tot de **Piratengrot** (Korsanlar Mağarası), een kleine grot waarin piraten hun gevangenen opsloten. Vervolgens vaart u naar de **Grot van de Geliefden** (Aşıklar Mağarası), verscholen aan het begin van de punt van Cilyarda, een lange landstrook die zich uitstrekt aan de zuidwestelijke punt van het schiereiland en waar Byzantijnse ruïnes staan. De boot vaart om de punt heen naar de westkust. Een beetje verderop vaart hij de **Lichtgevende grot** (Fosforlu Mağarası) in, die haar naam dankt aan de lichtweerspiegeling van het water op de wanden.

★ Grot van Damlataş (Damlataş Mağarası)
Ingang op 100 meter van de Dienst voor Toerisme.
Dit is de boeiendste grot met veel stalactieten en stalagmieten in duizenden tinten. De hoge vochtigheidsgraad zou therapeutisch werken, vooral voor wie aan astma lijdt.

De archeologische vindplaats Kourion, waar Apollo Hylates werd vereerd

CYPRUS

Op dit eiland zou Aphrodite, de godin van de liefde, zijn geboren. Het eiland biedt 10.000 jaar geschiedenis. Door de archeologische vindplaatsen, de Byzantijnse kerken, de kastelen van de tempeliers, de mooie havens en de tijdloze dorpen zou men vergeten dat het eiland ook prachtige stranden met turkoois water heeft, waar 340 dagen per jaar de zon schijnt. Toch vindt op deze magische plek een Griekse tragedie plaats: sinds de oprichting in 1983 van de Turkse Republiek Noord-Cyprus, die alleen door Turkije wordt erkend, is het eiland en de hoofdstad in tweeën gedeeld.

Officiële naam: Republiek Cyprus
Plaatselijke naam: Kypros (Grieks), Kıbrıs (Turks)
Hoofdstad: Nicosia
Officiële talen: Grieks (zuidelijk deel) en Turks (noordelijk deel). Cyprus is een voormalige Britse kolonie en 60% van de inwoners praat Engels.
Oppervlakte: 9251 km^2
Inwoners: 1,1 miljoen
Munteenheid: euro
Telefoneren naar Cyprus: Kies 00 + 357 + het nummer van de correspondent.
Tijdsverschil: Cyprus is 1 uur voor op Nederland en België. Als het in Nicosia 10.00 u is, is het in Amsterdam 9.00 u.

Klimaat: Mediterraan klimaat met droge en (heel) warme zomers, maar de zeebries zorgt voor een beetje verkoeling.
Winkelen/openingstijden: De winkels zijn in de zomer doorgaans open van 8.00 tot 13.00 u en 15.30 tot 20.00 u (behalve zondag), in de winter zijn de openingstijden korter.
Geopolitieke info: Sinds 1974 wordt het noorden van het eiland bezet door het Turkse leger. De 'Groene Lijn', die het Griekse (Republiek Cyprus) van het Turkse deel (Turkse Republiek Noord-Cyprus, die alleen door Turkije wordt erkend) van het eiland van elkaar scheidt, wordt bewaakt door VN-troepen.

Enkele Griekse woorden...

Ja **Nai** / Nee **Ochi** / Goedendag **Kalimera** / Goedenavond **Kalispera** / Hallo **Yamass** / Tot ziens **Antio** of **Geia sas** / Alstublieft **Parakalo** / Dank u wel **Efkaristo** / Excuseer **Signomi** / Meneer **Kirios** / Mevrouw **Laidy** / Oké **Entáxei** / Waar? **Poú** / Waar is...? **Pou inai...?** / Spreekt u Engels? **Milate angliká?** / Ik begrijp het niet **Den katalavéno** / Hoeveel kost het? **Posso kani?** / Hoe lang? **Pósi óra** / Haven **Limani** / Boot **Karavi** / Zee **Thalassa** / Strand **Paralia** / Eiland **Issi** / Restaurant **Estiatorio**
♿ Zie ook 'Enkele Turkse woorden...' blz. 243.

Limassol★

(Lemesós - Λεμεσός)

Limassol is de meest zuidelijk gelegen stad van Cyprus en ze ligt aan de noordoostelijke punt van het schiereiland Akrotiri. Deze kosmopolitische, vrolijke en kleurrijke stad, het lijkt wel een bazaar van Duizend-en-een-nacht, werd tot midden jaren zeventig van de vorige eeuw 'het Cypriotisch kleine Parijs' genoemd. Sindsdien is er wel wat veranderd, maar het historische centrum bewaart nog altijd veel overblijfselen van het rijke verleden.

Excursie van een halve dag

★ De oude stad

★ Wandelboulevard langs de kust
De 12 km lange, autovrije **boulevard** langs de kust, van de haven naar de stad Amathus uit de oudheid, werd recent heraangelegd. Langs de boulevard nodigen **stranden** uit om te zwemmen. Parallel aan de boulevard loopt de **Agiou Andreou** met de belangrijkste bezienswaardigheden van de stad.

★ Kasteel en Middeleeuws Museum
Richardou & Berengaria - ☎ 25 330 419 - € 3,42.
In de kapel van dit kasteel trad Richard Leeuwenhart in 1191, tijdens de derde kruistocht, in het huwelijk met Berengaria van Navarra. Hij veroverde het eiland, stond het af aan de tempeliers en verkocht het aan Guy de Lusignan, de voormalige koning van Jeruzalem. Het kasteel werd wellicht ten tijde van de dynastie van de Lusignan (1192-1473) opgericht op Byzantijnse overblijfselen. Het werd in de 16de eeuw verbouwd door de Venetianen en door de Ottomanen versterkt en gebruikt als garnizoensplaats en gevangenis. Tijdens de Tweede Wereldoorlog was het het hoofdkwartier van het Engelse leger.

Carob Museum
Vasilissis - ☎ 25 762 828 - gratis toegang.
Dit museum werd ondergebracht in een gerestaureerde molen die begin 20ste eeuw werd gebouwd, toen de producten gemaakt van de zaden van de johannesbroodboom de belangrijkste exportproducten waren van Cyprus. U ziet er de machines die gebruikt werden voor de productie.

Time Elevator
Vasilissis, Carob Mill Complex - ☎ 25 762 828 - € 12.
In deze 5D-bioscoop maak je een 40 minuten durende reis door 10.500 jaar geschiedenis van Cyprus. Panoramaschermen, vluchtsimulatoren, beweegbare stoelen en rukwinden maken er een ludieke en didactische ervaring van.

Centrale stadsmarkt
Deze 3000 m^2 grote markt, die werd gebouwd in 1917 en werd verbouwd in 1947, is een paradijs van vruchten en groenten. Het gebouw werd gerestaureerd en is nu beschermd door monumentenzorg.

Cami Kebirmoskee
Deze moskee werd in de 16de eeuw gebouwd en in de 19de eeuw voor een groot deel vernield door een overstroming. Het noordelijke deel werd in 1829 gerestaureerd, het zuidelijke deel in

Uitzicht op LImassol
Stuart Pearce/age fotostock

LIMASSOL PRAKTISCH

Dienst voor Toerisme – Haven -
Spyrou Araouzou 115A - ✆ 25 362 756 -
www.limassol.com.

VERVOER
Van de haven naar de stad – De
nieuwe haven ligt aan de westkant
van de stad, op 3 km van het centrum.
Reken op een halfuurtje wandelen of
neem de bus of een taxi.
Naar Kolossi – Bus 16 en 17, vertrek
in het busstation Georgiou Gennadiou
(vlak bij het Cyprus Handicraft Centre) -
€ 1,20.
Naar Kourion – Bus tot Episkopi en
vervolgens naar de archeologische
vindplaats. Vertrek bij het kasteel van
Limassol - € 3,25.
Autoverhuur – Aan de kust zijn er veel
kantoren. De lokale kantoren bieden de
beste prijs.

UIT ETEN
Taverna Anotera – Gladstonos 5 -
✆ 25 354 033. Het beste adres om vis
en zeevruchten te proeven.
Old Market – Een gezellig en drukbezocht adres op het marktplein. Men
serveert vooral streekgerechten.

WINKELEN
De belangrijkste winkelstraten zijn **Sari-
polou**, die naar de overdekte markt
loopt, **Anexartisisias**, loodrecht op de
kustboulevard, met moderne winkels,
en de autovrije **Ayiou Andreou**, een
hippe winkelstraat die steeds authentieker wordt naarmate u de kust nadert.
Cyprus Handicraft Centre – Themi-
dos 25. In dit ambachtencentrum dat
door de regering wordt gesteund, wordt
handwerk van uitstekende kwaliteit
verkocht.

1907. Bij opgravingen ontdekte men aan de oostkant de overblijfselen van een christelijke basiliek uit de 12de eeuw. De funderingen zijn nu onder een glazen vloer te zien, achter het gebouw.

★ De oude Turkse wijk
Ingesloten tussen de straten Agiou Andreou, die parallel aan de kust loopt, Ellados in het westen en Zinonos in het oosten ligt de **oude handelswijk** waar nog een authentieke sfeer heerst en waar lage huizen met erkers, winkels en oude karavanserais te vinden zijn. Tientallen jaren was het een soort oosters Montmartre, waar dichters en schilders woonden en elkaar ontmoetten in een van de vele *kafenion*. Nu zijn er vooral winkeltjes met koperwaren en souvenirwinkels te vinden.

★ Museum voor volkskunst
Agiou Andreou 253 - 📞 25 362 303 - € 0,85.
Dit mooie, 19de-eeuwse gebouw was tot 1981 een armenhuis en werd daarna

prima gerestaureerd. In zes zalen worden 500 voorwerpen tentoongesteld. Het gebouw werd ingericht als een huis en als een handwerkswinkel. De traditionele meubelen, een weefgetouw, kostuums, linnengoed zorgen voor een authentieke sfeer.

★ Archeologisch Museum
Anastasi Sioukri & Vyronos 5 - 📞 25 330 157 - € 1,71.
Het museum is ondergebracht in een modern gebouw dat verdeeld is in twee vleugels die met elkaar zijn verbonden via een gang. In de eerste zalen ziet u voorwerpen uit het neolithicum tot het einde van de bronstijd (8000-1050 v. Chr.). U kunt er mooi **aardewerk** zien, waaronder een collectie rijkelijk versierde kruiken uit de geometrische periode (met cirkels, driehoeken, dambordpatronen enzovoort).
Het museum stelt ook voorwerpen tentoon van de archeologische vindplaats van **Amathus** (vlak bij Limassol). Ze tonen aan dat Cyprus relaties had met de Nijlvallei, zoals blijkt uit de kapitelen versierd met Hathor (met koeienoren), de Egyptische tegenhanger van de Cypriotische Aphrodite, en uit het standbeeld van Bes, de Egyptische god van het gezin.
In de gang tussen de twee vleugels ziet u een **collectie amuletten** in Egyptische stijl, met het Oog van Horus en scarabeeën, en voorwerpen uit de Griekse en Romeinse periode (spiegels, rolzegels enzovoort), die ook in de rechtervleugel aan bod komt.

★ Stadspark
Dit park is het pronkstuk van de stad, niet alleen door de prachtige planten, maar ook door het openluchttheater

Stefan Auth/imagebroker/age fotostock

De donjon van het kasteel van Kolossi

waar veel voorstellingen plaatsvinden. Er is ook een kleine **dierentuin**.

Stedelijk museum voor schone kunsten

28 Oktovriou - ✆ *25 586 212 / 25 583 383.*
Dit moderne kunstmuseum is gevestigd in een mooi en groot gebouw vlak bij het water.

Sint-Catharinakerk

28 Oktovriou 259 - diensten: dag. 18.30 u, zo. 8.00 u, 9.30 u (in het Grieks), 11.00 u (in het Latijn), 18.30 u (in het Engels).
De kerk werd in 1879 door de Bolognese architect Francesco da Monghidoro gebouwd. De voorgevel wordt voorafgegaan door een portaal met drie bogen.

Excursies van een dag

★★ Kolossi en het middeleeuwse kasteel

13 km ten westen van Limassol; verlaat de stad met de auto langs de laan Leoforos Archiepiskopou Makariou III.
Te midden van een landschap waarin u zich in Toscane waant, verheft zich het kasteel van **Kolossi**, een van de best bewaarde middeleeuwse bouwwerken van het eiland. Het werd door de tempeliers gebouwd nadat ze teruggekeerd waren uit de kruistochten. Later was het kasteel het hoofdkwartier van de Orde van Malta (1210) tot Rhodos het hoofdkwartier van de orde werd. Het huidige gebouw dateert van 1454, maar de overblijfselen van het eerste fort zijn nog zichtbaar aan de voet van de donjon. Vanaf de weergang geniet u van een weids **uitzicht** over de zee.
Naast het kasteel bevindt zich de 'voorraadschuur', een grote, gewelfde zaal die ooit waarschijnlijk een suikerfabriek

was. Het gebouw werd in 1591 gerestaureerd door pasja Mourad, zo staat te lezen op de gevel. Behalve suikerriet verbouwden de ridders van de Orde van Malta hier ook wijn. Ze produceerden een zachte, amberkleurige wijn, Commanderia genoemd, die nu nog de bekendste wijn van het eiland is.

★★ Archeologische vindplaats van Kourion

19 km ten westen van Limassol en 5 km van Kolossi - bereikbaar per bus vanaf het kasteel van Limassol - ✆ *25 93 42 50 - € 1,71.*
De archeologische vindplaats Kourion is een van de grootste in het oostelijke Middellandse Zeegebied. De plek werd zonder twijfel vanaf de 15de eeuw v. Chr. bewoond door een Griekse kolonie. De koningen van Kourion onderwierpen zich aan de Perzen en vervolgens aan de Grieken. Vanaf de 8ste eeuw v. Chr. verdrong de **verering van Apollo Hylates**, die van de plaatselijke god van de vruchtbaarheid en al snel was zijn heiligdom een van de belangrijkste op het eiland. De stad kende een bloeiperiode tot de Romeinse tijd en daarna raakte ze in verval door een aardbeving in de 4de eeuw en drie eeuwen later de aanvallen van de Arabieren.
De vindplaats bestaat uit twee delen: de **theaterwijk** met het **Grieks-Romeinse theater★★** (2de eeuw) en het **Huis van Eustolios**, en de **basiliekwijk** met de basiliek, de agora en het Huis van de gladiatoren. Bekijk zeker ook het **stadion★** en het **heiligdom van Apollo★** (*4 km ten westen van de archeologische vindplaats van Kourion -* ✆ *25 991 049 - € 1,71*).

De Mohamed el-Aminemoskee

LIBANON

Na drie tragische decennia probeert Libanon er weer bovenop te komen en het toerisme nieuw leven in te blazen. Achter de 210 km lange kust bezit dit kleine land, dat niet breder is dan 70 km, een bergachtig landschap dat soms groen, soms dor is, met diepe valleien en tot meer dan 3000 meter hoge bergen. In dit land, waar het Oosten en het Westen aan elkaar grenzen, zijn nog veel sporen terug te vinden van de verschillende beschavingen die hier zijn ontstaan.

Officiële naam: Republiek Libanon
Plaatselijke naam: Lubnān
Hoofdstad: Beiroet
Officiële taal: Arabisch. Bijna de helft van de Libanezen spreekt ook Frans en velen spreken ook Engels.
Oppervlakte: 10.452 km^2
Inwoners: 4,1 miljoen
Munteenheid: Libanees pond (€ 1 = 1,8 £)
Telefoneren naar Libanon: Kies 00 + 961 + het nummer van de correspondent.
Tijdsverschil: Libanon is 1 uur voor op Nederland en België. Als het in Beiroet 10.00 u is, is het in Amsterdam 9.00 u.

Klimaat: Mediterraan klimaat. Aan de kust zijn de winters zacht met veel zonnige dagen.
Winkelen/openingstijden: De winkels zijn van maandag tot en met zaterdag doorgaans open van 9.00 tot 18.00 u, op zondag zijn ze gesloten.
Musea/openingstijden: De belangrijkste musea zijn elke dag open van 9.00 tot 17.00 u.
Reisadvies: Beiroet is redelijk veilig, maar de politieke problemen in het land kunnen de situatie snel veranderen. Raadpleeg voor uw vertrek altijd het ministerie voor Buitenlandse Zaken (http://diplomatie.belgium.be of www.minbuza.nl).

273

Enkele Arabische woorden...

Ja **N'am** / Nee **Lâ** / Goedendag **Marhaba** / Goedenavond **Msa el kheir** /
Tot ziens **Besslâma** / Welterusten **Lila mebrouka** / Alstublieft **Min fadhlak** /
Dank u wel **Choukran** / Graag gedaan **Mene ghir mziyya** / Mevrouw **Saïdati** /
Meneer **Si** / Hoe gaat het ermee? **Chnoua halek?** / Geld **Flouz /**
Hoeveel? **Qaddach** / Gisteren **M'Bareh** / Vandaag **El-Yom** / Morgen **Boukra** /
Hoe zegt men... in het Arabisch? **Kîf'ach tqoû... l b-el-'arbi?** /
Ik begrijp het niet **Mabif-ham** / Toiletten **Bayt el-maa**

Beiroet★★

Na vijftien jaar burgeroorlog leefde de Libanese hoofdstad, ook 'het kleine Parijs van het Midden-Oosten genoemd, herop. Dankzij de heropbouw kent Beiroet ook een intellectuele en artistieke heropleving en wint ze heel langzaam haar reputatie terug.

Excursie van een halve dag

De stad is niet heel groot, u kunt ze gemakkelijk te voet verkennen. Van west naar oost volgen de handelswijk Hamra, de wijk Corniche, het stadscentrum en de wijk Achrafié elkaar op.

De stad

★★ Het centrum

Na de bombardementen was het centrum van de stad lange tijd verlaten, maar nu is het centrum het uitstalraam en de trots van de stad. Winkels, restaurants, kunstgalerijen, drukbezochte terrassen stralen er levensvreugde uit. Nieuwe gebouwen staan er naast oude gebouwen die aan de bommen ontsnapten en die gerenoveerd werden in traditionele stijl. Op een kleine oppervlakte staan tien kerken, zes moskeeën, waaronder de Al-Aminemoskee, en een synagoge.

Het grote **Nejmehplein** wordt gedomineerd door de klokkentoren. Hier staan de **Sint-Joriskathedraal** van de orthodoxe Grieken (1767) en de **Sint-Eliaskathedraal** van de katholieke Grieken (1849), gebouwd in Byzantijnse stijl.

Een beetje verderop naar het oosten ligt het **Martelarenplein**, omzoomd door gigantische palmbomen en zo genoemd ter herdenking van de Libanese nationalisten die er in 1915 en 1916 werden opgehangen door de Ottomaanse heersers. Een **standbeeld** herinnert aan deze tragische episode.

Ten zuiden van het Martelarenplein staat de **Mohamed al-Aminemoskee**. Vijf koepels en vier minaretten steken boven de grootste moskee van Libanon uit. De bouw ervan, die van 2002 tot 2007 duurde, werd gefinancierd door de miljardair en politicus **Rafic Hariri**. Hij werd op 14 februari 2005 in Beiroet vermoord en zijn graf bevindt zich net als dat van zijn zes lijfwachten, vlak bij de moskee. In de zogenoemde wijk van het Franse mandaat werd de straat Foch heropgebouwd, met mooie gebouwen en veel restaurants gehuld in de rook van waterpijpen.

Ten noorden van het Nejmehplein moet u zeker een bezoek brengen aan de sierlijke (en gigantische) **soeks★**, die sinds 2010 open zijn. In oosterse gebouwen hebben ongeveer 150 internationale ketens een winkel geopend. De soeks omvatten twee archeologische vindplaatsen.

In het centrum bevinden zich ook het **Grote Paleis** en de overblijfselen van de **Romeinse thermen**.

★ Hamra

De straat waaraan deze levendige, kosmopolitische wijk zijn naam dankt, is sinds 2004 grondig verfraaid.

De andere grote straat, Bliss, lokt vooral

studenten van de **Amerikaanse universiteit**, waarvan de reusachtige campus een groene oase in de stad vormt. In deze wijk is het **Archeologisch museum van de universiteit**★★ gevestigd. Ze bezit een schitterende collectie met 4000 voorwerpen afkomstig uit Libanon, Palestina, Syrië, Egypte, Iran en Irak, daterend uit de periode van de prehistorie tot de islamitische periode. Een beetje verderop naar het zuiden ligt de **Sanayehtuin**, het grootste park van Beiroet. Hier vindt u even verkoeling als het broeierig heet is in de stad.

★★ Corniche van Raouché

De bekendste wandelboulevard van Beiroet volgt de kust 4 km. Ze begint ter hoogte van het voormalige **hotel Saint-Georges**★, dat in 1932 werd gebouwd door de Franse architect Auguste Perret en dat in de jaren zeventig van de vorige eeuw nog een van de mooiste hotels ter wereld was. Volg vanaf daar de lanen Paris, Général-de-Gaulle en Rafic-Hariri. In de zee ziet u de bekende **Duivenrots**, twee grote kalkrotsen die uit het water steken. De Corniche is een populaire wandelplek waar alle godsdiensten samenkomen. De boulevard loopt ook langs het **strand Ramlet el-Baïda**, het enige openbare strand van Beiroet. Het is 1 km lang, het is niet altijd schoon, maar het is er wel gezellig.

★ Achrafieh

Deze residentiële wijk ligt boven op een heuvel en was ooit omgeven door moerbeibomen die gebruikt werden voor de kweek van zijderupsen. Loop eens door de bekoorlijke steegjes en beklim de vaak lange trappen. Zo verbindt de **trap Saint-Nicolas** de straten

Gouraud en Sursock. De trap bestaat uit 202 treden en 23 bordessen en wordt ook 'trap der kunsten' genoemd omdat hij in de lente enkele weken wordt ingenomen door schilders en handwerkers. In deze wijk bleven enkele gebouwen en huizen in traditionele Libanese stijl bewaard, vooral in en rond de straat Sursock. De opvallendste gebouwen zijn het **Sursockpaleis**, dat tussen 1850 en 1860 werd gebouwd, het **Dagherpaleis** (Gouraud) en het **Linda Sursockpaleis** (naast het Sursockmuseum). Iedere archeologieliefhebber zou het **Nationaal Museum van Beiroet**★★★ *(gesl. ma. - ℘ (01) 426 703 - 5 £ - www. beirutnationalmuseum.com)* moeten bezoeken. Het museum bezit een van de rijkste collecties in het Midden-Oosten. Op de benedenverdieping ziet u mozaïeken en stenen voorwerpen uit het 2de millennium v. Chr. tot de Romeins-Byzantijnse periode (64 v. Chr. tot 636 na Chr.). Tot de pronkstukken behoren vier bewerkte, Romeinse sarcofagen uit de 2de eeuw, maar vooral de sarcofaag van Ahiram, koning van Byblos (10de eeuw v. Chr.), waarin Egyptische en Syrisch-Hittitische invloeden werden gecombineerd. Op de tweede verdieping ziet u keramiek, juwelen en glaswerk van de prehistorie tot de bronstijd (3200-1200 v. Chr.), gevolgd door de Arabische verovering en de Ottomaanse periode (635-1516). Uit het oude Byblos zijn bronzen beeldjes te zien met hoge kapsels.

Neem ook een kijkje bij het **voormalige station**. Achter de oude gebouwen van baksteen en gele natuursteen staan locomotieven uit de 19de eeuw tussen het struikgewas te wachten tot ze opnieuw in dienst worden genomen.

De wandelboulevard langs het water
Luc Decoudin/MICHELIN

BEIROET PRAKTISCH

Dienst voor Toerisme – 550, Central Bank St. - Hamra - 📞 (01) 340 940/1/2/3/4 - www.lebanon-tourism.gov.lb - www.destinationliban.com

VERVOER

Per bus – Verschillende busmaat-schappijen zorgen voor een uitgebreid aanbod aan buslijnen. De bussen LCC (rood met wit) vallen goed op.
Ga in het busstation bij de haven Charles-Hélou naar zone B voor bussen die door Beiroet rijden.

Per minivan – Er rijden in Beiroet veel minivans rond die tot tien personen kunnen vervoeren.

Per taxi – Er is geen taximeter, u moet vooraf over de prijs onderhandelen.

Per servicetaxi – Herkenbaar aan hun rode nummerplaat. Servicetaxi's zijn het populairste vervoermiddel in Beiroet. Zeg waar u naartoe moet (geef de naam van een gebouw in plaats van een straat) en vermeld dat u een 'service' wilt, zodat u niet de prijs voor vijf personen betaalt. Onderhandel voor het vertrek over de prijs.

Rondleiding – Originele en gezellige verkenning van de stad onder leiding van BeBeirut, een groep studenten (in het Engels). Ga naar Gefinor Centre Plaza in Clemenceau Street. Voor data en tarieven: www.bebeirut.org.

EEN GLAASJE DRINKEN

Iris – An Nahargebouw, Martela-renplein - 📞 (03) 09 09 36. Er zijn in Beiroet veel bars die op het dak van een gebouw zijn gevestigd, waaronder deze op het Martelarenplein. Zachte muziek, prachtig uitzicht, onberispelijke service.

Café Younes – Nehmé Astra -
☏ (01) 347 541. De geur van versge-
brande koffie lokt u naar dit rustige
adres dat al generaties lang bestaat.
Een gevestigde waarde!

UIT ETEN
Diwan Al-Sultan Brahim –
R. Omar-Daouk - ☏ (01) 989 989 -
www.aldiwanbeirut.com.
Terras bij het water, aan de voet van moderne flatgebouwen die getuigen van
de heropstanding van het land. In deze
bekoorlijke en gezellige eetgelegenheid
kunt u genieten van falafels (met krab),
kleine, gebakken poon en gegrilde zee-
baars, geserveerd met muntblaadjes en
een salade van knapperige radijsjes.
Abdel Wahab – 51 r. Abdel-Wahab-el-
Inglizi - ☏ (01) 200 550/1. Hier geniet u
van *mezze*, naar het schijnt de beste van
de stad, en overheerlijke grillgerechten.
La Plage – Ain-el-Mreissé -
☏ (01) 366 222. In deze strandbar aan
het oostelijke uiteinde van de Corniche
serveert men heerlijke visgerechten.

WINKELEN
In Beiroet worden veel ambachtelijke
producten en antiek (op de rommelmarkt van Basta) verkocht. Maar de
Libanese hoofdstad is ook een erg
trendy stad met designerwinkels die
een bezoekje waard zijn.
Assyla – Saifi Village, r. Said Aki -
☏ (01) 970 333. Hier vindt u een ruim
aanbod aan ambachtelijke producten,
van oosterse sloffen tot aardewerk en
juwelen.
Elie Saab Boutique – Beirut Central
District - ☏ (01) 981 982. Elie Saab,
genie van de Libanese haute couture,
heeft natuurlijk een boetiek in zijn
geboortestad.
Nada Debs – Saifi Village,
r. Moukhalsieh - ☏ (01) 999 002/3/4.
Deze jonge ontwerper staat bekend
om zijn moderne ontwerpen waarin hij
traditionele motieven en invloeden uit
het Midden-Oosten verwerkt.

De berg Karmel biedt uitzicht op de baai van Haifa.

ISRAËL

Egyptenaren, Babyloniërs, Perzen, joden, Grieken, Romeinen, kruisvaarders, Arabieren en Engelsen, ze zijn hier allemaal geweest, in dit land dat wordt vereerd door de drie monotheïstische godsdiensten. De oude stad Jeruzalem, de Olijfberg, de Dode Zee, het Fort van Massada, Tel-Aviv... Het land telt veel mythische plaatsen die gemakkelijk bereikbaar zijn vanaf de Israëlische havens van Haifa en Ashdod.

Officiële naam: Staat Israël
Plaatselijke naam: Yisrā'el
Hoofdstad: Jeruzalem
Officiële talen: Hebreeuws en Arabisch
Oppervlakte: 20.770 km²
Inwoners: 7,7 miljoen
Munteenheid: nieuwe sjekel (€ 1 = 4,8 NIS)
Telefoneren naar Israël: Kies 00 + 972 + het nummer van de correspondent (zonder de 0).
Tijdverschil: Israël is 1 uur voor op Nederland en België. Als het in Jeruzalem 10.00 u is, is het in Amsterdam 9.00 u.

Klimaat: Mediterraan klimaat langs de kust, in de rest van het land heerst een woestijnklimaat. Let in juli en augustus op voor de zon.
Winkelen/openingstijden: De winkels zijn doorgaans van zondag tot donderdag open van 9.00 tot 19.00 u (soms sluiten ze tussen 13.00 en 16.00 u). Tijdens de sabbat, van vrijdagmiddag circa 14.00 u tot zaterdagavond of zondagochtend, zijn alle winkels gesloten. Winkels die worden opengehouden door moslims, zijn op vrijdag gesloten, winkels die worden opengehouden door christenen, zijn dinsdagmiddag gesloten.

Enkele Hebreeuwse woorden...

Ja **Kèn** / Nee **Lo'** / Goedendag **Boqèr tov** / Goedenavond **Èrèv tov** / Tot ziens **Besslâma** / Goedenacht **Laylah tov** /Dag, goedendag, goedenavond **Shalom** / Alstublieft **Bèvaqashah** / Dank u wel **Todah** / Mevrouw **Gvèrèt** / Meneer **Mar, Adoni** / Hoe gaat het met u (v/m) ? **Mah shlomèkh?/Mah shlomkha?** / Gisteren **'Ètmol** / Vandaag **Hayom** / Morgen **Mahar** / Waar is...? **Èifoh yèsh...?** / Hoeveel kost het? **Kamah zèh olèh?** / Hoe zegt men ... in het Hebreeuws? **Èikh 'omrim... bècivri?** / Kunt u me helpen? **'At yèkholah?** / De rekening **Hèshbon** / Toiletten **Shéroutim**

Haifa★ (Hefa)

Haifa is de op twee na grootste stad van Israël, de hoofdstad van het noorden en de belangrijkste haven van het land. Ze strekt zich vanaf de hellingen van de berg Karmel tot tegen het water uit. In deze moderne stad die de bezoeker lange stranden, mooie parken en boeiende musea biedt, leven joden en Arabieren vreedzamer samen dan elders in het land.

Excursies van een halve dag

De berg Karmel

De wijk van de Duitse kolonie
Haifa groeide sterk in de 19de eeuw door de komst van Duitse tempeliers, een Duitse protestantse stroming die wilde terugkeren naar de oorsprong van het christendom. De huizen die toen werden gebouwd, aan de laan Ben Gourion, worden de wijk van de Duitse kolonie genoemd (German colony). De cafés en restaurants maken van deze wijk een van de gezelligste van de stad.

Bahaituinen
Deze in terrasvorm aangelegde tuinen maken van de rotsachtige helling van de berg Karmel een groene oase. Onberispelijke lanen lopen naar de **Bahaitempel**, of Tempel van de Bab, met een vergulde koepel. Het is de belangrijkste heilige plek van het Babisme, de religie die Bahá' U'llah in 1863 in Iran stichtte, met als doel de mensheid te verenigen in één religieus koninkrijk.

Karmelietenklooster Stella Maris
℘ (04) 833 77 58 - gratis toegang - met bus 26, 30,31, 99a en 115 of de kabelbaan. In de 12de eeuw stichtten kruisvaarders een klooster op de berg Karmel, waar de profeet Elia zou hebben geleefd. De Orde van de Karmelieten ontstond er in 1209. Het klooster werd vernield in 1799,

toen de gewonde soldaten van Napoleon er werden verzorgd. Het huidige klooster werd in 1836 gebouwd.

Grot van Elia
Te voet bereikbaar vanaf het klooster. Deze grot, waar de profeet Elia zich in de 9de eeuw v. Chr. zou hebben teruggetrokken, is een pelgrimsoord voor de drie monotheïstische godsdiensten.

Langs de kust

Wandelboulevard
Bat Galit, de wandelboulevard langs de kust, is een aaneenschakeling van restaurants, bars en speelpleintjes.

Stranden
De stad omvat 17 km strand. Wie van zon en zee houdt, komt hier dus zeker aan zijn trekken. In het noorden liggen twee goeduitgeruste stranden, in het zuiden liggen de ongereptere stranden.

De musea
Zoek op hete dagen verkoeling in het **Kunstmuseum** *(11 av. Ben Gourion - 30 NIS)* met moderne Israëlische schilderkunst. Daarnaast zijn er het **Museum voor Japanse kunst Tikotin** *(89 av. Hanassi - 30 NIS)*, het **Museum van clandestiene immigratie** *(204 r. Allenby - 15 NIS)* en het **Nationaal Maritiem Museum** *(198 r. Allenby - 30 NIS)*, gewijd aan de maritieme geschiedenis van het Middellandse Zeegebied.

De Bahaituinen met de Bahaitempel
⊢ Neukirchen/Blickwinkel/age fotostock

HAIFA PRAKTISCH

Dienst voor Toerisme – 48 av. Ben Gourion - ℰ (04) 853 56 06 - www.tour-haifa.co.il.

VERVOER

Van de haven naar het centrum
Neem de metro of de bus om van de haven naar het centrum te geraken.

Per sherut (gedeelde taxi)
Er vertrekken er veel in Hadar.

Per bus
De bussen die de stad doorkruisen, vertrekken aan het busstation in Hadar, ook op zaterdag. Een kaartje kost 5,60 NIS, te koop bij de chauffeur.

Per metro
Er is in Haifa één metrolijn, van de Berg Karmel naar de oude stad en de haven.

Zo.-do. 6.00-22.00 u, vr. 6.00-15.00 u. Een kaartje kost 5,90 NIS.

Per kabelbaan
De kabelbaan verbindt de promenade Bat Galim met het klooster Stella Maris, dat 300 meter hoger ligt. Onderweg geniet u van een schitterend uitzicht en u krijgt uitleg in het Engels. ℰ (04) 833 59 70. 16 NIS (enkel), 22 NIS (H/T).

UIT ETEN

Shawarma Hazen Ford – 140 Jaffa Road. Hier kunt u genieten van de lekkerste *shawarma* van de stad.
Hahaveet – Dado Beach - ℰ (04) 852 22 15. Het ideale adres voor gebakken vis, calamares en zeevruchten, geserveerd aan lange tafels. Gezellig overdag voor het hele gezin, 's avonds de uitgaansplek.

Ashdod

Ashdod, de op vier na grootste stad en op één na grootste haven van het land, ligt met haar witte, moderne huizen en flatgebouwen op 35 km ten zuiden van Tel-Aviv en 70 km van Jeruzalem. Deze moderne stad heeft zelf weinig te bieden, maar is een goede uitvalsbasis voor een bezoek aan Jeruzalem, het Fort van Massada of de archeologische vindplaats Ashkelon.

Excursies van een halve dag

Ashdod
Het hoogste punt van de stad heeft de rijkste geschiedenis. Op de **Givat Yona** (de heuvel van Jona) zou Jona, een van de twaalf Bijbelse profeten, zijn begraven. De heuvel steekt boven de moderne stad Ashdod uit. Die werd in 1956 gesticht op de plek waar eerder het dorp Isdud lag, dat was vernield tijdens de Onafhankelijkheidsoorlog van 1948. De stad strekt zich tot aan de kust uit met flatgebouwen afgewisseld met veel groene ruimten. Langs de 8 km lange kust zijn er verschillende **openbare stranden**. De strandboulevard ('Midrahof') loopt langs de westkant van Ashdod.

★ Ashkelon
Ashkelon is de meest zuidelijk gelegen stad van Israël. Van ver herkenbaar aan de **Karmelberg** strekt deze stad zich tot aan de duinen uit. Romeinse, Byzantijnse en mammelukse overblijfselen herinneren aan dat lange verleden. In de **wijk Migdal** bleven gebouwen van de Arabische stad Majdal bewaard, zoals de grote moskee waarin het **Museum van Ashkelon** is gevestigd (gewijd aan de geschiedenis van de moderne stad Ashkelon en aan de archeologische ontdekkingen), en een oude **karavanserai** (khan).

De belangrijkste vindplaatsen uit de oudheid bevinden zich in het **nationaal park Ashkelon★**, dat ook enkele van de mooiste **stranden** aan de kust omvat. U ziet er de indrukwekkende stadspoort uit de Kanaänitische periode (bronstijd), een openbaar gebouw, vele beeldhouwwerken uit de Romeinse tijd en overblijfselen van de versterkingen uit de periode van de kruistochten.

Excursies van een dag

★★★ Jeruzalem
70 km van Ashdod. Per taxi (ca. 1 uur rijden) of per bus (ca. 1,5 uur rijden).
Jeruzalem is een heilige stad voor de drie monotheïstische godsdiensten. Het is een onvergetelijke, bruisende stad. De oude stad wordt nog omringd door de 5 km lange stadsmuren. De stad werd in de 16de eeuw gesticht door Süleyman I de Grote en bestaat uit vier wijken: de **christelijke wijk**, de **joodse wijk** (de modernste wijk), de **Arabische wijk** (de armste, maar ook levendigste wijk) en de rustige **Armeense wijk**. U kunt een wandeling over de stadsmuren maken (16 NIS), met onderweg prachtige uitzichten op de oude stad.

Kruisweg
Vanaf de **Leeuwenpoort★★** (oostkant van de stad) kunt u naar de Heilig Grafkerk langs de Kruisweg, de weg die Je-

De Rotskoepel op de Tempelberg In Jeruzalem
Mathieu Bourdenet/Michelin

ASHDOD PRAKTISCH

Dienst voor Toerisme in Jeruzalem
Jaffapoort - ℘ (02) 628 04 03 -
www.tourism.gov.il.

VERVOER

Van de haven naar Ashdod
De haven is niet toegankelijk voor taxi's
en voetgangers. Een gratis bus brengt
passagiers naar de ingang van de haven
of het busstation. Aan de ingang van de
haven staan ook taxi's klaar.

Van Ashdod naar Jeruzalem
Per taxi – Taxi's brengen u in 1 uur tijd
naar Jeruzalem. Onderhandel voor uw
vertrek over de prijs (spreek een prijs af
per taxi, niet per persoon).
Ashdod Port Taxi Service -
℘ (08) 852 111.
Per bus – In het busstation kunt u bus
448 naar Jeruzalem nemen. Een enkele

rit kost ca. 20 NIS en duurt ca. 1,5 uur
(van station naar station). Om terug te
keren neemt u bus 1 naar het busstation
van Jeruzalem, dan bus 448.

Van Ashdod naar Massada
Autoverhuur in Ashdod – **Avis** -
47 Zabotinsky St, Star Centre Plaza -
℘ (08) 856 41 62. **Hertz** - Rogozin 4 -
℘ (08) 852 77 79. **Eldan** - Ha'Amal 45 -
℘ (08) 852 03 02 - www.eldan.co.il

WINKELEN
In de oude stad van Jeruzalem is er een
grote soek waar afdingen verplicht is.
Elia Photo Service - 14 Al Khanka -
℘ (02) 628 20 74 - www.eliaphoto.com.
Fotograaf Elia Kahvedjian (1910-1999)
fotografeerde het Jeruzalem van de
20ste eeuw. Hier kunt u mooie postkaar-
ten, reproducties en boeken kopen.

zus aflegde en die nu door de Arabische wijk loopt. Elke vrijdag om 15.00 u volgt de **processie van franciscanermonniken** deze weg.

Heilig Grafkerk

In het hart van de christelijke wijk, waar een twintigtal christelijke gemeenschappen samenleven, staat de Heilig Grafkerk, een van de belangrijkste heilige plaatsen van de christenen. De kerk werd opgericht door keizer Constantijn op de plek waar vermoedelijk Jezus gekruisigd en begraven werd. Die plek, Golgotha genoemd ('schedelplaats', omdat de schedel van Adam er zou zijn begraven), lag in die tijd buiten de muren van de stad. De huidige basiliek werd voornamelijk door de kruisvaarders in de 12de eeuw gebouwd.

Westelijke Muur (Klaagmuur)

De Klaagmuur heeft in het noorden een deel dat is voorbehouden voor mannen en er is een klein stuk gereserveerd voor vrouwen. Ook niet-joden mogen de Klaagmuur betreden, op voorwaarde dat ze geen moslim zijn (moslims worden aan de controleposten aan de ingang van dit deel van de oude stad tegengehouden) en dat ze gepast gekleed zijn (pet of keppeltje voor mannen, omslagdoek voor luchtig geklede vrouwen).

In het hart van de joodse wijk, waar sinds de 13de eeuw vooral rabbijnen en studenten van de Talmoedische scholen rondlopen, bevindt zich de Westelijke Muur of Kotel, de heiligste plaats ter wereld voor joden. Het 80 meter lange overblijfselen van de westelijke muur van de tempel die Herodes liet bouwen, wordt vereerd omdat hij zo dicht bij het Heilige der Heiligen ligt (het centrale deel van de eerste tempel die Salomon liet bouwen op de Tempelberg). Dag en nacht verzamelen hier gelovigen. Ze stoppen in de nissen van de muur papiertjes waarop ze wensen schrijven.

Tempelberg

Niet-moslims kunnen het voorplein van de moskeeën tot 's middags bezoeken, behalve op vrijdag. Ze mogen de Omar- en El-Aqsamoskee niet betreden.

Net boven de Westelijke Muur ligt het voorplein van de moskeeën op de Tempelberg. Op deze plek komen veel moslims wandelen en ontspannen, maar het is in de eerste plaats een religieuze plek waarover al veel strijd is geweest. Voor de drie monotheïstische godsdiensten is het de berg Moria waar Abraham aanvaardde dat hij zijn zoon moest offeren (Izaak in Genesis, Ismaël in de Koran). Hier stond ooit de Eerste Tempel en later de Tweede Tempel, die in 70 vernield werd door de Romeinse keizer Titus. In het jaar 72 van de Israëlitische jaartelling (691 of 692 van de christelijke jaartelling) bouwden de moslims de El-Aqsamoskee en de **Rotskoepel** (of Omarmoskee). De koepel van die laatste werd in 1994 bekleed met goud.

Olijfberg

U kunt de Olijfberg te voet beklimmen of de Arabische bus nr. 75 nemen bij de Damascuspoort.

Op deze witte heuvel ten oosten van de stad ligt het grootste **joodse kerkhof** ter wereld. Volgens de joodse traditie zal de Verlosser aan het einde der tijden de doden weer tot leven wekken. Hij zal dat eerst op de Olijfberg doen, voor hij Jeruzalem binnengaat. De personen die op de Olijfberg begraven liggen, zullen dus als eerste weer tot leven worden gewekt.

Op de heuvel bevinden zich ook christelijke bezienswaardigheden (het **graf van Maria** en de 12de-eeuwse kapel, de **basiliek van Getsemane**, **Latijnse en orthodoxe kapellen**, het **orthodoxe klooster van de Hemelvaart**...) en **moskeeën**.

★★★ Yad Vashem
Har Hazikaron - 📞 02-644 34 00 - gratis - www.yadvashem.org. Per bus: nr. 2, 13, 16, 17, 17a, 18, 20, 21, 23, 24, 26, 27, 30, 99.
Een bezoek aan dit museum ter herdenking van de zes miloen slachtoffers van de Holocaust, is erg aangrijpend. Yad Vashem, Hebreeuws voor 'gedenkteken en naam', werd in 2005 geopend. Het 4200 m^2 grote museum ligt op de top van een heuvel ten westen van Jeruzalem, een beetje afgelegen van de stad. Het omvat verschillende gebouwen en tuinen, waaronder de herdenkingskamer, het Historisch Museum, het Kunstmuseum, het gebouw der rechtvaardigen, het dal van de verwoeste gemeenschappen, de hal van de namen, een herdenkingsteken voor de kinderen en een educatief centrum.

★★★ Massada
135 km ten zuidoosten van Ashdod. Ca. 2,5 uur. Toegang tot de ruïne: 23 NIS - toegang + kabelbaan: 67 NIS.
Boven op een heuvel in de woestijn van Judea, vlak bij de Dode Zee, ligt Massada, een van de symbolen van het oude koninkrijk Israël. Ten tijde van de Hasmoneese dynastie werd hier op 450 meter hoogte een fort gebouwd dat tussen 37 en 15 v. Chr. werd versterkt door Herodes om zich te beschermen in geval van een opstand van de joden of een invasie van de Egyptenaren. Na de dood van Herodes werd het fort ingenomen door de Romeinen en in 66 veroverd door de zeloten, een groepering vrome joden die zich afzetten tegen de Romeinse overheersing. Na de val van Jeruzalem in 72 bezetten 10.000-15.000 Romeinse soldaten Massada. Na zeven maanden bezetting pleegden 960 joden, onder wie soldaten, vrouwen en kinderen, zelfmoord om een einde te maken aan hun gevangenschap.
De ruïne is een symbool voor de joodse heldhaftigheid en het verzet en werd door de Unesco uitgeroepen tot werelderfgoed. De overblijfselen van het paleis van Herodes zijn een uitzonderlijk en perfect intact voorbeeld van dit type architectuur. De militaire kampen, de versterkingen... Ze geven een goed beeld van een bezetting in de Romeinse tijd. Vanaf de heuvel geniet u van een fantastisch uitzicht. Bezoek ook het **Museum van Massada** (*📞 08-658 42 07 - 20 NIS*) voor extra informatie.

Zwemmen in de Dode Zee
Ein Borek is een badplaats en kuuroord op 5 km van Massada. Zwemmen in de Dode Zee, het laagste punt ter wereld (417 meter onder het zeeniveau), is een unieke ervaring, maar opgelet, door de hoge zoutconcentratie (275 gram per liter) en de hoge temperaturen mag u niet langer dan 20 minuten zwemmen en moet u blootstelling aan de zon vermijden.

De Sfinx en de piramide van Cheops

EGYPTE

De indrukwekkende piramiden van Gizeh, die 4500 jaar geleden werden gebouwd, vertellen de bezoeker van Egypte over vijfduizend jaar geschiedenis vol geniale uitvindingen. Alexandrië, de stad die een bloeiperiode kende in de hellenistische tijd maar steeds meer aan charme inboet, ligt aan de noordkust, ten westen van de Nijldelta. Verderop naar het oosten ligt Port Said, de stad die in de 19de eeuw ontstond, met het mythische Suezkanaal door de woestijn.

Officiële naam: Arabische Republiek Egypte
Plaatselijke naam: al-Miṣr
Hoofdstad: Caïro
Officiële taal: Arabisch. De spreektaal is Egyptisch (Arabisch dialect).
Oppervlakte: 1.001.449 km^2
Inwoners: 80,1 miljoen
Munteenheid: Egyptisch pond (€ 1 = 7,9 £)
Telefoneren naar Egypte: Kies 00 + 20 + kengetal van de regio (zonder de 0) + het nummer van de correspondent.
Tijdsverschil: Egypte staat 1 uur voor op België en Nederland. Als het in Caïro 10.00 u is, is het in Amsterdam 9.00 u. Opgelet, de overgang van winter- naar zomeruur en omgekeerd,
vindt op een andere dag plaats in Egypte.
Klimaat: Behalve aan de Middellandse Zee heerst er in Egypte een subtropisch woestijnklimaat. Caïro telt slechts enkele regendagen per jaar, maar in Alexandrië valt er in de winter veel neerslag.
Winkelen/openingstijden: De winkels zijn van zaterdag tot donderdag van 9.00 tot 18.00 u open (in de zomer tot 22.00 u) en op vrijdag vanaf 14.00 u. Sommige winkels zijn op zondag gesloten. Tijdens de ramadan sluiten winkels om 15.30 u en ze zijn opnieuw open van 20.00 tot 23.00 u. In de zomer zijn veel winkels in het centrum van Caïro open tot 2.00 u 's nachts.

Enkele Egyptische woorden...

Ja **Aywa** / Nee **La'a** / Goedendag ('s ochtends) **Sabâh al-kheir** Goedendag (als antwoord) **Sabâh al-nour** / Goedenavond **Massa al-kheir** Goedenavond (als antwoord) **Massa al-nour** / Tot ziens **Ma'es salama** / Alstublieft **Lao samaht** / Dank u wel **Shokran** / Excuseer **Assef** (voor mannen), **Asfa** (voor vrouwen) / Oké **Mashi** / Restaurant **Mât'âm** / Spreekt u Frans (Engels)? **Betetkallem fransawi (inglezi)?** / Ik begrijp het niet **Ana mish fahem** (voor mannen), **Ana mish fehma** (voor vrouwen)

Port Said★

(Bŭr Sa`Īd)

Port Said is een vrijhandelshaven en de meest welvarende stad aan het Suezkanaal. Ze ontstond toen het Suezkanaal in 1859 werd gegraven en is dus een heel jonge stad in vergelijking met de andere grote steden van het land. De haven is een van de drukst bezochte ter wereld. Port Said werd in westerse stijl op een dambordpatroon gebouwd. Ze staat dan ook sterk in contrast met de steden van het Egypte van de farao's.

Excursie van een halve dag

De stad

In de zomer komen er in de winkelwijk *(Al-Togari)* van Port Said veel inwoners van Caïro winkelen. De wijk lijkt wel een bazaar met kledingzaken en winkels waar u alles vindt wat er in Zuidoost-Azië wordt geproduceerd. Deze oudste wijk van de stad ligt bij de kade *(sharia Palestina)* en wie ze nader bekijkt, ontdekt mooie, zij het wat vervallen fin-de-sièclearchitectuur. Flaneer door de straten en wandel daarna over de nieuwe, verhoogde wandelpromenade van de vissers- naar de handelshaven.

Strand

Hoewel de Middellandse Zee zich hier niet van haar mooiste kant laat zien, wordt het strand van Port Said omgeven door hotels en clubs.

Haven

De haven lijkt wel een mierennest van aankomende en vertrekkende vracht-schepen, veerboten en lichters. De vaargeul is 200-600 meter breed. De pier aan de westkant (een voor voetgangers onbegaanbare golfbreker) is 7300 meter lang, die aan de oostkant 1900 meter. Het licht van de oude vuur-toren was tot 23 mijl ver op zee te zien (de nieuwe staat op het strand).

Gebouw van het Suezkanaal★ –

Niet toegankelijk. Aan het eind van de straat Mustafa Kamel, tussen de bekkens van het arsenaal en het handelsbekken, staat dit prachtige gebouw van 1869 dat gebouwd werd voor de ingebruikname van het kanaal. De mooie witte gevel en de groene koepel zijn het beste te zien vanaf de gratis veerboot tussen Port Said en Port Fouad.

Port Fouad

Deze woonwijk van Port Said ligt op de oever van het kanaal aan de kant van Sinaï. Dit is dus Azië.
De wijk werd in 1925 opgericht voor de werknemers van de maatschappij die het Suezkanaal beheerde. Ze werd voorzien van een jachthaven en onder-scheidt zich van de rest van Port Said door de rust en de kleine huizen met tuinen vol witte jasmijn.

Nationaal Museum van Port Said

Sh. Palestine (noordkant van de kade) - 12 £.
De voorwerpen in de tuin zijn afkomstig van het Museum van Ismailia *(zie blz. 290)*. Binnen ziet u een niet erg be-langwekkende collectie, ook al worden bijna 2500 voorwerpen tentoongesteld in vijf afdelingen op twee verdiepingen: een faraonische, Grieks-romeinse, kopti-sche, islamitische en moderne afdeling.

Het Suezkanaal
Bertrand Gardel/hemis.fr

PORT SAID PRAKTISCH

Dienst voor Toerisme –
Sh. Palestine - ☎ 323 52 89.

VERVOER
Veerboot – Gratis voor voetgangers. Elke 5 minuten vaart een veerboot tussen Port Said en Port Fouad (vertrek aan de aanlegsteiger net ten noorden van het Gebouw van het Suezkanaal).

Boottocht
Canal Cruise – Korte boottocht op de Middellandse Zee en het begin van het kanaal, tot het centrum van de stad. Vertrek: Gate 1 (tegenover het Nationaal Museum van Port Said) - ☎ 012 687 18 52 - www.canalcruiseportsaid.com - 16.00 u - 85 £ - duur: 1,5 uur. U moet uw paspoort bij u hebben.

UIT ETEN
El-Bagaa – Sh. Tahr el-Bahr. *De Pelikaan* staat bekend om zijn visgerechten, vooral om de rijst met zeevruchten en de tajine met vis. Geen alcoholhoudende dranken. Reken op 50 £ per maaltijd.

El-Borg – Sh. Tahr el-Bahr - ☎ 332 34 42 - 12.00-4.00 u. *De toren* heeft niet voor niets uitstekende reputatie. Specialiteit zijn visgerechten. Proef zeker de vissoep met krab en schelpdieren. Geen alcoholhoudende dranken. Reken op 80 £ per maaltijd.

WINKELEN
Shoppen is de specialiteit van de vrijhaven Port Said. Er worden vooral schoenen en kleding verkocht (let op voor namaak). Aarzel niet om af te dingen. De beste winkelstraten zijn sharia Al-Gomhuriya (parallel aan sh. Palestina die het kanaal volgt) en sh. El-Nahda, en langs het strand.

Militair museum

Sh. 23 Youlyou - 5 £ - fototoestel en filmcamera tegen betaling.
Dit kleine museum werd door Nasser ingewijd in 1964. Het bezit maquettes, voorstellingen en foto's en schilderijen, vooral over het conflict van 1956 en de oorlogen met Israël in 1967 en 1973.

Excursie van een dag

Ismailia en het Suezkanaal

80 km ten zuiden van Port Said, aan het Suezkanaal.
Er hangt een vleugje nostalgie in de straten van Ismailia, dat zijn koloniale architectuur heeft bewaard. In het centrum van de stad met rechtlijnig grondplan kunt u de sfeer opsnuiven van de oude Europese wijk. De stad dankt haar ouderwetse charme aan de voormalige kantoren van de kanaalcompagnie *(naast het huis van De Lesseps)* en aan de villa's van haar medewerkers, omringd door tuinen. Neem zeker ook een kijkje bij het **Suezkanaal★**, een brede strook blauw water die geklemd ligt tussen de oevers van goudgeel zand en die Afrika en Azië van elkaar scheiden.

★ Het kanaal

Ga niet richting Ferdan Ferry (alleen toegankelijk voor vrachtwagens en militairen), maar richting Ferry nr. 6.
De schepen varen van zuid naar noord of noord naar zuid in konvooi over het kanaal. Het schouwspel van de enorme staalmassa's die over het rustige, smalle kanaal glijden, is dus niet voortdurend te zien, het zou kunnen dat u even moet wachten op het volgende konvooi.

Museum van Ismailia

Sh. Mohammed Ali - 15 £ - fototoestel 5 £; filmcamera 100 £.
Dit archeologisch museum in een neoklassiek gebouw stelt een collectie voorwerpen uit de Egyptische oudheid, de Grieks-Romeinse periode en de islamitische tijd tentoon.

Timsahmeer

Wie op zoek is naar ontspanning, kan terecht aan dit 'meer van de krokodil', dat ten zuidoosten van de stad ligt. Er bevinden zich **stranden**, clubs en hotels (toegang 20 £).

HET SUEZKANAAL

Er werd voor het eerst een kanaal gegraven tussen de Middellandse Zee en de Nijl door farao **Necho** van de 26ste dynastie. De Romeinen onderhielden het, maar daarna verzandde het. Later dook regelmatig het idee op om een kanaal te graven door de landengte van Suez. **Bonaparte**, toen generaal van het oriëntaalse leger, verwezenlijkte het idee. Maar **Ferdinand de Lesseps** (1805-1894) legde het eerste kanaal tussen de twee zeeën aan. Men begon in 1859 ter hoogte van de latere haven Port Said en het kanaal was klaar in 1869. Het 193,3 km lange, 280-345 meter brede en 22,50 meter diepe kanaal verkortte de route naar Indië aanzienlijk en leed vaak onder intriges en gevechten. In 1956 nationaliseerde **Gamal Abdel Nasser** het kanaal. Het verkeer werd bijna vier maanden stilgelegd, net zoals op 5 juni 1967, tijdens de oorlog tegen Israël. Het ging pas weer open op 5 juni 1975.

Alexandrië★★

Alexandrië is tegenwoordig een moderne stad en een populaire badplaats waar in de zomer veel inwoners van Caïro te vinden zijn. Er zijn
nog sporen van het verleden te zien, maar ze worden steeds vager. De
oude gebouwen die nog getuigen van de buitenlandse invloed, vallen ten
prooi aan projectontwikkelaars. Alexandrië verandert steeds meer in een
oosterse stad, ook al richt ze haar blik nog steeds overzee.

Excursies van een halve dag

★★ Rond de oostelijke haven

Van het voormalige **Fort van Qaitbay**
tot de **Nieuwe Bibliotheek** lopen
twee dijken om de **oostelijke haven**
vol vissersboten.
Het centrum van de stad ligt ten zuiden
van deze prachtige, halvemaanvor-
mige haven, tegen de **Corniche★★**
en aan weerszijden van de straat Saad
Zaghloul.

★ De zeedijk

Hier duurt de gouden eeuw van het
kosmopolitische Alexandrië nog wat
voort. Ten zuiden van het fort geven
mooie, recent gerestaureerde gebouwen een art-decotintje aan de Corniche.
De gebouwen rond het Franse consulaat
getuigen nog van de bloei van de stad
in de 19de eeuw.

★ Het centrum van de stad

Het **Saad Zaghloulplein** is het ideale
vertrekpunt voor een stadswande-
ling. In Saad Zaghloul Street en Safiya
Zaghloul Street ten zuiden van het plein
zijn er veel winkels en kraampjes.
Loop door Satiyyah Zaghloul Street naar
het Gomhuriyyaplein. Een beetje meer
noordwaarts ligt de **soek Attarine** met
mooie brocantewinkeltjes *(sh. Masguid
el-Attarine)*.

Saad Zaghloul Street loopt naar het
Tahrirplein. Het plein werd aangelegd
door vicekoning Mohammed Ali (1769-
1849) tijdens zijn grote urbanisatiewer-
ken. Zijn bronzen standbeeld staat in
het midden van het plein. Tijdens de
werken werden veel Griekse, Romeinse,
Byzantijnse, koptische en islamitische
overblijfselen vernield, maar de Turkse
wijk bleef gespaard.
Verderop naar het westen leiden twee
verkeersaders *(sh. Nokrashi en sh. Fa-
ransa)* naar de **soeks van de wijk Anfushi**. De overdekte soek **'krioelende
vrouwenmarkt'** *(Zan'et el-Sittat)* is een
stoffenmarkt.

Moskeeën

De wijk **Anfushi** ligt ingeklemd tussen
de twee havens. Hier werd in 1767 de
Abu Abbas el-Mursimoskee gebouwd op het graf van Abu Abbas, een
islamheilige uit de 13de eeuw. Het indrukwekkende silhouet steekt af tegen
de flatgebouwen aan de Corniche. Vlakbij staat de **Ibrahim Terbanamoskee**
van midden 17de eeuw met een mooie
minaret. De **Shorbagimoskee** *(sh.
Nokrashi)* heeft nog enkele elementen
uit de oudheid en heeft een typische
gevel voor de Nijldelta, waarin zwarte
en rode bakstenen en witte specie op
decoratieve wijze werden gebruikt.

★ Fort van Qaitbay

25 £ - fototoestel 10 £; filmcamera 150 £.
Het Fort van Qaitbay ligt aan de oost-
punt van het eiland Pharos, waarop de
vuurtoren van Alexandrië stond.
Het fort werd eind 15de eeuw door sultan Al-Malik Nasr Qaitbay gedeeltelijk
opgetrokken uit stenen van de oude
vuurtoren. Het is een mooi voorbeeld
van de Arabische vestingbouw en de
centrale toren had vroeger een minaret. Vanaf het westelijke terras geniet
u van een schitterend **uitzicht**★ op
de baai. Op de benedenverdieping
bevindt zich het onderkomen en
weinig interessante **Museum van
het zeeleven van Alexandrië**
(2 £ - fototoestel 5 £).
Ten westen van de necropolis Anfushi
staat het **Ras el-Tinpaleis** *(niet toegankelijk)*, gebouwd door de Egyptische
vicekoning Mohammed Ali (1769-1849).

Necropolis van Anfushi

20 £ - fototoestel 10 £; filmcamera 150 £.
Deze necropolis dateert uit de 3de-2de
eeuw v. Chr. Twee van de vijf onderaardse grafkelders zijn toegankelijk. Ze
bestaan uit twee graftomben met een
gedeeld atrium. De wanddecoratie vertoont Griekse en Egyptische kenmerken
uit de tijd van de Ptolemeeërs.

★ Romeins theater van Kom el-Dik

9.00-16.30 u - 20 £; studenten 10 £.
Dit witmarmeren odeion uit de 4de
eeuw bood plaats aan 800 toeschouwers en werd ontdekt in 1963. In een
halve cirkel stond een marmeren
tribune met twaalf rijen banken rond de
arena en daarrond stond een 8 meter
hoge muur. Een openluchtmuseum stelt
een dertigtal vondsten tentoon die in de
zee ter hoogte van het Fort van Qaitbay

werden gevonden (sfinx, delen van
zuilen en standbeelden...).

Villa met de vogels

Binnen de muren van het theater - 15 £.
Deze Romeinse villa zat onder Byzantijnse bouwsels van eind 5de eeuw. De
vloer is versierd met mooie **mozaïeken**★★ die vooral dateren uit de tijd
van Hadrianus.

De wijk van de catacomben

★ Catacomben van Kom el-Shugafa

*35 £ - fototoestel en filmcamera verboden
(bewaring).*
Deze Romeinse necropolis uit de 1ste-
2de eeuw werd toevallig ontdekt in
1900, toen de grond wegzakte onder
de poten van een ezel. Kom el-Shugafa
was in gebruik tot de 4de eeuw en werd
vergroot door nissen uit te graven. Er
zijn zes onderaardse grafkelders met
drie verdiepingen, tot 35 meter onder
de grond (de laagste staat onder water).
De decoratie is een van de mooiste
voorbeelden van de gemengde Grieks-
Romeinse en Egyptische stijl.

★ Zuil van Pompejus en Serapeum

10 £.
De hoogste zuil (30 meter) uit de Grieks-
Romeinse tijd staat ten zuiden van de
stad. Men dacht lange tijd dat Caesar de
zuil had opgericht ter ere van Pompejus.
Uit een inscriptie aan de westkant van
de sokkel blijkt echter dat de zuil is gewijd aan keizer **Diocletianus**, die drie
eeuwen later dan Caesar leefde. De zuil
diende later als baken voor de schepen
die Alexandrië naderden.
Serapeion – Van de Grote Tempel
voor Serapis, die Ptolemaeus I bouwde,
Ptolemaeus III vergrootte en Hadrianus veranderde, blijft bijna niets over,

Het Fort van Qaitbay
Sylvain Grandadam/age fotostock

ALEXANDRIË PRAKTISCH

Dienst voor Toerisme – 23 El-Mena al-Sharkya, op de hoek met midan Saad Zaghloul - ℰ 485 15 56

VERVOER

Van de haven van Alexandrië naar het centrum van de stad

De passagiersterminal ligt ver van het centrum. Neem eventueel een individuele of collectieve taxi.

Per taxi

De geel-zwarte taxi's ziet u meteen. Houd een taxi aan en vertel de chauffeur door het raampje waar u naartoe wilt. Onderhandel over de prijs, afhankelijk van de afstand: 5-10 £ tot het centrum.
In de stad rijden nieuwe taxi's rond, voorzien van airconditioning en een meertalige chauffeur.

ℰ 08 009 99 99 99 - 5 £ voor de eerste aanslag en dan 1,50 £/km.

Per collectieve taxi

Voor 1 £ kunt u zich met dit vaak overvolle vervoermiddel snel verplaatsen. Opgelet, wie geen Arabisch spreekt, kan weleens de verkeerde taxi nemen. Als u wilt uitstappen, geeft u de chauffeur een seintje.

Per tram

De tram is lawaaierig en soms heel traag. Bepaalde wagons zijn voorbehouden voor vrouwen. Vanaf het station Ramla (naast midan Saad Zaghloul) vertrekken de gele trams naar het westen van de stad, de blauwe naar het oosten.

Per bus

Vanaf midan Orabi zijn er drie interessante buslijnen voor toeristen: 231 (Fort van Qaitbay), 260 (Aboukir via de Corniche) en 221 (dorp Mamoura). Minder praktisch dan de tram.

Per koets
Pittoresk vervoermiddel, maar vooral in de zomer zorgen verkeersopstoppingen voor problemen. Bij weinig verkeer is het ideaal voor een mooie tocht langs de Corniche. Onderhandel over de prijs, vanaf 5 £, afhankelijk van de afstand.

Per trein
Er is een treinverbinding met Ismailia.

Van Alexandrië naar Gizeh
Als u geen excursie hebt geboekt, bereikt u Gizeh via **Caïro**.
Per bus – Superjet ($\mathscr{C}$ 421 90 92) of West Delta ($\mathscr{C}$ 428 85 66). Vertrek in het busstation naast treinstation Sidi Gaber ten oosten van de stad. Elk uur een bus, van 5.00 tot 1.30 u (20/30 £, 3,5 uur).
Per sneltrein – Om 8.00, 9.00, 14.00, 18.00 en 19.00 u (terugrit om 7.00, 8.00, 14.00, 15.00, 18.00 en 19.00 u), 2 uur, 50 £ in 1ste klasse, 30 £ in 2de klasse. In Caïro neemt u best een **taxi**, maar meestal valt er niet te onderhandelen over de prijs (minstens 25 £ voor een enkele rit). U kunt op het Tahrirplein ook de **bus** nemen.
Bezichtiging – Te voet of per bus als u in groep komt. U kunt ook een paard of dromedaris huren vlak bij de kassa. De normale prijs bedraagt 25 £/uur. Betaal pas na uw rit. Vrouwen delen hun rijdier beter niet met de verhuurder. Ook bij de Sfinx zijn paarden te huur.

UIT ETEN

Alexandrië
Elite – Sh. Safiya Zaghloul 43 - 8.00-0.00 u - 🚭 🖃. Dit eenvoudige café-restaurant uit de jaren vijftig van de vorige eeuw is eigendom van de legendarische Mme Christina, een Griekse beroemdheid die in Alexandrië woont. Tarama, kip of inktvis.
White & Blue – Net voor het Fort van Qaitbay (zoek het gebouw met het Griekse uithangbord) - $\mathscr{C}$ 480 26 90 - 12.00-0.00 u - 🚭. In dit uitstekende restaurant op de tweede verdieping van de Griekse zeemansclub van Alexandrië serveert men verse vis en traditionele Griekse gerechten. Het beste adres in de stad met bovendien uitzicht op de zee en de baai. Ook prachtig terras in de zon.
Samalemak – Sh. Qasr Ras 42 en Tin el-Anfoushi - 15.00-1.00 u - 🚭. Uitstekend restaurant waar u vis per gewicht betaalt (tot 300 £/kg voor kreeft). Met overdekt terras tegenover de havenloodsen.
Trianon – Midan Saad Zaghloul. Deze tearoom hoort bij het gelijknamige restaurant. In een gezellig interieur kunt u genieten van heerlijk gebak, ijsjes of milkshakes.

Gizeh
Andrea – 1,5 km ten noorden van de Pyramids Road (2 £ per taxi vanaf de piramiden). De Egyptische specialist in kipgerechten serveert zijn gerechten in een mooie tuin. Voor 20 £ krijgt u een assortiment voorgerechten.
Mena House Oberoi – Aan de voet van de piramiden staat dit luxueuze hotel met een weelderige inrichting in oosterse stijl. In de heel gezellige tearoom kunt u genieten van een stukje taart (15 £), een kopje thee, koffie of Turkse koffie (8 £). Reken op 150 £ voor een maaltijd.

behalve enkele brokstukken van de zuilenschachten en de fundering, een Nijlmeter en ondergrondse ruimten. De muren van de tempel waren vanbinnen bekleed met edelmetaal om het zonlicht goed te weerkaatsen. Hier was een belangrijke afdeling van de Bibliotheek van Hadrianus gevestigd.

Rond de Bibliotheca Alexandrina

★★★ Bibliotheca Alexandrina

℘ 483 99 99 - www.bibalex.org - Een kaartje kost 45 £ en geeft toegang tot het gebouw en alle musea.

Begin 3de eeuw v. Chr. richtte **Demetrios van Phaleron**, een Atheens staatsman en leerling van de filosoof Theophrastos, de Bibliotheca Alexandrina op, waarschijnlijk in opdracht van Ptolemaeus I. Demetrios verzamelde en archiveerde Griekse werken, maar ook Egyptische papyrussen over allerlei onderwerpen: geneeskunde, astronomie, geschiedenis, tradities, religie, talenstudie, mythes en legendes, wetenschap, literatuur en vertalingen. In totaal zijn er ongeveer 500.000 netjes geklasseerde werken, de werken in het Serepeion niet meegeteld. De bibliotheek werd verscheidene malen getroffen door een brand en in 642 werd ze volledig verwoest door de Arabische veroveraars. De nieuwe bibliotheek is een groot glazen gebouw aan de Corniche dat als een zonneschijf uit de zee verrijst. Het staat op dezelfde plek waar zijn voorganger stond. Deze moderne bibliotheek werd ontworpen door het Noorse architectenbureau Snohetta. Het is 45.000 m^2 groot en beslaat elf verdiepingen. Er is plaats voor 2000 lezers en in het gebouw bevinden zich ook een instituut voor wetenschap en informatie, een planetarium, een congrespaleis en een conferentiecentrum.

Neem een kijkje in twee musea in de bibliotheek: het **Museum van de oudheid★** en het **Museum van de manuscripten★**, waar enkele van de belangrijkste werken uit de bibliotheek worden tentoongesteld.

★★ Nationaal Museum van Alexandrië

Sh. Tariq Al-Horreyya 110 - 35 £.

Dit museum werd in 2003 geopend en is ondergebracht in een paleis in Italiaanse stijl, dat dateert van 1929 (het voormalige Amerikaanse consulaat). Het bezit een rijke collectie, samengesteld met de reserves van verschillende nationale musea, zoals het **Grieks-Romeinse museum** en het **Museum voor koninklijke juwelen**, die momenteel gesloten zijn.

Faraokunst – Verschillende pronkstukken en een zaal ingericht als een **graftombe★** uit het Dal der koningen.

Grieks-Romeinse kunst★ – Dit is de boeiendste afdeling, waarin u ziet hoe de volkeren die over Egypte hebben geheerst, de inlandse kunst hebben geassimileerd en geïnterpreteerd.

Vondsten uit de zee★ – Deze afdeling toont enkele van de mooiste vondsten uit de zee ter hoogte van Alexandrië en Aboukir.

Koptische kunst – Kleine collectie liturgische voorwerpen en een **icoon★** met het Laatste Avondmaal.

Islamitische kunst – Prachtige **muntcollectie** met 162 goud- en zilverstukken, waaronder prachtige exemplaren uit de islamitische en Byzantijnse periode.

Museum voor Schone Kunsten
Sh. Menashe 18 (bij het station) - gratis.
In dit museum maakt u kennis met de moderne en hedendaagse kunst van Egypte. In de nogal sobere ruimten op twee verdiepingen worden tijdelijke tentoonstellingen gehouden.

Necropolis van Chatby
Sh. Port-Saïd - 20 £.
Men vermoedt dat deze necropolis de oudste is die in Alexandrië werd ontdekt (eind 4de eeuw v. Chr.) en het is ook de minst spectaculaire. Op de ondergrondse ruimten werden grafmonumenten aangebracht. Hier zijn de eerste bewoners van Alexandrië begraven.

Excursie van een dag

★★★ Gizeh
Ten westen van Caïro ligt het zandplateau van Gizeh, dat ten tijde van de farao's door de mens vlak werd gemaakt. Hier ligt de koninklijke necropolis van de 4de dynastie (2670-2450) en resten van de 1ste, 2de, 5de en 6de dynastie. De vindplaats bestaat uit twee delen: aan de ene kant de **piramides★★★** en private **mastaba's** (grafmonumenten) ernaast, aan de andere kant de **tempels**, de **Sfinx★★★** en enkele **privégraven**. *Toegang vindplaats: 60 £ - toegang piramide van Cheops: 100 £, piramide van Chefren en Mykerinos: 30 £.*

★★★ De piramiden
Piramide van Cheops★★★ –
De piramide is op slechts twee tijdstippen toegankelijk: 8.00 en 13.00 uur. Er worden 150 bezoekers per halve dag toegelaten.
Cheops, de tweede farao van de 4de dynastie, is onsterfelijk geworden dankzij zijn piramide, maar er is weinig over hem bekend. De 146,59 meter (nu 138,75 meter) hoge en 230,37 meter brede piramide heeft een volume van ongeveer 2.521.000 m³. Voor de bouw ervan waren 2.300.000 blokken kalksteen van gemiddeld 2,5 ton nodig, opgestapeld in 201 lagen. De piramide was ooit bedekt met witte kalksteen dekplaten, maar die zijn verdwenen. De oorspronkelijke ingang bevond zich aan de noordkant. De huidige ingang biedt meteen toegang tot de grote galerij via een gang die door dieven werd gegraven. Een 77 meter lange, dalende gang leidt naar een onafgewerkte grafkamer. De architecten legden dan op 19 meter van de ingang een 39 meter lange, stijgende gang aan die uitkomt op een horizontale gang die naar een tweede onvoltooide grafkamer loopt. Deze stijgende gang werd verlengd door een **grote galerij★★** die 46 meter lang en 8,50 meter hoog is, een waar architectonisch meesterwerk. Het voorvertrek biedt toegang tot de 10,50 meter brede koningskamer. Boven het plafond zitten vijf holle ruimten die de druk op de koningskamer verminderen (in de laatste werd de cartouche van Cheops aangebracht). De granieten sarcofaag ligt er nog, de mummie is verdwenen.

Piramide van Chefren★★ –
De tweede zoon van Cheops volgde zijn broer Djedefre op (die laatste ligt begraven in Abu Roach, 9 km ten noorden van Gizeh). Hij zou een roemrijk heerser zijn geweest, maar er is over hem nog minder bekend dan over Cheops. Hij volgde het voorbeeld van zijn vader en liet zich begraven in Gizeh.
De 143,50 meter (nu 136,40 meter) hoge en 215,25 meter brede piramide

is spitser dan die van Cheops (de zijden hebben een hellingshoek van 53°, die van de piramide van Cheops hebben een hellingshoek van 51°). De piramide heeft een geschat volume van 1.659.200 m³.

De oorspronkelijke ingang bevond zich aan de noordkant. Een 32 meter lange, dalende gang leidt naar een horizontale gang die uitkomt op de koningskamer. De tweede ingang geeft toegang tot een dalende gang die naar een onafgewerkte grafkamer loopt en vanwaar een stijgende gang naar de horizontale gang loopt.

Piramide de Mykerinos★ – Mykerinos, zoon van Chefren, heeft moeten vechten om de troon te bestijgen en te kunnen behouden. Zijn piramide is bescheidener dan de twee anderen. Ze is 66 meter hoog en 108 meter breed. De 32 meter lange, dalende gang loopt naar een voorvertrek waarachter een 13 meter lange, horizontale gang begon die oorspronkelijk werd versperd door drie valhekken. De gang liep naar de oorspronkelijke grafkamer boven de uiteindelijke grafkamer, waar zich de basalten sarcofaag van de koning bevond. De sarcofaag werd meegenomen door de Brit Vyse, maar het schip zonk ter hoogte van Spanje.

★★★ Sfinx

Het Egyptische woord *Chesepânkh*, dat 'levend beeld' betekent, leverde ons via het Grieks het woord sfinx op. In Egypte verwees men hiermee naar een beeld dat de kop van een leeuw en het lijf van een mens of dier had. Het belichaamde het gezag van de koning.

De 57 meter lange en 20 meter hoge sfinx werd uitgehouwen uit één rots. Hij stelde heel waarschijnlijk Chefren voor, die als een indrukwekkende bewaker aan het begin van de weg naar zijn piramide staat, maar sommigen herkennen er ook Cheops of de god Horus in. Thoetmosis IV liet de Sfinx restaureren na zijn troonsbestijging, maar later verdween het monument onder het zand. Daarom werd de Sfinx pas in geschriften vermeld vanaf Plinius de Oudere (1ste eeuw). Marcus Aurelius en later Septimus Severus lieten de Sfinx opnieuw restaureren, maar het zand slokte het beeld weer op. Ten tijde van de mammelukken werd het tot de hals met zand bedekte beeld beschadigd tijdens schietoefeningen met kanonnen. Zo verloor hij zijn neus. In 1817 ontdekte men tijdens opgravingen delen van zijn valse baard. Men probeert de Sfinx nu al decennia lang in stand te houden, maar hij takelt toch beetje bij beetje af.

SALDARI/ Eureka/age fotostock

De piramiden van Gizeh

REGISTER

298

REGISTER

300

REGISTER

303

Vertaling	Anja De Lombaert
Opmaak	Keppie & Keppie, Varsenare
Omslagontwerp	Keppie & Keppie, Varsenare
Omslagfoto	www.shutterstock.com
Oorspronkelijke titel	Escales en Méditerranée
Oorspronkelijke uitgever	Michelin, Parijs
Directie	Philippe Orain
Uitgevers	Hélène Payelle, Archipel studio (Michelin, Parijs)
	Lieven Defour (Lannoo, Tielt)
Redactie	Sandrine Gallotta, Lut D'Hondt (Wegwijzer)
Cartografie	Évelyne Girard, Sandrine Tourari, Stéphane Anton, Peter De Bock
Grafisch ontwerp	Hélène Payelle

Het redactieteam heeft de grootste zorg besteed aan de samenstelling en de controle van deze gids. Maar omdat de gegevens voortdurend gewijzigd worden, moet de praktische informatie (prijzen, adressen, bezoekuren, telefoonnummers, bezienswaardigheden, internetadressen…) worden beschouwd als een aanwijzing. Het is dan ook best mogelijk dat bepaalde info bij het verschijnen van deze gids niet helemaal correct of volledig is. Wij kunnen daar niet verantwoordelijk voor worden gesteld. Deze gids bestaat voor en door u; u bewijst ons dan ook een grote dienst door eventuele tekortkomingen of vergissingen te melden. Aarzel niet om ons uw opmerkingen en suggesties over de inhoud van deze gids mee te delen. Bij een eerstvolgende bijgewerkte editie zullen wij daar rekening mee houden.

CONTACTADRES

De Groene Reisgids
Uitgeverij Lannoo
Kasteelstraat 97
B-8700 Tielt
degroenereisgids@lannoo.be

De Groene Reisgids
Uitgeverij Terra-Lannoo bv
Papiermolen 14-24
3994 DK Houten
degroenereisgids@terralannoo.nl

www.lannoo.com

D/2013/45/176
NUR 512/516
ISBN 978-940-14-0602-4